Elena
a filha da princesa

MARINA CARVALHO

Elena
a filha da princesa

1ª edição

— **Galera** —
RIO DE JANEIRO
2015

CIP-BRASIL. CATALOGAÇÃO NA PUBLICAÇÃO
SINDICATO NACIONAL DOS EDITORES DE LIVROS, RJ

C321e

Carvalho, Marina

Elena, a filha da princesa / Marina Carvalho. - 1. ed. - Rio de Janeiro : Galera Record, 2015.

ISBN: 978-85-01-10436-6

1. Ficção brasileira. I. Título.

15-20841

CDD: 028.5
CDU: 087.5

Copyright do texto © Marina Carvalho, 2015

Criação de capa: Igor Campos
Projeto gráfico e composição de miolo: Renata Vidal da Cunha

Todos os direitos reservados.
Proibida a reprodução, no todo ou em parte, através de quaisquer meios.
Os direitos morais do autor foram assegurados.

Texto revisado segundo o novo Acordo Ortográfico da Língua Portuguesa.

Direitos exclusivos desta edição reservados pela
EDITORA RECORD LTDA.
Rua Argentina 171 - Rio de Janeiro, RJ - 20921-380 - Tel.: 2585-2000.

Impresso no Brasil

ISBN 978-85-01-10436-6

Seja um leitor preferencial Record.
Cadastre-se e receba informações sobre nossos lançamentos e nossas promoções.

Atendimento e venda direta ao leitor:
mdireto@record.com.br ou (21) 2585-2002.

A HISTÓRIA QUE VOCÊ VAI LER NÃO COMEÇA NA PRÓXIMA PÁGINA. NA VERDADE, ELA É O RESULTADO DE ACONTECIMENTOS ANTIGOS, SUSCITADOS GRAÇAS AO FACEBOOK. CASO ELE NÃO EXISTISSE, PROVAVELMENTE TUDO O QUE SERÁ CONTADO AQUI JAMAIS TERIA SIDO POSSÍVEL.

Bem, muitos anos atrás, uma típica garota mineira de 20 anos, criada apenas pela mãe, foi surpreendida pela notícia que transformou seu mundo num conto de fadas moderno, embora bem distante de se parecer com os reinos elaborados pela Disney: seu pai, o sujeito que ela nunca conheceu, de repente surge e se apresenta como Andrej Markov, rei da Krósvia, um pequeno país do Leste Europeu.

A jovem, Ana Carina Bernardes, nada preparada para essa realidade, custa a assimilar sua nova condição. Afinal, de uma hora para outra, deixou de ser uma simples mortal, estudante de Direito da Universidade Federal de Minas Gerais (UFMG), para se tornar a única princesa daquela nação distante — e desconhecida.

Pressionada pelo pai e incentivada pelas pessoas mais próximas — mãe, avó, melhor amiga Estela e o quase namorado Artur —, Ana se rende ao convite de passar uma temporada na Krósvia, de modo que fosse inserida ao ambiente familiar paterno.

Vale ressaltar que o rei jamais soube da existência da filha, pois fora abandonado pela namorada antes que ela lhe revelasse o segredo. Só por isso Ana aceitou acompanhar o pai. E não se decepcionou.

Não muito...

Ao chegar à Krósvia, a brasileira se encantou pelo país, além de ter se tornado a queridinha do reino. Assessorada pela doce secretária Irina — que sempre nutriu um amor platônico por Andrej —, Ana se torna parte de algo grandioso, muito acima de suas expectativas, ao ser apresentada como a única herdeira do trono krosviano.

Entre passeios matinais pela praia particular do Palácio Sorvinski — a morada oficial da família real —, longas conversas com a adorável Karenina, a cozinheira-chefe do castelo, e o trabalho voluntário com as meninas órfãs do Lar Irmã Celeste, Ana quase não tinha tempo de pensar no Brasil e nas pessoas que deixou para trás, mesmo porque Alexander Jankowski, enteado do rei Andrej, decidiu assumir o papel de guia turístico da princesa.

Logo Ana se vê caída pelo pseudopríncipe danado de charmoso, mas é obrigada a esconder seus sentimentos, afinal, além de "quase irmãos", o belo rapaz já tinha uma namorada, a perigosa Laika Romanov, "carinhosamente" apelidada por Ana de "Nome de Cachorro".

Ainda assim, como em todo conto de fadas, no final da história tudo se ajeita. Ana e Alex finalmente ganham o seu "felizes para sempre".

E permanecem desse jeito por dois anos, até que o rei sofre um grave acidente aéreo. Como única herdeira do trono, Ana precisa assumir suas funções de líder da nação, apesar de jamais ter sido preparada para o ofício. Tudo é muito confuso e complexo, mas ela se esforça bastante.

O problema é que tem gente de olho no seu lugar e a fim de tirá-la de lá na marra. A princesa passa a receber ameaças por e-mail, que culminam num ardiloso sequestro, planejado por Marcus Acetti, casado com Marieva, tia da princesa. Ele contou com a ajuda da Nome de Cachorro, movida pela vontade insana de se vingar por ter perdido Alexander para Ana.

Ainda bem que o enteado do rei estava atento aos sinais. Depois de encurralar a ex-namorada, Alex consegue descobrir a localização do cativeiro. E, com a ajuda do Serviço de Investigação, resgata a princesa, que, além de voltar para casa sã e salva, é recebida pelo amado pai, enfim recuperado.

E um pouco antes do próximo capítulo desta história começar, a vida na Krósvia andava mais ou menos assim:

- Marcus e Laika: presos ✓
- Andrej e Irina: finalmente juntos ✓
- Ana e Alex: casados e com Elena, a filha recém-nascida do casal ✓
- Demais membros da família (tia Marieva e seus filhos Luce, Giovana e Luka): bem ✓

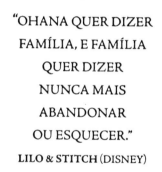

"OHANA QUER DIZER FAMÍLIA, E FAMÍLIA QUER DIZER NUNCA MAIS ABANDONAR OU ESQUECER."

LILO & STITCH (DISNEY)

"Got no reason
Got no shame
Got no family
I can blame
Just don't let me disappear
I'mma tell you everything"
SECRETS (ONE REPUBLIC)

Não há razão

Não há vergonha

Não há família

A quem eu possa culpar

Não me deixe desaparecer

Eu vou lhe contar tudo

Prólogo

Alex, amor, acho que... a bolsa estourou.

Sempre que alguém diz essa frase nas novelas, minha reação instantânea é revirar os olhos e torcer o nariz. Afinal, não me parece muito realista uma grávida pronunciar algo dessa magnitude com tamanha tranquilidade, como se quisesse dizer: "Acho que o gato da vizinha subiu no nosso telhado."

Eu jamais conheci alguém cuja bolsa tenha arrebentado. Por outro lado, devo admitir que não convivi com muitas gestantes.

O certo é que, familiarizada ou não com o fato, comigo foi exatamente assim que aconteceu. Mas, antes de ir direto ao ponto, peço licença para relatar a experiência — e o prazer — de ter passado nove meses carregando minha menina dentro de mim.

Todos sabem que me casei nova para os parâmetros atuais. Hoje a maioria das mulheres espera chegar perto dos 30 — ou até mais — para aceitar esse compromisso. Eu não. Pronunciei cada letra da palavra SIM, em português, krósvi e inglês, ao pedido feito por Alexander, antes mesmo de completar 25 anos.

Esperar o quê? E para quê? Sempre soube que, se não fosse com Alex, eu jamais me casaria. Desde o começo, ele representa tudo para mim. E, por sorte, significo o mesmo para ele.

Sim, o casamento foi planejado.

No entanto, ficar grávida nove meses depois, não. A ideia era aproveitar nossa vida a sós por um período antes de *começar* a pensar em filhos.

Acontece que Alex e eu cometemos alguns deslizes e pagamos um preço alto por isso. Algumas noites sem proteção resultaram numa gestação inesperada, um susto que, embora tenha surpreendido todo mundo, encheu nossa família de alegria.

Quero dizer, alegria, alegria mesmo só consegui sentir depois que parei de enjoar. Porque eu passei os três primeiros meses vomitando tudo o que caía em meu estômago e reagindo mal a qualquer cheiro um pouquinho mais forte.

Pó de café, pasta de dentes, sabonete, fritura, até o perfume favorito de Alexander, tudo me nauseava. Precisei dar um ultimato ao meu marido: ou ele deixava de usar a porcaria da fragrância ou mantinha distância de mim. Ai, que fase!

Em compensação, assim que os enjoos finalmente acabaram, fui dominada por uma fome incontrolável, que me levava a desejar coisas das quais eu nem gostava. Todo mundo sabe que sempre fui muito comilona. Portanto, meu "estado interessante" só me fez unir a fome com a vontade de comer.

Mais uma vez, quem acabou penando foi Alex. Afinal, quem vocês acham que saía no meio da noite para atender aos desejos que me deixavam acordada enquanto eu não os satisfazia? Pois é.

Soube que esperava uma menina na metade do terceiro mês. No fundo, eu já pressentia. A constatação de que meus instintos estavam certos fez meu peito transbordar de alegria. Sem pensar duas vezes, confidenciei a Alexander minha intenção de dar o nome da mãe dele à nossa filha.

A reação dele foi muito emocionante. Meu marido afundou o rosto em meus cabelos e chorou. Para quem tem certa dificuldade em deixar transparecer as emoções, foi um gesto e tanto.

E enquanto o mundo do lado de fora se preparava para receber nossa pequena, ela aproveitava o conforto do útero materno para se esbaldar à minha custa. Elena não chutava; fazia acrobacias. Não me causava azia; só deixava meu estômago pegando fogo. Não crescia; se expandia feito um balão de gás.

E todo mundo achava o máximo as peripécras fetais da mmha menina. Humpf! Só eu sei o que passei.

Mas não estou reclamando. Foram os nove meses mars mágicos da minha vida.

Portanto, ao me deparar com a hora da verdade, senti-me tão calma quanto as futuras mamães dos filmes quando anunciam que a bolsa estourou.

— Ana! Ai, meu Deus! Tem certeza? Como assim? O que eu faço, *lyubit?*

Alex parecia um cego em tiroteio. Mas eu não poderia culpá-lo. Homens têm certa dificuldade para lidar com esse tipo de situação.

Saiu feito um doido casa afora, procurando as chaves — que não encontrava nem por decreto —, enfiando itens na mala da bebê, o que me irritou profundamente, porque eu já havia deixado tudo organizado. Mas ele pirou, achando que estava faltando alguma coisa, como chupetas, mamadeiras e até os bichos de pelúcia que comprou numa de suas viagens a trabalho. Tive de explicar, pacientemente, que recém-nascidos não brincam.

— Amor, está tudo bem. Só precisamos ir para o hospital. Não é nada de mais.

Então nós fomos. Apesar da bolsa estourada, a tranquila da história era eu. Ao chegarmos ao hospital, Alex ficou perguntando para a enfermeira, a cada cinco segundos, se já não estava na hora de fazer o parto. Percebi que a coitada quase perdeu a paciência, e com toda a razão. Eu nunca tinha visto meu marido tão nervoso. Até preferia que ele não acompanhasse os procedimentos de nascimento, mas Alexander fez questão de ficar no bloco cirúrgico.

E foi um parto bem difícil. Elena, sabe-se lá por quais motivos, não queria saber de sair. Todo mundo me mandava fazer força, enquanto Alex apertava minha mão a ponto de machucar. Não pude deixar de notar toda a sua palidez. Coitado. Embora eu estivesse deitada naquela cama, quem mais precisava de atendimento médico era o pobrezinho do meu marido.

Mas então, de repente, minha filha decidiu que era hora de dar o ar da graça. Depois de uma empurrada mais forte que as demais, ela saiu de dentro de mim avisando ao mundo que não chegara a passeio. Porque ela não chorou. Elena berrou feito um bezerro desmamado, assustando toda a equipe médica.

E foi impossível não amar aquele serzinho minúsculo e enrugado desde o momento em que olhamos para ela pela primeira vez. Elena nasceu branca como uma folha de papel e muito cabeluda, com cachos largos no alto da cabeça.

— *Slinko...* — Foi a primeira palavra que Alex disse ao ver a filha. *Slinko* quer dizer "sol" em krósvi.

Mais tarde, quando já estávamos em casa, perguntei a ele por que falou aquilo quando se deparou com Elena. Então ele respondeu:

— Por causa dos cabelos cor de trigo em volta da cabeça dela, parecendo raios solares. E também porque nossa bebezinha é o meu sol, que iluminou ainda mais minha vida pelo simples fato de ter chegado ao mundo.

Ah, como não amar esse homem, gente?!

ELENA

Capítulo 1

Uma gota de suor descia lentamente por minhas costas enquanto eu tentava prestar atenção na pergunta feita por Dafina. Mantive meu olhar na menina sentada bem à minha frente, muito embora o calor e a umidade estivessem roubando a minha concentração, que deveria estar totalmente voltada à aula.

— Querida, você pode, por favor, repetir a pergunta? — pedi, com um sorriso encorajador no rosto suado.

O ventilador de teto não cumpria seu papel de fazer ventar. E, mesmo que fizesse isso, se limitaria a espalhar ar quente para os lados. Mais nada.

— Posso ler em voz alta?

Todos os alunos da classe aguardavam ansiosos pela resposta, com seus livros abertos na mesma página. Onde a minha cabeça andava, afinal?

— Claro que sim.

Então a pequena nigeriana, há algum tempo arrebatada pela magia da leitura, pôs-se a narrar as estripulias de Dom Quixote em companhia de seu fiel amigo e companheiro, Sancho Pança.

Olhei para as cabecinhas inclinadas e suspirei profundamente. Eu conhecia cada uma daquelas crianças o suficiente para saber que o pouco que conseguia doar a elas significava muito. O que *elas* não sabiam: a recompensa maior era toda minha.

Fazia seis meses que eu tinha partido da Krósvia para a Nigéria, movida pela necessidade de fazer algo importante para o próximo. Não sei se por influência da minha mãe ou por causa da genética mesmo — minha tia-avó é uma humanitária de carteirinha —, a vida inteira senti que não poderia me contentar com a sorte que tive ao nascer em berço de ouro e fechar meus olhos para a realidade ao meu redor.

Quis estudar Línguas na faculdade não porque os professores, na Krósvia, fossem valorizados e muito bem pagos (ao contrário do que acontece no Brasil), mas sim pela possibilidade de ajudar alguém no futuro, de mostrar o caminho mágico proporcionado pela linguagem.

Por isso, ainda no segundo ano de curso, surgiu a oportunidade que eu tanto esperava. Descobri um grupo de voluntários dentro da universidade. A cada ano, estudantes de medicina, odontologia, serviço social, psicologia, entre outros, partem mundo afora, em missão nas regiões de pobreza extrema. Conhecê-los foi como escutar os gritos da minha vocação. Eu também queria fazer aquilo, ser um deles, envolver-me.

Claro que, assim que anunciei minha intenção, houve resistência. Afinal:

- Para os membros do grupo "Universitários sem Fronteiras", eu era apenas a filha da princesa, ou seja, uma garota mimada e sem propósito.
- Meus pais não queriam que eu me arriscasse. Portanto, me apresentaram inúmeras alternativas de trabalhos voluntários nos limites do meu próprio país.

Porém, ao acabar de completar 19 anos, eu já sabia exatamente definir o que era bom ou não para mim. Tive de ser muito persuasiva com meus colegas de faculdade. Em contrapartida, com Ana e Alex, fui obrigada a usar todo acervo de argumentos que eu tinha.

No final, sei que o que os convenceu de verdade foi a garantia de que eu permaneceria viva e com saúde, não importa onde eu estivesse.

Obstáculos vencidos, o passo seguinte era definir meu destino. Entre algumas opções, acabaram me mandando para um vilarejo ao norte da Nigéria. Minha missão: ensinar inglês às crianças e apresentá-las — isso mesmo, apresentá-las — ao mundo da leitura.

Achei que seria fácil.

Mas não.

Na comunidade, os pais preferiam colocar os filhos para trabalhar desde pequenos a garantir sua educação. Sendo assim, eu e meu grupo passamos semanas e mais semanas apenas tentando alterar essa realidade.

Aos poucos, fomos obtendo sucesso, embora não completamente. Ainda falta muito até que possamos dizer: "Vitória!"

Deixo as recordações de lado ao avistar um bracinho fino apontado para cima.

— Fale, Dara.

— Tia, eu também quero ler. A Dafina já acabou a parte dela.

Sorrio para a linda menina de pele cor de ébano, prestes a atender a seu pedido, quando Dimitri, o coordenador do nosso grupo, aparece na porta da sala.

— Elena, posso falar com você um minuto?

Caminho até ele, depois de autorizar Dara a fazer a leitura em voz alta.

Para ser bem sincera, Dimitri é mais que um coordenador para mim. Ele tem 23 anos, cursa engenharia civil e sua aparência chamou minha atenção desde a primeira vez que o vi.

Porém, o que mais me encanta nele são sua bondade e a forma humana como ele encara o próximo. Resumindo: a gente tem um lance, uma certa química, uma afinidade clara, apesar de mantermos nosso relacionamento no nível da amizade. Aqui, na Nigéria, fica difícil investir em causas pessoais. Trabalhamos muito.

— Olá — diz ele, exibindo as covinhas na bochecha quando sorri.
— Parece que essas crianças não sabem mais viver sem os seus livros. Me diga qual é o seu feitiço.

Foi impossível não notar o duplo sentido da frase. Nos últimos tempos, nossos flertes andam mais constantes e explícitos. Porém, por prudência, neste momento é melhor ignorá-los.

— Ah, Dimitri. Você sabe. Quem não se apaixona pela leitura depois de ser devidamente apresentado a ela?

Sorrimos um para o outro.

— Eh... — Ele hesita. Não consigo interpretar o motivo. — Você precisa dar um pulo lá na sede do acampamento. A Ekaterina disse que seu pai ligou e vai voltar a telefonar daqui a alguns minutos.

Franzo a testa. Nós sempre nos falávamos, digo, meus pais e eu. Mas não é comum eles me ligarem no meio do dia.

— Ele adiantou o assunto?

Dimitri balança a cabeça, negando, claro. Pergunta mais boba a minha!

— Vai lá. Eu fico aqui na sala enquanto você conversa com seu pai.

Passo por ele, mas paro antes de sair para dar-lhe uns tapinhas nas costas.

— Não se deixe dominar pelas crianças. Elas podem ser bem persuasivas, quando cismam.

De olhos arregalados, Dimitri exibe um sorriso frouxo. Coitado... o forte dele são as construções, não pessoas com pouco mais de um metro de altura.

— Pai! Aconteceu alguma coisa?

Eu mal havia atendido o telefone e já queria entender logo o porquê dessa ligação fora do horário de costume.

— Oi, filha — responde ele, sempre com aquela voz que minha mãe vive chamando de sensual. Mesmo com seus quase 50 anos, Alexander Jankowski, meu amado pai, continua um gato, para alegria e deleite da princesa Ana, da Krósvia. — Em primeiro lugar, preciso dizer que estamos com *saudade*.

— Eu também.

E é verdade. A cada dia, fica mais difícil suportar a distância. Sinto falta de tudo, das pessoas queridas e do clima agradável de Perla.

— Por outro lado, temos muito orgulho de você, minha princesa. — Meu pai revela, meio emocionado, mas lutando para não demonstrar seu lado "manteiga derretida". O cara sabe ser durão. — E é esse orgulho, junto à certeza de que você escolheu um caminho muito louvável, que até agora me impediu de pegar o primeiro avião e trazê-la de volta à força.

Rimos juntos.

— Conhecendo você, sei que é bem capaz de fazer isso mesmo. Quantas vezes já bancou o herói protetor pra cima da mamãe, hein?

Por um instante, meu pai fica mudo. Em seguida, informa:

— É por causa dela que estou ligando a essa hora, Elena.

Sinto um frio na barriga.

— O que houve com a minha mãe? Ela... Ela...

— Está bem. Na verdade, filha, a notícia é boa. Bom... em termos.

Ai, pelo amor de Deus! Por que meu pai resolveu ser tão reticente?

— De repente, descobrimos que você vai ter um irmão.

— Eu? Um irmão?! — Como assim, gente? Quero dizer, é de conhecimento, público até, que minha mãe tentou por anos engravidar de novo, sem sucesso, infelizmente.

— Ou uma irmã.

— Mas... Eu não entendo. Os médicos não disseram que a probabilidade de uma nova gestação era quase nula? Pensei que... pensei que... vocês tinham desistido.

Meu pai solta um suspiro longo e profundo. Eu, do outro lado da linha, sou só confusão. A ficha não caiu ainda.

— Desistimos mesmo. E paramos de nos preocupar. Faz tempo que não usamos nenhum método contraceptivo.

Que constrangedor ter esse tipo de conversa com o próprio pai. Eu preferia ser poupada dessa informação. Quero dizer, claro que eles mantinham ativa a chama da paixão — para não usar termos mais explícitos. Óbvio que a opção mais tranquila para mim é ignorar esse detalhe solenemente.

— Então, sua mãe começou a sentir mal-estar todos os dias pela manhã. Chegamos a pensar que fosse um problema estomacal ou coisa parecida.

— Desde quando?

— Faz um mês mais ou menos.

Uau! Que coisa!

Meu pai continua:

— Ela foi ao médico e, bom, descobrimos a existência do bebê. Dos bebês, melhor dizendo. Esqueci de dizer que são dois. Seus irmãos. Ou suas irmãs.

Meus olhos se encheram de lágrimas. Que impressionante! Aos 43 anos, minha mãe finalmente realiza um de seus maiores sonhos, e eu, por tabela, estou sendo presenteada também.

— Por que mamãe não me contou, não me ligou? — questiono, um pouco magoada, sentindo-me meio deixada de lado.

— Estou contando agora, Elena. Acabamos de confirmar. — Meu pai faz uma pausa, antes de completar: — E a Ana não sabe que liguei para você. Ela quer fazer isso, mas está esperando a sua hora de folga com as crianças aí. — Nova pausa, agora um pouco mais longa. — Além do mais, sua mãe não vai pedir para você voltar.

Enrugo a testa. Não sou capaz de compreender a intenção do meu pai ao expor essa opinião tão descontextualizada. Bom, pelo menos eu acho que ela está fora da pauta principal.

— E por que ela faria isso, de qualquer modo? — indago, confusa. — Além do fato de vocês temerem por minha saúde e integridade física, quero dizer.

— Filha, estamos contentes com a chegada dos bebês. Muito mesmo. Mas a alegria seria maior se a gravidez não fosse de risco.

— De risco? — repito, começando a visualizar a situação, o que faz meu peito disparar.

— Sim. Bastante. A médica quer que sua mãe tenha cuidado, cumpra uma série de orientações e fique em repouso. Total.

Então meu pai para, puxa o ar com força e desfere o golpe final:

— Elena, ela precisa de você por perto, mesmo que seja durona demais para admitir. Portanto, por favor, volte para casa. Fique em Perla pelo menos até que tudo tenha dado certo.

Fecho os olhos enquanto ouço o apelo feito por meu pai. Evidente que largar o trabalho na Nigéria vai ser difícil. Eu me sinto útil tendo uma causa nobre para defender. Porém, ficar ao lado da minha mãe, da família inteira, aliás, nesse momento tem um quê mais importante, essencial. Sou capaz de qualquer coisa por ela. Jamais me negaria a ser um porto seguro para Ana.

— Conte comigo, papai. Estarei aí em breve — informo, motivada por saber que os reencontrarei em breve. Além disso, minha nossa, vou ter irmãos!

— Ótimo! Você é uma filha maravilhosa. — Meu pai me elogia, como eu previa que ele faria. Sempre fui meio que a "filhinha do papai".

— Ah! Só mais uma coisa: sua mãe vai ligar mais tarde. Não conte a ela sobre a nossa conversa, certo? Senão dona Ana fica brava comigo.

Concordo, achando graça. Sei que muitos casais enfrentam uma barra para manter seus casamentos. Nesse caso, posso me considerar uma tremenda sortuda. Meus pais se adoram. Não. Muito mais até. O que vejo entre eles é um amor tão grande que desconfio ser único, impossível de haver outro igual, mesmo para mim.

Desligo o telefone tranquila e animada. *Gente, vou ter irmãos!* Esse pensamento não sai da minha cabeça.

E logo, logo estarei em casa.

LUKA

Capítulo 2

Não tenho muitas questões a resolver em Perla. Prefiro me manter distante. Confundo as pessoas com minhas atitudes e meus pensamentos, mas é assim que eu sou.

Gosto da liberdade, mas a família não é capaz de compreender isso. Então, fingem que me aceitam e eu finjo que não percebo.

Nunca fui um sujeito muito sociável, exceto na infância, embora meu temperamento explosivo vivesse se manifestando mesmo naquela época. Com o passar do tempo, ele só ficou pior.

Lembro a primeira vez que fui um babaca com minha mãe. Em vez de me corrigir com uns bons tapas na bunda, ela se assustou. Desse dia em diante, foi ficando fácil agir com rebeldia. Aliás, rebelde passou a ser meu nome do meio.

Tentaram abrir meus olhos. Várias pessoas. Mas um adolescente cheio de hormônios não estava a fim de escutar. Eu queria chocar, mostrar a todos que estava me lixando para os conceitos e as obrigações.

Fui me tornando um ser intratável.

Até perceber que não dava para viver assim a vida inteira.

O fato é que tive que aprender a virar homem. Aos 20 anos, não poderia depender do dinheiro da família e usá-lo como meio de realizar as loucuras nas quais eu me envolvia. O acidente foi o marco, o sinal de que eu tinha de mudar antes que ferrasse com tudo, de vez.

Consegui entrar na faculdade, ainda que atrasado, e fiz administração, apesar de, intimamente, preferir ter cursado música. Mas não dá para viver das gorjetas conquistadas nas apresentações em barzinhos. Isso hoje se tornou um *hobby*, e não meu ganha-pão.

No entanto, ter curso superior, um trabalho que me sustenta não fazem de mim um cara sociável e familiar, desses que telefonam toda semana e fazem questão de estar presente nos almoços de domingo.

Não tenho paciência com minha família. Falo com minha mãe uma vez por mês — e olhe lá! Com minhas irmãs, sou um pouco mais atencioso. Mas, quando vou a Perla, faço questão de não dar as caras.

Só que não desta vez. Amo as minhas irmãs e sou capaz de tudo por elas, ainda mais depois... daquilo. Portanto, aqui estou eu: a caminho do inferno chamado "reunião de família".

ELENA

Capítulo 3

Olho pela janela do carro. É impossível evitar as comparações: lado a lado com o povoado da Nigéria, Perla é a visão do paraíso na Terra. Quero dizer, ela sempre foi linda, charmosa, agradável. Mas, depois de passar seis meses num lugar que parece ter sido abandonado por Deus, a capital da Krósvia, minha cidade natal, meu lar, parece ser ainda mais incrível.

Pena que meu poder de deslumbramento tenha minguado um pouco desde que conheci a outra face da realidade — chocante, miserável, terrível. A vida jamais será a mesma depois de morar por seis meses naquele povoado nigeriano.

Viro-me para meu pai e sorrio. É bom estar em casa.

— Sabe que sua mãe vai exigir que você se alimente como se o mundo estivesse prestes a acabar, não é? — comenta papai, em tom de brincadeira. Ele nunca resiste a uma piadinha. Mamãe diz que seu Alex é o rei das tiradas de efeito.

Rio antes de responder, mas não tenho nenhuma chance, porque ele logo emenda:

— Você está muito magra. Dá até para enxergar os ossos da costela.

Exagero dele. Sei que emagreci. Tenho plena consciência disso. Na África, não conseguia me alimentar muito bem. Mas uns quilos a menos não chegaram a fazer grande diferença para mim. Na verdade, estou até gostando. Pelo menos, meu quadril avantajado deu uma reduzida.

Reviro os olhos e volto a observar a paisagem. Meu pai dirige pelas ruas de Perla em direção ao Palácio Sorvinski.

Nós temos a nossa casa. Fica na periferia da cidade. Foi construída quando eu ainda era pequena. Meu pai fez o projeto, claro, do jeito que minha mãe sonhava, ou seja, nada de ângulos retos e de aparência *clean*. Nossa casa reproduz o estilo colonial das cidades históricas brasileiras, inspirada nas construções de Ouro Preto, Tiradentes e Diamantina.

No entanto, assim que foi diagnosticada a gravidez de risco da mamãe, meu avô, o todo-poderoso (e fofo) rei Andrej Markov, insistiu que ela e, consequentemente, todos nós, ficássemos no castelo, onde haveria alguém para cuidar dela 24 horas por dia.

Claro que, primeiro, a princesa Ana bateu o pé. Mas acabou vencida por muitas vozes contrárias. Eu, da minha parte, se querem saber, estou achando ótimo. Adoro o palácio, a praia particular, os jardins, as pessoas, a comida de Karenina... tudo!

Sigo devaneando sobre os bons tempos que passarei com minha família. Porém, minha euforia se desvanece um pouco ao me lembrar de que, como meu período como voluntária na Nigéria ainda não acabou, estou impossibilitada de voltar para a faculdade. Isso significa que logo, logo meu quadril retornará ao tamanho original. Ócio + a comida de Karenina se encarregarão de cuidar dele.

Ao avistar as torres do Palácio Sorvinski, uma emoção familiar invade meu corpo.

— Prepare-se. Estão esperando por você com as honras e pompas dispensadas à neta do rei — avisa papai, com uma expressão divertida.

Não me importo nem um pouco de ser paparicada. Então, animada, deixo meu pai envolver meus ombros com o braço e seguimos até a entrada do castelo, sentindo o estômago revirar por antecipação.

Nada como a saudade para nos fazer reafirmar nossos sentimentos pelas pessoas que amamos.

Mal me vejo dentro dos limites do palácio, e várias vozes e braços queridos me assaltam.

— Elena! Florzinha, que bom que chegou! — exclama Irina, como sempre no ápice da animação.

Ela não é minha avó de verdade nem a considero assim, apesar de ser a esposa do meu avô Andrej e atual rainha da Krósvia. Irina é uma amiga das mais queridas, alguém com quem posso contar em todas as ocasiões, mesmo depois de ter se tornado mãe e se envolvido com todos os problemas da função.

E por falar em tio...

— Já pedi ao Petrov para deixar a lancha a postos. Vamos marcar amanhã?

Quem disse isso foi Hugo, meu tio, filho de Andrej e irmão da minha mãe. Ele tem 12 anos! Um pirralho, desses bem hiperativos. Mas, mesmo assim, ele é um amor. Eu o adoro e a gente costumava ser bem inseparável tempos atrás. Quero dizer, ELE não se desgrudava de mim, até que meus hormônios adolescentes e as obrigações da juventude meio que alteraram nossa rota.

— Hugo, dê um tempo à Elena, certo? — Irina dá uma sacudida no filho enquanto me enlaça num abraço de urso.

Sou recebida por todos como se tivesse ficado seis anos — e não seis meses — fora de casa. Porém, dou falta, naquele meio, daquela que me fez voltar para casa prematuramente.

— Onde está a mamãe? — indago; o olhar perscrutando tudo ao redor.

— Lá em cima. — Meu pai aponta na direção das escadas.

— Ela... está se sentindo bem? — Preocupo-me.

— Apenas um pouco enjoada — assegura Irina, enrolando meus cabelos com os dedos, gesto que ela faz desde que eu era uma menininha bastante cabeluda.

Minha juba dava trabalho para todo mundo, e eu teimava em deixá-la solta, mesmo com as ameaças de castigo feitas por minha mãe. Por outro lado, papai achava minha cabeleira a coisa mais linda deste mundo. Devido ao formato dela em torno do meu rosto, costumava me chamar carinhosamente de "sol" — *slinko* em krósvi. Ainda bem que cresci. Depois de uma adolescência pouco à vontade, finalmente meus castanhos e finos cabelos decidiram me dar uma trégua.

Sorrio e deixo a sala sem cerimônia. Preciso desesperadamente ver mamãe, sentir meus irmãos.

Ela está recostada na cabeceira da cama, cochilando. A aparência é a mesma: esguia, charmosa, iluminada, embora pareça mais pálida. Meus olhos se enchem de lágrimas ao vê-la.

Tento não acordá-la, mas o barulho da porta rangendo ao ser aberta é o suficiente para fazê-la despertar.

— Elena! — Mamãe suspira, abrindo os braços, para onde corro sem pensar duas vezes.

Ficamos abraçadas por um longo tempo, sem falar nada, apenas sentindo o toque uma da outra.

Sempre fui o xodozinho do papai. No entanto, minha ligação com minha mãe ultrapassa o senso comum.

— Nem acredito que você esteja aqui! — comenta ela, assim que nos afastamos. Mamãe analisa minhas feições com cuidado, sem conseguir esconder a admiração por eu ter me mantido de pé diante dos perrengues que passei na Nigéria. Enxergo o orgulho em seus olhos.

— Você fez muita falta, bonequinha.

O apelido carinhoso que ela me deu há anos não me envergonha. Não mais. Houve uma época em que tentei eliminá-lo a qualquer custo.

— Ai, mãe. Também estava com saudade. Foi duro ficar esse tempo todo longe de vocês.

Ela concorda, acariciando meus cabelos.

— Como você está se sentindo? — Eu preciso ouvir a resposta dela e testar sua sinceridade.

— Estou bem. Estamos, na verdade.

Com carinho, a princesa Ana pousa as mãos sobre o ventre. Eu coloco as minhas sobre as dela. Sinto uma energia inexplicável.

— Inacreditável, né?

— Nossa... — As palavras me fogem. O amor que aperta meu peito parece que quer me sufocar de tão intenso.

— Ainda não passam de dois pontinhos minúsculos, mas, mesmo assim, já amo demais esses dois.

Faço que sim com a cabeça. Ela tem razão. Esses lances de vínculo familiar são mesmo meio difíceis de explicar. Eles existem e pronto.

— Mas preferia não ter que ficar de molho. Foi só a médica mencionar isso para o seu pai levar as palavras dela ao pé da letra — reclama mamãe, de nariz torcido. — Por ele, vou passar os próximos meses deitada nesta cama, sendo alimentada a cada três horas, como um recém-nascido.

Solto um risinho de solidariedade. Coitada. Não deve ser fácil lidar com as preocupações excessivas do meu pai. E eu sei muito bem como ele costuma agir em relação às mulheres em sua vida, afinal, represento 50 por cento desse grupo.

— Seu avô também não tem facilitado. E Irina, obviamente.

— Então aproveite. Porque depois, com o nascimento dos gêmeos, nós não teremos muita folga, não é mesmo?

— Nós, é?

— É claro!

Mamãe sorri e me abraça outra vez.

— Querida, é impressão minha ou dá para sentir os ossos da sua costela por baixo da jaqueta?

— Bom... você sabe... eu não passei uma temporada num resort da Bahia — respondo, e dou de ombros.

Minha mãe franze a testa e deixa que seu instinto maternal fale por ela. Pelos minutos seguintes, ela deixa bem claro que vai me fazer recuperar cada nutriente perdido durante os últimos meses longe de casa.

Nem adianta eu argumentar que não tenho a intenção de devolver ao meu corpo os quilinhos ausentes. Só eu sei como luto contra eles. Infelizmente não nasci fininha como mamãe. Tenho a constituição física mais parecida com a de vovó Olívia, ou seja, sou cheia de curvas, algumas sinuosas demais para o meu gosto.

— Vamos saltar essa parte, mãe, e me conte como andam as coisas por aqui — peço, ansiosa para ter notícias de todos.

Enquanto eu estava na Nigéria, minhas ligações para casa eram tão raras — não apenas pelo trabalho que exigia muito de mim, mas, sobretudo, pela precariedade do serviço de telefonia que atendia o povoado — que eu não conseguia ser colocada a par de tudo o que andava ocorrendo na Krósvia.

Então, por causa da minha total falta de informação, mamãe passa horas relatando os últimos acontecimentos.

Fico sabendo, por ela, que a grande novidade da família é o casamento de Luce. A cerimônia está marcada para ser realizada no castelo mesmo, daqui a sete dias.

Luce é a filha mais velha de tia Marieva com o odiável Marcus, o sujeito que sequestrou minha mãe e sabotou o helicóptero do meu avô só porque desejava o trono para si. Muitos anos se passaram desde então, e o cretino, depois de cumprir parte da pena, recebeu liberdade condicional — bem como sua comparsa, Laika Romanov, ou melhor, a "Nome de Cachorro" — e hoje mora em algum "muquifo" nos arredores de Perla.

— Se você der umas voltas pelos jardins mais tarde, vai se deparar com a bagunça feita pelo cerimonial — comenta mamãe, alheia às minhas divagações indignadas. Um sorriso fácil escapa dos lábios dela. Acho que está se lembrando de quando se casou com meu pai.

— A Luce está empolgadíssima, mas não tanto quanto tia Marieva. Precisa ver a felicidade dela, Elena. Só não é mais completa, você pode imaginar por quê.

Fico com pena. Conheço tia Marieva, sei que ela tem um coração de ouro, uma capacidade enorme de fazer o bem. Mas, por todas as histórias que já ouvi, entendo as razões que a impedem de sorrir com mais frequência. Claro que ela sempre foi muito amável e carinhosa comigo. Porém, não a considero uma pessoa feliz, não plenamente. Portanto, é uma boa novidade saber que minha tia-avó está se divertindo devido ao casamento da filha. Um motivo de alegria, afinal!

No entanto, não consigo deduzir exatamente o que se esconde por trás das últimas palavras de mamãe. Ela, esperta como uma raposa, enxerga minha confusão e trata de esclarecer:

— Luka.

Um único nome.

Meu coração pulsa com mais força no peito. A menção ao nome dele me abala como sempre.

— Faz mais de três meses que o desnaturado não dá notícias — revela mamãe, em tom acusatório. Ela procura uma posição melhor na cama e alisa a barriga (nada visível) de grávida. — Nem mesmo as irmãs, a quem ele adora, o sorrateiro tem procurado. Isso está matando a tia.

Com ar contrariado, minha mãe move a cabeça de um lado para o outro.

Não sou capaz de processar tudo o que ela acabou de dizer. O nome Luka fica grudado no meu cérebro, desde o momento que ele surgiu na conversa. Eu gostaria de não me deixar abalar tanto.

Mas como?

Foi *nele* que dei meu primeiro beijo!

Ele foi a minha primeira paixão, contrariando todas as impossibilidades:

1. Somos primos — de segundo grau, está certo, e as leis krosvianas não proíbem esse tipo de relacionamento, mas...

2. Meu pai o odeia, por tudo o que Luka fez à família no passado, especialmente à mamãe.

3. Ele é oito anos mais velho do que eu. Ou seja, quando nos beijamos atrás do carvalho centenário no jardim do castelo, eu era uma garota boba de 14 anos; Luka tinha 22. Óbvio que não foi um beijo, *beijo*, daqueles bombásticos. Só um selinho ligeiro, um resvalar dos lábios. Na época, Luka era uma peste e fazia qualquer negócio para irritar a família.

4. Já falei que meu pai o odeia?

   Soltei um gemido de frustração, mas acho que minha mãe não percebe a ansiedade que me atinge. Ainda bem. Se ela desconfiar do que sinto, serei arrastada para dentro de um manual cheio de normas sobre os porquês de ser proibido se apaixonar por Luka Markov Acetti.

ELENA

Capítulo 4

Pois bem, em um fim de semana em Perla, há cinco anos, enquanto todos no castelo mantinham a pose durante a recepção oferecida à família real da Arábia Saudita, eu, entediada, perambulava com Pedro, meu cão peludão (infelizmente já falecido), pelos jardins do palácio. Aos 14 anos, eu me sentia como um passarinho solto: despreocupada e serelepe.

A não ser nos momentos em que Luka estava presente. Bastava ele dar as caras que eu me encolhia toda, feito aquelas plantinhas rasteiras que conheci numa excursão pelo interior de Minas Gerais: *maria-fecha-porta*.

Desde garoto, ele domina a arte de me intimidar. É triste admitir, mas sempre fui suscetível à presença do meu primo.

— Pedro, não corra!

Indiferente ao fato de eu estar de vestido, meu cachorro insistia em se adiantar uns 10 metros na minha frente, me desafiando a alcançá-lo.

— Volte aqui, seu danado! Não vou entrar na sua brincadeira — alertei, enquanto ele sumia da minha vista, enfiando-se entre os canteiros de margaridas, no meio da escuridão. A noite estava pouco luminosa naquele dia.

— Cachorro teimoso! — bufei, preocupada com o sermão que eu levaria quando mamãe se deparasse com a sujeira que se infiltrava na barra do meu vestido novo (e branco).

Então, de repente, ouvi o som do que parecia ser folhagem se mexendo, seguido de um ganido agoniado. Meu coração se sobressaltou. Imaginativa como era — e ainda sou, admito —, cheguei a visualizar vultos de seres sobrenaturais emergindo dos arbustos.

— Pedro! — chamei, muito embora num tom de voz baixinho. — Pedro!

Do nada, agarrado por duas mãos bronzeadas, meu cão apareceu, com os olhos esbugalhados, talvez indignado diante da captura.

Para a decepção dele, minha atenção estava totalmente dirigida à pessoa que o mantinha preso: Luka.

Com 22 anos — e um histórico nada exemplar —, ele já havia perdido as feições de garoto e mais parecia o líder de um bando de delinquentes juvenis. Mesmo assim, eu o idolatrava, para meu desespero.

Assisti à aproximação dele sem conseguir desviar o olhar. Eu o achava lindo, com os cabelos louros sem corte na altura dos ombros; os olhos azuis e ferozes, como se dissessem: "Caiam fora! Sou perigoso."; e, já naquela época, as tatuagens que ocupavam seus braços, dos ombros aos cotovelos.

— Salvei seu cachorro da cilada em que se meteu. — Luka se gabou, mantendo Pedro no colo e contrariando a vontade do bichinho.

— Obrigada — respondi baixinho, incapaz de olhá-lo nos olhos. Estiquei os braços, na expectativa de receber meu cachorro de volta.

Mas Luka, a personificação de Lúcifer na Terra, moveu a cabeça de um lado para o outro, tranquilamente, estalando a língua:

— Tsc, tsc. — Sorriso diabólico. — Só devolvo se for recompensado.

Estreitei o olhar; o sangue correndo solto nas veias.

— Já foi beijada antes, *mignon?*

Fiquei completamente atônita com a pergunta. Minha respiração meio que desistiu de me obedecer, assumindo sozinha o controle, ou melhor, o descontrole.

— Hein? Responda para mim — insistiu Luka, parando a poucos centímetros de mim.

— Não — sussurrei, intimidada demais para raciocinar, correr ou dar um chute no... joelho dele.

— Não?! — Ele fingiu surpresa. — Como pode uma menina tão linda, de espetaculares olhos verdes e rosto de anjo, ainda ser BV?

Encolhi à menção da sigla. Boca virgem. Eu já a conhecia de tanto ouvir minhas colegas da escola falarem sobre isso. Algumas delas, mais adiantadas, já haviam dado um jeito de se livrarem do título, o que não era o meu caso.

Luka soltou Pedro abruptamente, que saiu correndo em direção ao castelo, como se estivesse fugindo de um incêndio. Mas eu, ansiosa e amedrontada como estava, não fui capaz de me mover.

Meu primo, com os braços livres agora, segurou meus ombros e se abaixou até nivelar a altura dos olhos com os meus.

— Sabe, *mignon*, não é segredo para mim que seu coraçãozinho treme toda vez que você me vê — afirmou ele, todo arrogante. — Então, vou lhe fazer um favor.

Só tive tempo de inspirar o ar uma vez antes de sentir os lábios dele grudados nos meus.

Hoje, comparando com os outros beijos que dei, sei que aquele encontro de bocas não passou disso: um resvalar bobo dos lábios de Luka nos meus. Mas, para mim, uma menina inocente de 14 anos, foi o acontecimento do século.

Garanto: eu vi estrelas, e não eram as que pairavam sobre minha cabeça, no céu.

E Luka também viu... depois do soco que levou do meu pai.

Isso mesmo. Alexander Jankowski nos flagrou, perdeu a cabeça, bateu no garoto e me proibiu de sequer respirar o mesmo ar do "aprendiz de cafajeste".

Mais uma vez, tia Marieva e vovô Andrej foram obrigados a punir Luka com uma bronca daquelas e promessas de castigos absurdos para um sujeito da idade dele — sem carro, sem dinheiro, sem banda —, o que não deu em nada, graças à tendência à rebeldia que meu primo sempre fez questão de cultivar.

De madrugada, deitada em minha cama, depois de ouvir mamãe me orientar para que eu jamais permitisse que alguém, seja lá quem fosse, me obrigasse a fazer algo que não queria, concluí: se eu pudesse, voltaria algumas horas no tempo só para sentir a textura dos lábios de Luka mais uma vez.

ELENA

Capítulo 5

É estranho, embora também incrível, acordar envolvida por lençol e colcha macios e cheirosos, sobre uma cama com espaço para mais umas quatro de mim, depois de meses dormindo num catre estreito e barulhento.

Mas eu poderia ter dormido mais. Em função de minha total "à--toíce", um pouco de preguiça não ia me prejudicar.

E não fosse o som irritante de um martelete socando ritmadamente do outro lado da janela do meu quarto, eu ainda estaria envolvida na rede sedutora de Morfeu.

Maldição!

Afasto o lençol com raiva e apoio meus pés descalços no chão, suspirando de frustração e contrariedade. Caminho a passos lentos até as portas que dão para a sacada e as escancaro com brusquidão, em busca dos culpados pela interrupção do meu sono. Mas o que vejo faz minha irritação se dissipar no mesmo instante.

Estou diante de uma superprodução casamenteira!

São tantas pessoas trabalhando em função da organização do casamento de Luce que chego a me questionar se ainda não continuo sonhando. Os jardins do castelo se transformaram num cenário bem próximo aos dos filmes de Hollywood. É tanto tecido, armações, luminárias, cabos elétricos e gente, gente demais, muito além do que eu imaginava que fosse necessário para preparar uma festa.

Conto nos dedos — nunca fui lá grande coisa em matemática — e descubro que ainda faltam seis dias para a cerimônia. Por que diabos a confusão já se instalou por aqui então?

Já que voltar para a cama não é uma possibilidade, resignada, saio à caça de uma roupa para que eu possa perambular pelo castelo sem me sentir constrangida. Eu me enfio num jeans e num suéter verde, o primeiro que vi na minha frente, e parto em direção à cozinha, com cara de zumbi.

Meu humor não está dos melhores. Fico meio intratável quando acordo abruptamente.

Penso em fazer uma visita à mamãe, mas acabo mudando de ideia. É cedo e provavelmente ela ainda está descansando. Imagino o quanto deve estar odiando o repouso obrigatório, imposto pela médica e seguido à risca por meu pai. Minha mãe é uma pessoa tão ativa que, às vezes, a gente se cansa só de olhar.

Lembro-me de quando eu era criança e gostava de acompanhá-la nas visitas ao Lar Irmã Celeste. A princesa Ana se envolvia em tantas atividades que eu preferia me refugiar numa brincadeira com um grupo menor de meninas. Tentar seguir o ritmo dela era pedir para enlouquecer.

De qualquer forma, embora menos agitada, devo minha veia humanitária à mamãe. Sempre senti orgulho dela e isso me impeliu a seguir seus passos, não porque desejasse ser somente sua cópia; seu exemplo serviu de base para a construção da minha identidade. Eu queria fazer a diferença na vida das pessoas, bem, de alguns seres humanos, pelo menos.

E ainda quero.

Mas não hoje. Agora só penso em agradar meu estômago, espantar o sono e ir checar de perto a confusão armada bem debaixo da minha janela.

Chego à cozinha depois de parar e falar com um e outro funcionário do castelo. São todos tão atenciosos e simpáticos que fica difícil sustentar minha carranca pós-sono interrompido. Eles querem saber se estou bem, se preciso de alguma coisa, se já me alimentei. Retribuo a preocupação perguntando sobre suas famílias e a saúde de cada um.

— Finalmente! — exclama Karenina, assim que me vê. Joga o pano de prato em cima do balcão de granito e vai ao meu encontro, envolvendo-me com seus braços robustos.

Ela não é mais tão jovem. É fácil perceber os sinais do tempo em torno dos seus olhos, ao redor dos lábios, na cor dos cabelos e nas mãos. No entanto, Karenina insiste em manter o mesmo ritmo de trabalho, apesar de vovô ter feito de tudo para convencê-la de que já passou da hora de ela cuidar da própria vida. No bom sentido, claro.

Mas não adianta. Karenina não se cansa de afirmar que vai morrer trabalhando na cozinha do castelo. Todo mundo bate na madeira quando a fatalista profere essa frase agourenta, afinal, nenhum de nós quer que ela morra; de preferência, NUNCA.

— Pensei que fosse passar batida por aqui, princesinha.

Meus lábios se esticam num sorriso encabulado. Até este momento, vocês já devem ter notado que sou uma espécie de ímã para apelidos fofinhos e infantis. E podem ir contando que vão aparecer mais.

Afasto-me dela e balanço a cabeça.

— De jeito nenhum! Estou faminta e com o humor bem prejudicado por causa dessa bagunça aí fora.

Karenina revira os olhos.

— Nem me fale! Já faz alguns dias que estamos vivendo no meio dessa loucura.

Sento-me na bancada enquanto vejo surgir diante de mim os mais variados tipos de pães, roscas e queijos. Até parece que vou comer tudo isso. Meus quadris se esticam só de estarem perto de tanta fartura.

Usando um poder de resistência hercúleo, retiro uma ameixa da fruteira e dou uma mordida, obrigando meu cérebro a imaginar que aquilo é, na verdade, um pedaço de pudim e não uma fruta sem graça. Uma vez li num blog a seguinte máxima: "A pior parte do regime é convencer o estômago de que estamos de relações cortadas." No meu caso, a situação é ainda mais complicada: preciso convencer não apenas meu estômago, mas também uma Karenina muito a fim de me fazer engordar.

— Espero que a ameixa seja só um aperitivo — anuncia ela, à medida que enche minha xícara com um líquido translúcido. Só pode ser chá. — Vou me sentir muito ofendida se não experimentar o pão de canela que acabei de tirar do forno. Não está sentindo o cheiro?

— É claro que estou, embora eu preferisse estar com o nariz entupido. Kare, não me obrigue a estufar meu quadril outra vez.

— Elena, deixe de ser boba. Você não é gorda!

Contraio os músculos da face, rejeitando a declaração.

— Nem magra. Quem mandou eu crescer numa família que só pensa em comida?! — resmungo, contrariada. — E nem para eu puxar a genética da mamãe!

Karenina ri gostoso, com vontade, chacoalhando o peito.

— Nesse ponto, você tem razão. Sua mãe sempre foi magrinha. Por outro lado, sua avó Elena era assim, toda curvilínea. É dela que vem a sua estrutura física.

Aceito a alusão à minha avó, mãe do meu pai. Não a conheci. Ela morreu antes de meu avô descobrir que tinha uma filha. Mesmo assim, sinto uma ligação forte com minha antepassada, não só porque meu nome é uma homenagem a ela. Talvez também pelo fato de papai sempre falar da mãe com muita emoção e carinho.

— Mas dizem que pareço um pouco com a vovó Olívia também — comento, rendendo-me ao pão de canela. Assim que dou a primeira mordida, solto um gemido de prazer. Minha reação alegra Karenina, que abre um sorrisão.

— É verdade. Ela, sim, é voluptuosa. Engraçado pensar que o rei Andrej se relacionou com as duas, não é?

Engasgo. Não costumo imaginar a vida amorosa do meu avô. Melhor alterar o rumo da conversa. É a própria Karenina quem muda o assunto.

— Aposto que as coisas lá na Nigéria não eram muito fáceis para você. Todos os dias, à noite, quando eu colocava a cabeça sobre o travesseiro, morria de preocupação ao imaginar as enrascadas em que você poderia estar metida, Elena.

Seu desabafo me comove. Quando eu estava lá, envolvida com a rotina do trabalho, não passava pela minha mente que eu pudesse estar infligindo sofrimento às pessoas que me amam, mesmo que de forma inconsciente.

— Não queria que se preocupasse, Kare... porque, na verdade, mesmo que as dificuldades sejam muitas por lá, como a falta de confiança de muitos nativos em nós, a estrutura precária, a barreira erguida do idioma, apesar de tudo isso, a recompensa é muito maior. — Suspiro, saudosa. — Muitas crianças já estão lendo fluentemente e deixaram de trabalhar porque os pais perceberam que estudar é mais importante.

— Que maravilha, Elena!

— Sim. E tudo graças à boa vontade de todos em ajudar. Ninguém se sente derrotado só porque é difícil, sabe? O Dimitri, por exemplo... — Faço uma pausa, sentindo o peito apertar ao me lembrar dele. —... ele foi fundamental no princípio, pois é quem leva mais jeito para lidar com as desconfianças dos homens da vila.

Recordo-me do modo paciente com que Dimitri administrou as imposições dos moradores do vilarejo. Ele é um sujeito especial. Se eu me permitir compará-lo a Luka, bem, o segundo sai perdendo em inúmeros aspectos. Melhor nem começar.

— Dimitri, é? — Karenina cutuca, cheia de malícia. — Por acaso, não é aquele rapaz bonito que esteve aqui uma vez, quando Irina preparou a festa de despedida para você?

Eu me faço de desentendida, mas meu rosto esquenta e indica que estou muito ciente do que ela está falando. Dou de ombros mesmo assim.

— Não finja que não sabe, princesinha. Porque, pelo que notei, havia um certo clima entre vocês.

Termino meu café — chá, na verdade — e me levanto rápido. A conversa acabou enveredando por uma direção nada confortável para mim.

— Kare, sinto muito, mas acho que você enxergou demais.

Dou um beijo na bochecha dela e me despeço.

— Está fugindo, né? — A cozinheira debocha.

— Claro que não. Só quero ver logo em que pé anda a superprodução lá fora.

Pisco para Karenina e faço o que ela alegou: fujo!

É realmente a personificação do caos. Mas está tudo lindo. De uma hora para a outra, deixo de lado a birra por ter sido praticamente escorraçada da cama pelo barulho causado pelos marteletes e sou tomada por um sentimento muito mais nobre: deslumbramento. Parece um sonho.

Caminho entre os profissionais espalhados pelo jardim, mas eles mal me notam. Só têm olhos para suas atividades, o que é ótimo, na verdade. Assim posso curtir minha admiração sem ser incomodada.

De vez em quando, me confundem com alguém da equipe e pedem que eu me movimente mais rápido e faça algo produtivo além de perambular pelo espaço. Nem adianta eu tentar me explicar. Eles querem produtividade e eficiência, não uma funcionária cheia de desculpas.

Continuo no meu trajeto, observando que Luce optou por uma decoração sonhadora, apesar de ter ousado nas cores fortes. Pelo jeito, ela quer o ambiente animado. Noto que os tradicionais tons creme, típicos de casamentos bucólicos, também estão presentes, ainda que misturados com cores vivas, mas na medida certa.

Luce deve ser romântica como minha mãe, senão teria escolhido um cenário mais *clean* e prático. Pois tudo o que vejo são arcos no estilo rococó, cadeiras brancas de madeira, parecidas com as que encontramos em casas de boneca, arranjos florais imensos — ainda inacabados, afinal, que flor permaneceria viva por quase uma semana?

Minha admiração não cabe dentro de mim. Sinto-me como se fizesse parte de um conto de fadas de verdade — e olha que a minha vida é relativamente parecida com eles. Entretanto, se um dia eu chegar a me casar, acho que vou preferir algo mais simples, sem tanta opulência. Romantismo demais não faz meu estilo.

Percorro o ambiente até chegar ao jardim de inverno, uma ala menor do jardim principal, completamente coberta, própria para pequenas reuniões familiares. Encontro o local praticamente pronto para um evento, decorado seguindo o conceito rústico, ou seja, com uma grande mesa de madeira de demolição, ornamentada com diversos vasinhos de vidro azul. Dentro de cada um, há um pequeno buquê de flores silvestres.

Eu me aproximo da mesa e vejo outros arranjos, um pouco maiores, todos feitos de rosas e minúsculas orquídeas. Concluo que nunca vi nada tão lindo.

— Achei você!

Uma voz arranhada, de menino que está deixando de ser criança, me dá o maior susto. Saio imediatamente do meu estado de contemplação.

— Hugo, você me assustou, seu fedelho! — Finjo que brigo com ele enquanto desarrumo seus cabelos cor de trigo.

— Olha o respeito. Sou seu tio, esqueceu?

Seguro o riso. O filho temporão do meu avô sempre cultivou um excesso de confiança insuportável.

— Ah, como eu poderia?

Cutuco suas costelas até que Hugo quase caia no chão, contorcido pelas cócegas que faço nele.

— Isso é respeito suficiente para você? — questiono, sem parar a tortura.

— Para. Para! — Ele esperneia; eu me divirto. — Por favor...

Faço o que ele pede, até porque meus dedos começam a doer. Hugo discretamente enxuga as lágrimas que deixou escapar nos cantos dos olhos e me dirige um olhar raivoso.

— Não faça mais isso, ouviu?

— Sim, senhor! — Bato continência. Quando meu tio desfaz a tromba, dou um puxão na manga de sua camisa. — O que vai rolar aqui? — pergunto, diminuindo o tom de voz e me aproximando do ouvido dele para parecer que somos cúmplices num grande plano. Aprendi com os meninos nigerianos (e sei que essa tática funciona no mundo inteiro) que garotos deliram com esses lances de estratégias e complôs.

— Você não sabe?! — Hugo dá de ombros, desapontado com meu interesse em algo que não faz sua cabeça. — Hoje à noite vamos ter que participar de um jantar idiota com a família do noivo da Luce. Minha mãe disse que será muito divertido, mas acho que vai ser um saco. Odeio essa coisa de formalidade. Eu quis pular fora, mas sabe o que ela fez?

Balanço a cabeça de um lado para o outro, certa de que Irina não deixou a rebeldia do filho ir muito longe. Conheço a peça.

— Elena, minha mãe ameaçou me deixar um mês sem jogar GTA se eu não aparecesse nesse maldito jantar, acredita?

Seguro o riso para permitir que a conversa tenha o tom sério que Hugo certamente lhe dá.

— Entendo... Mas, independentemente de sua boa vontade ou não, GTA não é um jogo para meninos da sua idade. Aliás, na minha opinião, ele não serve para idade alguma. — Torço o nariz. — É violento demais.

— Assim que é bom! Você precisa ver o que eu faço com os carinhas. Nossa, Elena, é tão legal!

Faço cara de nojo. Não entendo essa paixão dos garotos por assassinatos, decapitações e torturas. Coisa mais medieval!

Volto a olhar para a mesa lindamente decorada e me pergunto por que ninguém se deu ao trabalho de me avisar sobre o jantar de hoje à noite.

Não tenho tempo de demonstrar minha contrarriedade em voz alta, já que Hugo me arrasta do jardim de inverno e sai tagarelando ao meu lado, igual a uma metralhadora descontrolada. Haja fôlego!

— E a escola obriga a gente a usar uniforme completo, com gravata e tudo mais, mesmo desagradando 90 por cento dos alunos — reclama ele, no décimo segundo assunto em cinco minutos. Minha cabeça tem que fazer malabarismos para acompanhar.

— Essa estatística é real? — provoco, ainda encantada com a decoração ao nosso redor.

— Claro que é. Os alunos do último ano fizeram um abaixo-assinado. E sabe quem foi o primeiro a assinar? — Hugo faz suspense. Até parece que não vou adivinhar. Mas me finjo de boba; é isso o que ele espera.

— Não posso nem imaginar.

— Eu!! — Meu tio pirralho aponta os dedos indicadores para si e estufa o peito, que nem um pavão empertigado. Esse menino nunca vai ter problemas de autoestima. — Só porque sou filho do rei e tal. Queriam provar para a direção do colégio que nem mesmo a realeza concorda com a ditadura que impera naquela escola. Na sua época, era assim também?

— Não me lembro de me sentir oprimida nos tempos da escola, não. Eu até gostava bastante de lá.

Hugo faz uma careta. Queria que eu concordasse com ele, mas não vou dar munição para um fedelho reclamador ficar armando revoluções no colégio. Aposto que meu avô e Irina também não lhe dão a menor confiança.

Acabo sendo salva do falatório de Hugo pela chegada inesperada da noiva. Luce, de repente, surge em nosso caminho e nos abre o maior dos sorrisos.

— Elena! Que delícia ter você aqui com a gente! Soube que chegou ontem.

Ela me abraça apertado, e seu perfume suave penetra nas minhas narinas. Sempre gostei muito de Luce, apesar da nossa diferença de idade. Estou com 19 anos; ela deve ter uns 31. Mesmo assim, sinto por minha prima um carinho muito grande, porque ela vive me dando motivos para isso. Quando eu era criança, Luce me levava para a casa dela e brincava comigo como se fôssemos da mesma idade. Uma vez, meu pai foi me buscar lá e me achou toda maquiada. Levei a maior bronca. Obra de Luce...

— Sim. Não foi nada planejado, mas valeu a pena voltar fora de hora. Pelo menos, vou poder participar do seu casamento.

— Fico muito feliz! E aposto que a Ana também está — comenta ela, com os olhos azuis brilhando de satisfação.

— Acho que minha volta antecipada reestabeleceu a paz na vida da minha mãe — brinco, mas não alcanço Luce com a brincadeira. Seu semblante se fecha sutilmente; temo ter dito algo que não devia.

Ela suspira.

Seguro suas mãos e questiono, arrependida nem sei de quê:

— O que foi? Falei alguma coisa errada?

— Imagina, Elena. Você não tem culpa se a *minha* mãe não consegue ter um pouco de paz. Fiquei assim, meio abalada, porque tudo o que eu mais queria é que ela fosse completamente feliz outra vez.

Fito o chão, com vergonha de ter deixado escapar uma declaração tão egoísta.

— Mas acredito que meu desejo é um sonho impossível — confessa Luce, tentando se recompor. — Enquanto mamãe não entender que o Luka jamais será o filho que ela espera que seja, vai continuar se punindo e se martirizando.

A menção ao nome *dele* me faz estremecer. Ao contrário do que tia Marieva deseja, minha esperança é que Luka não apareça tão cedo em Perla. Prefiro evitá-lo a dar uma de boba outra vez, uma constante durante todas as ocasiões em que nos encontramos.

— Ele não vem para o casamento? — ouso perguntar, torcendo para que a resposta seja *não*.

Luce sacode os ombros.

— Quem vai saber? Meu irmão é imprevisível. Ele nunca dá pistas do que pretende fazer. Nem cultivo esperanças.

— É verdade que ele é meio marginal? — Hugo palpita, entrando no assunto sem ser chamado. Tenho vontade de estrangular aquele pescoço branquelo.

Fulmino-o com o olhar.

Ele não entende a indireta.

— Ei, o que foi? Só estou falando o que ouvi minha mãe dizer outro dia.

Luce e eu nos entreolhamos. Meu rosto está quente de vergonha.

— Sabe, Hugo, é duro ter que admitir, mas tem hora que o Luka é isso mesmo — reconhece ela.

— Então ele mata pessoas?! — Meu tio se assusta com a própria dedução.

Luce sorri.

— Não. Não chega a tanto. Meu irmão tem o dom de matar expectativas. Esse sim é um de seus grandes crimes.

Então ela se despede de nós e vai cuidar de seus assuntos.

Primeira medida a ser tomada desde que cheguei a Perla: evitar Hugo a qualquer custo!

ELENA

Capítulo 6

O dia passou batido na minha frente, sem que eu pudesse evitar.

Depois do constrangimento causado pelo falastrão do Hugo, sumi do jardim e tratei de ir fazer alguma coisa produtiva, como tirar mamãe do tédio de ficar deitada o dia todo, obedecendo às orientações médicas.

Aconcheguei-me a ela na biblioteca e por lá ficamos a tarde inteira — como nos velhos tempos —, com direito a discussões acaloradas sobre alguns livros e um lanche preparado especialmente para nós, levado por Karenina lá pelas tantas.

A parte chata foi que tive de voltar ao meu quarto antes do que pretendia. Afinal eu não fazia ideia do que vestiria para o tal jantar com a família do noivo de Luce.

— Por que não usa o vestido que seu pai lhe deu de Natal? — sugeriu mamãe, preparando-se para tomar um banho e começar a se aprontar para a festa.

— O preto de renda?

Até que era uma boa opção. Ainda não tive oportunidade de usá-lo e ele é uma mistura de meiguice e volúpia — não que eu tenha intenção de sair sensualizando, de qualquer forma.

Agora, poucos minutos antes de descer até o jardim de inverno, eu me olho no espelho e me pergunto se não deveria ter escolhido outro figurino. Não sei se papai ao menos imaginou que o vestido ficaria tão curto e justo demais na cintura. Se eu comer mais que um camarão, corro o risco de as costuras estourarem.

Dou um suspiro, cogitando a possibilidade de fingir um mal súbito ou coisa parecida, com o objetivo de não ter que comparecer ao jantar vestida desse jeito. Porém, antes de começar a arquitetar um plano de fuga, alguém bate à porta, obrigando-me a abortar a missão.

— Posso entrar?

Minha mãe. Graças a Deus!

— Acho que não vou descer — declaro, desanimada.

— Mas por quê? Você está tão linda!

— Mãe, mal consigo respirar.

Ela me analisa com atenção. Enquanto cultivo minha crise de insegurança, mamãe me aparece toda poderosa, com seu belo vestido de noite azul royal.

— O modelo é assim mesmo, bem ajustado na cintura. — Ela tenta me tranquilizar. — E, com um corpo desse, que mal faz exibir suas curvas de vez em quando? Garanto que lá na Nigéria isso era impensável, não?

Acho graça. Essa é a nossa princesa! Sempre encarando as situações com otimismo.

Para não dar uma de coitada, aceito a opinião dela. O máximo que pode acontecer, além de ficar sem respirar, é receber um ou outro olhar atravessado dos avós do noivo de Luce — caso ele tenha avós, claro.

Descemos de elevador até o andar térreo. Mamãe e eu encontramos meu pai no *hall* de entrada do castelo, de testa franzida. Ele não esconde o incômodo por ver sua grávida esposa de pé, caminhando com as próprias pernas.

— Por que não me chamou, Ana? — Papai vai até ela e analisa suas feições. — Não sei se é bom ficar andando por aí. A médica disse...

— Que estou ótima e que não faz mal algum exercitar os músculos de vez em quando — completa minha mãe, não dando brecha para o sermão.

Escondo o riso.

De cara amarrada, meu pai nos acompanha até o jardim de inverno, depois de beijar sua princesa e questionar a altura da bainha do meu vestido.

Sou obrigada a refrescar sua memória, afinal, foi ele quem comprou a roupa e a deu de presente para mim. Lógico que papai bufa.

No jardim, somos recebidos por Luce, que está incrível num vestido nude. Toda a família já está presente, incluindo meu avô Andrej, Irina e Hugo. Passo por eles com um cumprimento rápido, pois, mais adiante, sentada numa das extremidades da mesa, tia Marieva acena para mim.

Sorrio e vou ao seu encontro. Faz tempo que não a vejo.

— Elena, minha querida! Você não imagina como estamos felizes em tê-la conosco neste momento especial.

Eu me inclino e a abraço. É uma pena que uma mulher tão ativa e dinâmica — e ainda jovem — tenha seus movimentos restringidos por uma cadeira de rodas. Mais triste ainda é saber que alguém que só pensa em fazer o bem às pessoas seja obrigada a aceitar uma rasteira tão sacana do destino. Na verdade, ela já levou duas — e das grandes.

— Fez bem em vir ficar com sua mãe. — Tia Marieva aprova meu gesto. — Ela vai precisar de um cabresto, senão é bem capaz de desobedecer à recomendação da médica.

Sento-me numa cadeira vazia ao lado dela e dou um sorriso. Está coberta de razão. Minha mãe não é fácil.

— Se vai — concordo, com a coluna vertebral ereta feito uma vara de bambu. Se eu reclinar um milímetro que seja, o pouco de ar que estou conseguindo mandar para o pulmão vai acabar. — E, tia, você está linda.

— Que nada! — retruca minha tia, alisando a saia que cobre as pernas imóveis. — Bonita está você, ainda mais do que antes de viajar. Parece mais madura. A vida dura transforma mesmo as pessoas, não é?

Movo a cabeça, aceitando sua opinião, mas, no íntimo, sinto que tia Marieva refere-se à própria vida. Deixo passar.

Nós duas engatamos uma conversa despretensiosa e animada, que fica ainda melhor quando Giovana, minha prima do meio, começa a participar. Falamos sobre a decoração, o clima agradável, o trabalho de voluntariado na Nigéria, a chegada de novos bebês à família — que, por acaso, serão meus irmãos —, a rotina de Giovana como médica num hospital de urgências e emergências. Só evitamos tocar num assunto para não azedar a noite: Luka.

Com a sutilidade característica, vovô encarrega-se de divertir os convidados com histórias engraçadas. Soube que tanto tia Marieva quanto Irina o proibiram de falar sobre política, economia ou qualquer outro assunto mais sério.

Entre sorrisos e brindes, observo papai cochichando no ouvido da minha mãe, que abre um sorriso iluminado, como se ele tivesse revelado que buscou a lua só para dar a ela. Acho que nunca vou conhecer outro amor assim.

Luce e o noivo parecem dois passarinhos. É nítida a alegria de ambos, bem como dos pais dele.

Mais uma vez, tenho aquela sensação acolhedora de estar de volta ao lar. Perfeito seria só se vovó Olívia e a bisa Nair também estivessem presentes. Ah! E madrinha Estela, tio Artur, Débora e Beatriz, suas filhas adolescentes. Meu padrinho Ivan também faz falta, mas depois que decidiu se tornar agente do namorado, Erick, o vocalista de uma banda de rock sueca, ele não para mais na Krósvia.

Estou em débito com todos. Minha próxima ação será entrar em contato com eles e me desculpar pelo sumiço e falta de consideração. Amanhã.

Faminta, levanto-me da cadeira e paro diante do aparador de frutas e petiscos. Começo a me servir, tentando equilibrar minha fome e a decisão de não extrapolar, quando ouço vozes exaltadas atrás de mim. Eu me viro para conferir o que está acontecendo.

E então eu o vejo.

Depois de anos conseguindo evitar encontros indesejados, eis que surge Luka: lindo e tempestuoso, como sempre.

Diversos fatos ocorrem simultaneamente à chegada inesperada dele:
- Luka surge no jardim de inverno tentando se esquivar de dois seguranças truculentos, que se esforçam para impedi-lo de avançar.
- Meu pai se ergue da cadeira e encobre mamãe com o próprio corpo, ao mesmo tempo que tenta dar uma de herói para cima do meu avô. Deduzo que ele não reconheceu o invasor. Ainda.
- O rei, achando que sua missão na vida é ser o salvador em qualquer situação, avança alguns passos, pronto para agir, independentemente de saber ou não contra o quê — ou quem, na verdade.
- Minha mãe fica de pé e sai da barreira humana formada por papai e seus quase 2 metros de altura. Pela expressão em seu rosto, acredito que esteja prestes a descobrir a identidade do penetra, se é que já não sabe.

Antes que a princesa da Krósvia possa fazer alguma coisa a respeito da informação que aparenta possuir...

• O noivo de Luce e seu pai vão atrás de vovô, dispostos a entrar na batalha, caso ela venha a ocorrer.

• Mas é tia Marieva, cuja visão da cena é a pior possível, uma vez que quase todo mundo postou-se de pé na frente dela, que interrompe as ações impulsivas e esclarece a situação:

— Ei! Parem! É o Luka!

Ainda bem que minha tia gritou, bem a tempo de impedir que um dos seguranças metesse uma bala na cabeça do filho.

Surpresos com os gritos da irmã do rei Andrej, os seguranças libertam os braços de Luka, que, arrogante como ele só, abre um sorriso vitorioso, potente feito uma lâmpada de 15 mil *watts*.

— Oi, família! — Luka acena para todos nós, enquanto encurta a distância que o separa da mesa de jantar. — Nem acredito que não me esperaram.

Seu tom é irônico, mas Luce passa por cima desse detalhe e se joga nos braços do irmão.

— Luka, meu querido! Obrigada por vir! Não sabe como me deixou feliz.

Percebo que a expressão de superioridade dele derrete um pouco ao prestar atenção na irmã. Ele até se permite sorrir sem sarcasmo ou empáfia.

Meu coração parece um tambor e faz todo meu corpo pulsar ao seu ritmo. Não consigo tirar os olhos de cima de Luka, que está diferente, embora, ao mesmo tempo, não tenha mudado nada. Seus cabelos já não são tão claros e estão cortados curtos, ao contrário da última vez que o vi.

Mas ele não me nota. Ou finge que não.

Não sei se agradeço ou desmorono de decepção.

Continuo estática ao lado do aparador, com o prato nas mãos, completamente vazio, espectadora da cena que se desenrola diante de mim.

— Parabéns, Luce. Você merece ser feliz — declara ele com convicção.

— Ei, e eu, seu puxa-saco? — Giovana cruza os braços e faz cara de magoada. — Ou só a Luce é merecedora dessas suas profecias de quinta categoria?

Ela está brincando. Dá para ver. Luka entra na onda da irmã do meio e responde:

— Fui pego.

Os três riem, cúmplices, amorosos e à vontade um com o outro.

Ninguém faz mais nada, a não ser observar e esperar. Inclusive tia Marieva. Desvio a direção do meu olhar e a surpreendo, impassível, em sua cadeira de rodas. Agora meu coração disparado se parte em pedaços. Gostaria de ir até ela, mas sei que não é isso que vai consolá-la.

Meu avô pigarreia forte. Sua testa está franzida.

— Então você finalmente apareceu. — O rei não parece muito satisfeito. — Quanto tempo! Deixou sua mãe muito preocupada.

Ai, que aflição! O clima está tenso, e eu detesto isso.

De repente, noto que mamãe não para de me encarar. Tenho a impressão de que ela está estudando minhas reações à presença de Luka. Por mais que eu tenha tentado guardar para mim mesma o que eu sentia por ele na adolescência, nunca fui boa em esconder esse segredo dela.

Fico vermelha quando a princesa Ana me dá uma piscadinha discreta. Não sei o que pensar disso.

— Pois é, tio. Vida corrida. Sabe como é — explica Luka, e desvia sua atenção à mãe. Tia Marieva, discretamente, seca uma lágrima teimosa. — Tudo bem, mãe?

Ele é seco. E frio. E cruel.

— Tudo, meu filho. Melhor agora, que você está em casa.

— Até o casamento da Luce — completa Luka, sem demonstrar qualquer intenção de chegar perto de tia Marieva.

Tenho vontade de socá-lo. De sacudir seus ombros até que entre um pouco de lucidez e compaixão naquela cabeça idiota.

Irina — apaziguadora como sempre, para quebrar o clima (penso eu) — pede às ajudantes que preparem mais um lugar à mesa. Depois indica uma cadeira a Luka e sorri, como se quisesse dizer: "Por favor, não estrague a noite."

Ele não cria caso e atende à solicitação da rainha. Mas, para chegar ao lugar, precisa passar pela maioria dos convidados. Logo, querendo ou não, cumprimenta um por um, inclusive meu pai, que não é nada simpático e só balança a cabeça uma vez.

Por outro lado, mamãe o enlaça num abraço caloroso e lhe sussurra algumas palavras, pelo jeito, bem afetuosas. Vejo Luka sorrir encabulado e pouco à vontade.

Quando se dá conta de que entre a cadeira onde deve se sentar e o lugar em que está só há mais uma pessoa, a única que ainda não cumprimentou, ele puxa o ar com força, como se já não suportasse mais tanta cerimônia, antes de olhar para conferir quem é.

E é então que ele me vê. Nossos olhares se cruzam pela primeira vez, e eu, imediatamente, me torno uma geleia mole e ofegante.

Capítulo 7

Faz mais de ano que não entro no Palácio Sorvinski. Não tenho muitos motivos, na verdade. Desde que tomei a decisão de contar só comigo mesmo, evito colocar meus pés lá dentro.

Mas hoje é diferente. Não é todo dia que uma irmã se casa. E mesmo que eu considere o casamento uma convenção ultrapassada e idiota, é mais que minha obrigação dar a Luce o meu apoio.

Então, conformado, reduzo a velocidade do jipe e me identifico aos seguranças da guarita.

— Boa noite. Sou da família. Luka, sobrinho do rei.

Os brucutus se entreolham. Desconfio que não tenham acreditado. Dá até vontade de voltar atrás e desistir. Mas não sou homem de recuar. Antes que eles façam qualquer coisa, adianto-me e tiro minha carteira de identidade do bolso. Não digo uma palavra. Praticamente esfrego a merda do documento na fuça deles.

Os guardas conferem os dados, discutem qualquer bobagem entre si, porém, acabam liberando minha passagem e levantam a cancela.

Conduzo o carro até o estacionamento particular do castelo, afinal, não sou de aparecer, mas faço parte da família, não é mesmo? Um erro. Há outros seguranças de vigia por ali, e eles não demonstram ter a menor noção de quem eu sou.

— Parado aí! — Um deles ordena; uma das mãos pousada estrategicamente sobre a arma presa no coldre. — Você não tem autorização para entrar aqui. A propriedade é particular. Identifique-se!

Não diga!, penso. Por acaso alguém não sabe que o todo-poderoso Andrej Markov mora ali?

Suspiro, mil vezes arrependido por ter cedido aos apelos de Luce.

— Sou Luka Markov, filho de Marieva, irmã do rei. — Sou obrigado a explicar, nem um pouco satisfeito com a situação.

— Seu nome não está na lista de convidados. — Franzo a testa com a notícia. Pelo jeito, nem mesmo minha irmã mais velha levava fé que eu fosse aparecer. — É melhor dar meia-volta imediatamente.

— Olha só, eu não vou dar meia-volta. Então, melhor não criarem problema para mim, porque não sou conhecido como um cara muito paciente — aviso, num tom mais de brincadeira, só para ver se a dupla se manca.

Dou uns três passos antes de ser detido por quatro mãos, que agarram meus braços e me impedem de prosseguir na caminhada.

Grande erro deles. Durante boa parte dos meus quase 28 anos, participei de muita briga, tolices da juventude e, mais tarde, para espantar babacas da boate. Sei bem onde bater e do que me esquivar. Portanto, com um único golpe, consigo me livrar da dupla e avanço, determinado a cumprir meu objetivo.

Mas os seguranças me perseguem e nós três acabamos entrando num irritante jogo de perseguição. A desvantagem dos dois consiste no fato de eu conhecer melhor que eles cada pedaço do castelo, inclusive aquele labirinto verde que leva ao jardim de inverno.

Disparo na frente bem a tempo de entrar no campo de visão dos participantes do jantar oferecido à família de Iuri, o noivo de Luce. Esperado ou não, ao ser reconhecido, ficarei livre daqueles malas.

Só que entro pelo cano. Não sei se por causa do meu corte de cabelo, ou da barba mais cheia que de costume, ninguém parece se dar conta de que sou eu, Luka, o *filho pródigo*, de volta ao *lar*.

Então os seguranças vão à forra. Com o propósito de mostrar ao rei o quanto são eficientes e dignos do posto que ocupam, um deles puxa um revólver da cintura e aponta o cano para mim.

Merda! Merda, merda, merda!

Todo mundo se agita enquanto eu me preparo para me defender, já imaginando que golpe de luta livre seria mais eficiente para desarmar um armário humano prestes a atirar.

— Ei! Parem! É o Luka!

Giro o pescoço na direção da voz que se manifesta aos gritos. Dou de cara com a figura fragilizada que minha mãe se tornou. Depois de tudo, ainda assim, lá está ela, pronta a me defender, disposta a livrar meu traseiro, pela milésima vez, das encrencas em que me enfio.

Meu coração se aperta ao vê-la. Quase cedo e vou ao seu encontro, o que não acontece porque fraquejo no último minuto. *Covarde!*

Abro um sorriso, daqueles que não transmitem muita sinceridade, e saúdo:

— Oi, família! Nem acredito que não me esperaram.

Nada poderia soar mais irônico do que o tom da minha voz. Não consigo evitar. Mas Luce, a pessoa que mais me entende neste mundo e perdoa todas as merdas que faço, ignora meu rancor e se joga em meu pescoço, fazendo com que meu peito se encha de carinho e ternura, tudo para ela.

— Luka, meu querido! Obrigada por vir! Não sabe como me deixou feliz.

Sorrio, agora com sinceridade. Minhas irmãs têm o dom de despertar o que existe de melhor dentro de mim. O pouco que sobrou.

— Parabéns, Luce. Você merece ser feliz. — Aperto-a com força em meus braços.

Giovana para diante de nós, com cara de brava. Ela é um furacão ruivo, cheia de personalidade. Engraçado como, de todos nós, foi a que menos sofreu com a traição do nosso pai.

— Ei, e eu, seu puxa-saco? — protesta minha irmã do meio. — Ou só a Luce é merecedora dessas suas profecias de quinta categoria?

Armo a melhor das expressões de culpa.

— Fui pego.

E aí somos só nós três de novo, como nos velhos tempos. Como sempre. Afinal, minha ideia de família se resume a elas. Os outros são parentes. Só.

— Então você finalmente apareceu. — O parente número um, o magnânimo Andrej Markov, decide se manifestar. — Quanto tempo! Deixou sua mãe muito preocupada.

— Pois é, tio. Vida corrida. Sabe como é — explico por alto e direciono meu olhar à minha mãe. — Tudo bem, mãe?

Repreendo-me intimamente. Estou sendo um cretino, um canalha, um homem sem moral. Mas a verdade é que ela me diminui, faz com que eu me sinta um nada toda vez que sorri para mim com condescendência.

— Tudo, meu filho. Melhor agora, que você está em casa.

— Até o casamento da Luce — completo, odiando o fato de minha mãe nunca me tratar como mereço.

Por sorte, Irina, a personificação daquela personagem Pollyanna, travestida de rainha da Krósvia, pede à criadagem que prepare um lugar para mim à mesa e me indica uma cadeira vazia, onde devo me sentar para tomar parte do encontro de família.

Entretanto, para chegar até o lugar, tenho que sair cumprimentando um por um, tentando dar a entender que minha presença ali agrada tanto a eles quanto a mim. Espero que ninguém se deixe enganar.

Quando passo por Ana — grávida, pelo que soube, e tão bonita quanto na época em que a conheci —, ela não se contenta com um gesto simples. Acabo enlaçado num abraço caloroso e também surpreendente, já que faz tempo que não lhe dou motivos para gostar de mim.

— Lindo como sempre — sussurra ela em meu ouvido. — Gosto mais do seu cabelo assim. Está um gato.

Não sou homem de ficar vermelho, mas não consigo evitar o embaraço.

Eu costumava idolatrar Ana quando era criança, amava quando ela aparecia e passava um tempo comigo e com minhas irmãs. A princesa sempre foi muito divertida e fazia com que nos sentíssemos bem, à vontade. Mas as coisas acabaram mudando e eu esperava que ela preferisse me tratar com frieza, como o marido dela.

Alexander é um sujeito intragável. Limito-me a acenar com a cabeça, e nós dois consideramos o gesto um cumprimento.

E finalmente alcanço a cadeira vazia. Que suplício! Porém, para ter o prazer de sentar e sair do foco da atenção de todo mundo, preciso passar por uma última pessoa. É uma mulher, uma garota, na verdade. Não tinha reparado nela até então.

Quando cruzo meu olhar com o dela, sinto o impacto de sua aparência como um gancho de direita bem dado. A menina é linda! Está quase que embalada a vácuo num vestido preto, com renda para todo lado. A cintura dela é estreita, mas os quadris, não. E deve ter quase um metro de pernas, à mostra para o deleite de homens como eu. Uma delícia!

Talvez seja nova demais para mim. Mas o que importa? De repente tenho a sensação de que minha ida a Perla vai valer a pena, de algum modo. Porque, se levar em consideração meu... *traquejo* com as mulheres, garanto que a beldade juvenil não demora nem uma noite para cair nas minhas mãos.

Mas quem será ela? Irmã de Iuri?

— Olá! — digo, jogando um pouco de charme. Não devo ser explícito demais, senão a estratégia de sedução a curto prazo fracassa antes mesmo de engrenar. — Sou Luka, irmão da noiva.

Estendo o braço educadamente, esperando que ela retribua e aperte minha mão. Tremo por antecipação. Posso imaginar o quão suave é a pele daquela gracinha.

A garota arregala os olhos, verdes e expressivos. Em seguida, franze a testa, como se estivesse incrédula em relação a alguma coisa. Será que a ofendi, de alguma forma? Talvez tenha olhado para ela com fome demais no olhar.

— Posso saber como se chama? — insisto.

Ouço alguém bufar atrás de mim. Não me viro para conferir.

— Não se lembra de mim? — questiona ela, mas não me dá muito tempo para que eu possa pensar. — Sou Elena, sua prima.

Deixo minha mão estendida cair. E meu queixo faz o mesmo.

Inacreditável. Perdi as contas do número de vezes que usei meu tempo para atormentar Elena. Para um garoto problemático, disposto a chocar as pessoas com suas atitudes nada convencionais, ela não passava de uma menina sem graça, chata, mais nova e com cabelo demais, o que a fazia parecer uma espiga de milho pendurada.

Eu a chamava de *mignon*, de propósito, para esfregar na cara dela nossa diferença de tamanho e de idade. Mesmo assim, percebia que Elena gostava de mim, e isso aumentava minha vontade de magoá-la. Como na vez em que a beijei. Eu não tinha sentimentos por ela. Beijei porque podia, porque me considerava o maioral e porque queria provar para todo mundo que nada estava fora do meu alcance. Nem a doce princesinha deles.

Porém, agora, tão mudada — para melhor, *muito* melhor —, o papel de bobo acabava de ser transferido para mim. E todos os meus planos de conquistar a bela garota de corpo escultural, que eu julgava ser uma desconhecida, iam por água abaixo. Conclusão: volto a pensar que minha ida a Perla não valeu mesmo a pena.

— Elena! — exclamo, repetindo o nome dela, para ganhar tempo. Ainda não me decidi como devo agir. — Você está... diferente. — Eu ia dizer gostosa, mas refreei a língua a tempo. A frase não soaria bem aos ouvidos intragáveis de Alexander.

Ela mexe um pouco a cabeça. Dá a impressão de estar pouco à vontade. Os olhos ligeiramente arregalados a denunciam.

— Quando nos encontramos pela última vez, você devia ter uns...

— Catorze anos — completa, para, em seguida, ficar com o rosto da cor de um tomate maduro.

— Isso — concordo, e aproveito para observá-la um pouco mais.

Elena perdeu todo o aspecto de menina frágil. Agora está mais para um furacão. Também, com aquele vestido que mal a deixa respirar, ela não poderia esperar passar despercebida nem mesmo num lar para idosos. Será que o pai dela não fez nada para impedir esse atentado ao pudor em forma de princesa? Não que eu esteja reclamando. A paisagem é incrível de onde estou.

No entanto, por mais que seja difícil admitir, Elena não é o tipo de mulher com quem costumo me envolver. É muito mais nova do que eu — uns oito anos se não estou enganado —, além de estar atrelada a uma problemática familiar muito complicada. Não quero me arriscar.

Antes de ocupar meu lugar à mesa, faço um gesto sutil, indicando a cadeira ao meu lado para que Elena se sente, a única disponível, na verdade. Ou seja, não é forçação de barra da minha parte nem nada do tipo. Pura coincidência. Ou sorte.

— E então, Luka, por onde andou durante todo esse tempo? — pergunta Andrej, de um jeito não muito amigável. Soa como se fizesse uma cobrança.

— Cuidando dos meus negócios. — Dou uma resposta sucinta, que não satisfaz a ninguém, é claro.

— Qual deles? — insiste o rei, referindo-se ao fato de eu ter demorado a engrenar no mercado de trabalho, pelo menos, no mercado de trabalho que *ele* imaginava para mim.

Puxo o ar com força, me forçando a não perder a paciência. Afinal de contas, Luce não merece.

— O único que tenho, ou seja, minha casa noturna em Estocolmo.

— Ah, é verdade. Você tem uma boate na Suécia! — exclama Ana, com um entusiasmo que me parece verdadeiro. As palmas que bate são a maior prova do seu estado de espírito. Acho graça dela. — Sabe que sempre quis conhecê-la? Costumamos ir a Estocolmo pelo menos uma vez ao ano para visitar Ivan e Erick. Mas as viagens são sempre tão corridas que não sobra muito tempo.

Eu a analiso com atenção. Não sei se a princesa está sendo sincera ou se seu esforço é para fazer com que eu me sinta acolhido. Tenho vontade de rir. Não vejo por que ela tem que agir assim.

— Você ia gostar, Ana. — Dou corda.

— Tenho certeza de que sim. Qual é o nome?

— *Friheten*. Significa "liberdade".

A princesa balança a cabeça, mas o silêncio que se faz é carregado. O nome da boate não tem relação alguma com o que as pessoas devem estar pensando. É só um título, mais nada. O problema é que, graças ao meu histórico, muitos acham que se trata de uma alusão — uma apologia até — à minha debandada do berço familiar. Besteira!

— Um dia vamos lá, não é Alex? — Ana se vira para o marido, que não reage conforme as expectativas dela.

— Difícil — resmunga ele. A princesa imediatamente fecha a cara e dá um tapinha (nem tão) discreto em seu ombro. — Quero dizer, se der, um dia.

Depois dessa, com a ajuda estratégica de Marieva, a conversa desvia para outros assuntos e passa a focar no casamento de Luce, a poucos dias de acontecer.

Relaxo um pouco. Não fui à Krósvia porque sou bonzinho, muito menos para ser simpático com os parentes. Apesar disso, também não estou com disposição para me envolver em novas encrencas.

Pelo menos metade dessa gente não gosta de mim — jamais dei motivos para tanto. Mas estabeleço um pacto comigo mesmo e decido fazer uma tentativa de trégua, só para não estragar a alegria da minha irmã.

Afinal, não sou mais um adolescente tomado de idiotice e posso muito bem relevar muitas coisas.

Só dois fatos devem dificultar essa resolução, portanto, preciso evitá-los a todo custo: a cara de piedade da minha mãe e a delícia de prima sentada ao meu lado.

ELENA

Capítulo 8

Pensei que aquela droga de jantar não fosse acabar nunca. Desde a chegada de Luka, tudo o que eu queria era me enfiar numa caixa lacrada e não sair de lá por nada. Foi horrível sentir a presença dele, mesmo quando o diálogo à mesa se restringia a outras pessoas.

Ele não me reconheceu. E foi impossível não reparar na decepção que cobriu o rosto dele ao descobrir que a última convidada a cumprimentar era eu. Sua expressão mudou de entusiasmo a desapontamento em segundos. Que banho de água fria!

Também eu queria o quê? Ser enlaçada pela cintura e beijada arrebatadamente feito uma donzela de romances de banca? Eu precisava tirá-lo da cabeça.

E já sabia como.

Tirei meu notebook da capa de proteção e rapidamente acessei a internet. Esperei o gerenciador de e-mails inicializar, tamborilando os dedos na beirada da escrivaninha. Não sou a mais paciente dos seres humanos, e a demora costuma me tirar do sério. Mamãe diz que essa ansiedade um dia ainda vai me custar caro. Segundo ela, existem situações mais verdadeiramente desgastantes do que o tempo que um programa de computador leva para carregar.

Assim que todas as mensagens caem na caixa de entrada, verifico se há alguma importante, que mereça minha atenção.

Não.

Então procuro um certo endereço na lista de contatos e faço o que minha mente tem me ordenado desde que voltei do jantar.

✉ De: Elena Markov Jankowski
Para: Dimitri Kasparov
Assunto: Querendo notícias

Olá, Dimitri!
Estou aqui em Perla, segura em meu quarto no Palácio Sorvinski, depois de participar de uma reunião de família que deveria ter me deixado alegre, mas só consigo pensar nas crianças que deixei na Nigéria.
Espero que esteja tudo bem por aí. Como andam as obras de reforma do prédio da escola? E os homens mais intransigentes, aqueles que não admitem que os filhos sejam alfabetizados? Já foram convencidos a ceder? Diga-me que sua fala calma e persuasiva deu resultado. Afinal, quem mais, além de você, para enfrentar essa missão?
Quando puder — e conseguir acesso à internet —, dê um alô, certo?
Um abraço,
Elena
PS.: Aliás, sinto sua falta também. ☺

Penso duas vezes antes de acrescentar a última frase, mas me convenço de que não estou fazendo nada de mais, já que é verdade. Então aperto o botão de enviar, tranquila em relação à minha atitude.

Não tive coragem de escrever o que realmente ando sentindo, porque Dimitri e eu não temos tanta intimidade assim. Mas não consigo ignorar a dor causada pela falta que sinto das crianças do vilarejo e dos nossos encontros diários, quando tinha a oportunidade de propagar a paixão que tenho pelos livros, pelas histórias, pelas palavras. O mais impressionante de tudo é a sensação de que elas também tiveram sua parcela de influência positiva sobre mim, principalmente pelo entusiasmo que cada criança demonstrava diante da oportunidade de aprender, de ampliar seus horizontes. Essa troca era o que mais me motivava.

Como diz minha mãe, estou com *saudades*. Não das condições precárias da vila, nem da cama magrela e barulhenta, muito menos da comida escassa. Das crianças, em especial, e da sensação inexplicável de doar meu tempo, minha saúde e minha disposição em benefício de alguém.

Respiro fundo e, justamente porque o ar que puxo não consegue atingir meus pulmões, olho para baixo só para constatar que ainda estou enfiada no vestido preto, na verdade, quase uma arma de tortura. Abaixo o fecho depressa, o que me causa uma descompressão tão prazerosa que chego a gemer de alívio.

Deixo a roupa enrolada aos meus pés e caio na cama sem me preocupar com pijama, removedor de maquiagem e escova de dentes. Ainda existe muito sono acumulado dentro de mim, doido para ser colocado em dia.

Acordo do mesmo jeito que no dia anterior, ou seja, atormentada pelos barulhos produzidos pelos organizadores do casamento de Luce. Uma vez que não estou disposta a ser consumida por um novo mau humor matinal que estraga parte do meu dia, levanto da cama num suspiro, disposta a manter o clima ao meu redor agradável.

Como faz meses que não curto uma praia, penso que me vestir para passar a manhã de barriga para cima, deitada sob o sol nas areias particulares do castelo, seja a melhor pedida.

Procuro um maiô no meio das poucas coisas que guardo em meu quarto no palácio, mas só encontro um biquíni dos tempos de puberdade, um tanto pequeno demais para o meu gosto e curvas atuais. Apesar desse... *detalhe* desestimulante, sou convencida pela certeza de que estarei completamente sozinha — eu e meu entretenimento.

No entanto, para evitar qualquer flagra, visto um short e uma camiseta por cima do biquíni e saio contente, arrastando meus chinelos de borracha, ao encontro de um café da manhã caprichado, daqueles que fazem meu estômago se alegrar por antecipação.

De última hora, decido atrasar meu objetivo, dando uma volta maior pelas alas do castelo; faz tempo que não desfruto disso. Ando despreocupadamente, às vezes cumprimentando funcionários que passam por mim. Quando dou pela coisa, me vejo diante do escritório particular de vovô. Juro que ia passar direto, pois o normal seria o rei estar no Palácio de Perla àquela hora, a sede do governo krosviano. Porém, ouço vozes lá dentro. Não teria parado se o assunto discutido não tivesse me assustado tanto.

— Não podemos mais ignorar essa realidade. As manifestações estão aumentando, se alastrando pelo país, e já não são mais pacíficas. Em Kiev, ontem de manhã, um grupo de pessoas invadiu a sede do governo municipal e fez pichações de protestos contra o regime monárquico. — Escuto meu avô dizer. — E não há como fingir que aqueles sites e perfis em redes sociais não são perigosos. Nicolai, os apoiadores da causa republicana ficam mais inflamados a cada dia.

Minhas sobrancelhas se arqueiam tanto que desconfio terem emendado no couro cabeludo. Como eu nunca ouvira falar sobre protestos e descontentamento? Será?

— Mas, majestade, é necessário que ajamos com cautela, ou corremos o risco de atiçar de vez os manifestantes.

— Republicanos.

— Justamente.

Há uma pausa no diálogo. Desconfio que os dois estejam refletindo sobre a melhor estratégia a ser adotada.

Antes que eu seja flagrada ouvindo conversa atrás da porta, dou um jeito de escapulir de fininho. Mas os grilos permanecem em minha cabeça e eu fico doida para saber mais a respeito dessa novidade desagradável.

Cogito procurar minha mãe. Ela provavelmente está a par. Porém, sinto que não é prudente incomodá-la com preocupações. Vai que ela não sabe de nada.

Chego à sala de refeições informais da família real e encontro meu pai. Coincidência melhor, impossível. Ele abre um sorriso terno ao me ver, que retribuo com todo o meu carinho.

— Já acordada, *slinko?* — O apelido de infância lhe sai fácil da boca. Desisto de lembrá-lo que faz anos que deixei de parecer um sol ambulante.

Papai me dá um beijo na testa assim que me sento ao seu lado.

— Impossível dormir com tanto barulho.

— Por que não muda de quarto? Da nossa ala não dá para escutar nada.

Dou de ombros. É uma alternativa interessante, mas não me vejo dormindo em outro lugar naquele castelo que não seja no meu antigo quarto.

— Ah, deixe. Logo, logo o casamento passa e o sossego volta — justifico. Mordo um pedaço de melão, louca para entrar no assunto que acabei de descobrir, sem que passe a impressão de que sou mexeriqueira. — É, pai, tem uma coisa me deixando encucada.

Papai arqueia a sobrancelha, e eu limpo a garganta. Prossigo:

— Acabei de ouvir o vovô discutir com o Nicolai sobre manifestações, protestos, grupos de republicanos... escutei sem querer — enfatizo. — É algo preocupante?

Deixando de lado a fatia de bolo que estava prestes a comer, meu pai me encara de um jeito estranho. Todo o ar descontraído se esvai num segundo.

— Sim, Elena, a situação não está tranquila. Em várias partes do país há membros de uma organização chamada Nova Era, que vem articulando estratégias para derrubar o atual governo e instaurar a república.

Estremeço. Então a coisa é mesmo ruim, muito ruim.

— E tem mais. No começo o grupo era composto principalmente de universitários idealistas. Mas agora conta com o apoio de gente poderosa, como alguns políticos de esquerda e quase todos os militantes do Partido Republicano.

— Isso significa... — Não dou conta de completar. Estou chocada.

— Que a qualquer momento uma guerra civil pode se instaurar aqui.

Cubro a boca com a mão. Como uma guerra? A Krósvia sempre foi um país pacífico, amado pela população. E meu avô não é um tirano, um ditador explorador do povo. Está certo que a monarquia é um regime em desuso no mundo, mas isso não é motivo suficiente para uma agitação desse porte.

Papai percebe minha angústia e faz um afago nos meus cabelos, me lançando um sorriso tranquilizador. Antes, quando eu era criança, o gesto funcionava bem. Agora...

— Não se preocupe tanto, Elena. O Andrej não é bobo nem inexperiente. Junto a seus aliados, ele vai dar um jeito de esfriar os ânimos exaltados sem que seja necessário chegar a algo tão extremo como o uso da violência.

— Tomara, né?

ELENA

Capítulo 9

Não que meu pai tenha me feito esquecer a notícia chocante que eu descobrira por acaso mais cedo. Ficar um semestre na Nigéria também serviu para me mostrar que o ser humano pode perder os escrúpulos e a razão em favor de um ideal nem sempre justificável.

Por outro lado, enquanto as coisas pareciam controladas, eu não tinha mesmo por que me preocupar.

Depois do café da manhã não muito agradável, desisto de ir à praia. Estou muito agitada para me permitir um momento de sossego solitário e bucólico à beira do exuberante Mar Adriático.

Talvez eu jamais tenha mencionado que fotografia é uma de minhas maiores paixões, um *hobby* que cultivo desde que ganhei minha primeira câmera. Bom, ganhar não é o verbo mais apropriado para essa sentença. Sendo muito sincera, acabei conquistando a posse da máquina de mamãe por usucapião. Por fim, ela desistiu de tentar tirar a Canon de mim. Eu tinha 9 anos na época.

Assim, movida pelo impulso de me mexer e de adquirir um equipamento novo — perdi minha última câmera num passeio por uma reserva africana quando me assustei com um elefante em disparada. Resumindo a epopeia: a máquina foi parar no chão e acabou moída pelas patas robustas do paquiderme. Saio pelas ruas de Perla, decidida a não voltar ao castelo sem uma câmera novinha em folha.

Gosto de fotografar pessoas comuns, realizando as tarefas do dia a dia ou simplesmente de bobeira na rua, caminhando ou não fazendo coisa alguma. Portanto, necessito de uma câmera com lente teleobjetiva e estabilizador de imagem. Vou comprar uma profissional.

Entro numa loja especializada em equipamentos fotográficos e perco a noção do tempo lá dentro. São tantas marcas e opções que não consigo me decidir.

Um vendedor chega para me resgatar. Por sorte, não saca que sou a neta do rei Andrej Markov e me trata como uma cliente qualquer. Prefiro assim. Não sou muito boa nesse negócio de lidar com assédio. Gosto do anonimato.

— Posso ajudá-la? — pergunta ele.

Pelo ar de tédio, parece não estar botando fé em minha intenção de sair dali com uma máquina na mão. Só um recado, camarada: vou surpreender você. Quero a melhor.

— Talvez. — Dou o troco sendo evasiva.

O vendedor revira os olhos de forma sutil.

Por isso defendo a tese: ninguém deveria trabalhar sem gostar do que faz. Está insatisfeito? Faça outra coisa!

— O que a senhorita deseja? Uma digital portátil? Na seção à nossa esquerda temos lindos modelos, de cores variadas. Coleção nova da Sony.

Deixo escapar uma risadinha. Ele está pensando que sou uma patricinha, cuja motivação para comprar vem da aparência e não da qualidade do produto. Idiota.

— Devem ser mesmo lindas — concordo. — Se pudesse, comprava uma de cada cor para combinar com meu estado de espírito diário. Mas, hoje, vou querer uma profissional.

O vendedor me encara com mais atenção.

— É jornalista? Fotógrafa?

Faço que não com a cabeça.

Ele volta a ficar descrente.

— Então é melhor levar uma semiprofissional. Vai atender muito bem à senhorita.

Bato o pé com força no chão. Penso seriamente em chamar o gerente e reportar a falta de caso daquele vendedor comigo.

— Escuta — digo, séria. — Sei o que pode ou não me atender melhor. Então acho bom o senhor me mostrar logo as câmeras profissionais da loja ou vou atrás de outro vendedor.

Ele suspira, mas faz o que peço.

Eu me deparo com uma quantidade expressiva de modelos. Meus olhos se arregalam de empolgação.

— Basicamente, todas elas são excelentes e possuem as mesmas qualidades e funções.

Sei disso.

— Mas quero a melhor.

O vendedor enfezadinho balança os ombros e aponta para a câmera que ocupa o lugar de honra na vitrine.

— Então leve esta. É uma Nikon de 36,3 megapixels, full HD, com lentes removíveis. Uma beleza!

Passo alguns minutos tendo uma aula sobre suas funções, já completamente apaixonada por ela. Decido levá-la, apesar do preço. Mas é por uma boa causa.

Deixo a loja feliz com a aquisição. Feliz também está o vendedor, agora bem mais simpático. Vai receber uma gorda comissão à minha custa.

Enquanto caminho pela calçada, retiro a caixa da sacola e puxo o manual de instruções de dentro dela. Mal posso esperar para dar os primeiros cliques. Minha intenção é seguir até o Parque Real, no centro de Perla, e começar a fotografar por lá, que está sempre cheio de frequentadores.

Empolgada com a ideia, nem percebo que estou sendo seguida por dois homens de boné. Só me dou conta disso quando ambos me alcançam e se emparelham comigo, um de cada lado.

Paro de andar abruptamente, mas eles me fazem continuar, me empurrando pelas costas.

— Finja que tudo está numa boa — avisa um deles.

— Continue andando e escute — ordena o outro.

Não sei o que pode estar prestes a acontecer. Será que vão me assaltar? Agarro as alças da sacola com mais força. Não quero perder minha câmera nova.

— O que vão fazer comigo? — Minha voz sai entrecortada, tensa.

— Nada, princesa. Só queremos que leve um recado para o seu avô.

Eles sabem quem eu sou! Engulo em seco.

— Diga ao rei que o tempo dele está acabando. A revolução está cada vez mais próxima.

Congelo meus movimentos. A constatação de que estou entre dois republicanos, provavelmente membros da tal organização Nova Era, me deixa estupefata.

— Logo, logo esse tipo de regalia vai acabar.

Volto a escutar o que dizem quando um deles toma a sacola de mim e me empurra com força. Estamos numa rua quase deserta, estreita. Por isso ninguém vê quando caio no chão. Bato os cotovelos no cimento, o que causa uma dor excruciante. Lágrimas se formam imediatamente em meus olhos.

Em seguida, sinto um baque no peito. E depois eles correm.

Ainda estou confusa demais, com medo demais, com raiva demais, sem forças para reagir. Tiro uma das mãos do chão e desembaço os olhos com os nós dos dedos. Noto a sacola com a câmera pousada sobre meu tórax. Foi isso que gerou o baque em meu peito. Pelo menos, não a perdi.

Meus cotovelos latejam, e um pouco de sangue escorre de cada um deles. Droga!

Tento ficar de pé, mas me desequilibro. É nesse instante que alguém se agacha ao meu lado e me impede de cair novamente. As mãos em meu braço me assustam.

— Você está bem?

Viro o rosto depressa, querendo me certificar de que reconheço a voz. Não estou delirando.

— Estava longe quando vi aqueles caras agredindo você. Por isso não cheguei a tempo de...

— Acho que estou bem, sim — respondo, talvez mais surpresa por estar sendo amparada por Luka (sim, Luka!) do que pela agressão em si. *Como ele apareceu do nada?*

— Eu moro logo ali na frente — informa ele, sem abandonar a expressão de preocupação. Acho que expressei minha dúvida em voz alta. — O que aqueles caras queriam? Assediaram você?

Luka busca sinais em meu rosto. Mesmo com os olhos embaçados, ele nunca pareceu mais lindo para mim. Pisco forte para me livrar desse pensamento.

— Não. Só queriam... me assustar.

Tento me levantar, mas a dor nos cotovelos é tão aguda que me impede de fazer isso. Gemo, com muita vontade de chorar.

Luka analisa os ferimentos e faz cara de ódio.

— Vamos. Precisamos cuidar disso.

Ele me ajuda a ficar de pé, com cuidado.

— Não. Estou bem. Só preciso ir para casa.

Digo isso e dou um passo. Quero dizer, tento. Não contava com um machucado nas costas, à altura do cós da calça jeans. Cambaleio e só não caio porque as mãos de Luka voam até mim e me sustentam, colando meu corpo no dele, o que me faz ficar ainda mais tonta.

— Não antes de limpar essas feridas — retruca ele, conduzindo-me pela calçada depois de se abaixar para apanhar a sacola com a câmera, ainda largada no chão.

Não tenho forças para impedir que ele me arraste, quase literalmente. Permito que tome a direção que quer, só porque não posso me virar sozinha com a dor que sinto. Estou completamente dominada por ela. O que vou dizer aos meus pais quando voltar para o castelo? Se contar o episódio com todos os detalhes, a chance de eu ser obrigada a permanecer o máximo de tempo dentro de casa se tornará bem grande.

Um crédito enorme merece ser dado a Luka: ele não faz nenhuma pergunta enquanto me leva até seu apartamento. Deve ter notado que não estou em condições de falar.

Assim que entramos no elevador, ele aperta o último botão. O movimento de subida dá um nó em meu estômago. Olho para o piso acarpetado. Não me sinto à vontade e sei que essa sensação ficará pior quando estiver sozinha com Luka em sua casa.

— Sente-se aqui. — Quando chegamos ao destino, ele me leva até um sofá negro, de couro, depois volta para fechar a porta. — Vou pegar a caixa de primeiros-socorros e uns analgésicos.

Solto um longo suspiro no momento em que me vejo sozinha e pergunto aos meus botões como fui parar naquela situação. Antes tivesse seguido meus planos originais e ido à praia. Logo, não teria sofrido uma agressão nem acabaria sentada na sala do apartamento de Luka (nunca soube que ele mantinha um aqui em Perla), a pessoa que eu mais desejava evitar no mundo.

Recosto-me numa almofada, só para me arrepender em seguida, pois o gesto incomodou o ferimento em minhas costas. Sem paciência, aperto a base do nariz, de onde uma nova dor começa a se insinuar.

Ouço quando Luka volta. Mantenho os olhos fechados, embaraçada demais para encará-lo. Afinal, são anos de constrangimentos.

— Ei, posso?

Pode o quê? Como não sou boa com jogos de adivinhação, preciso olhar. Vejo uma caixa cheia de apetrechos para machucados em cima da mesa de centro. Mas o que me assusta de verdade é o fato de Luka estar a poucos centímetros de mim, segurando um pano úmido, prestes a tocá-lo em um de meus cotovelos.

— Não seja medrosa, Elena.

Tremo tanto que está estampado na cara. Luka solta um riso e me presenteia com um vislumbre de suas covinhas. Tinha me esquecido delas.

— Avise se doer.

Então ele encosta o pano molhado no meu cotovelo direito, limpando o ferimento com todo o cuidado. É claro que está doendo, mas fico de boca fechada. Não quero parecer frágil e mimada.

Todo o procedimento é executado no mais absoluto silêncio. Não posso adivinhar o que se passa na cabeça de Luka, porém acredito que esteja bastante contrariado por estar sendo *obrigado* a me ajudar. Afinal, mesmo tendo o título de babaca assumido, seria de se espantar (e muito) se tivesse me largado na calçada depois de presenciar o ataque.

Quando meus dois cotovelos ficam limpos e livres de uma possível infecção, ouço a voz meio rouca do meu primo exigir:

— Agora vire-se. Vamos cuidar de suas costas.

De jeito nenhum vou fazer isso. É constrangedor demais deixar que Luka me toque numa das regiões mais sensíveis do meu corpo. E eu teria que levantar a blusa, o que só potencializaria o embaraço.

— Não precisa. Está tudo bem.

Começo a me erguer do sofá, articulando uma estratégia para escapar dali o mais rápido possível. Entretanto, pelo visto, os planos de Luka são outros. Com as mãos, ele me força a permanecer sentada e me ajeita, de modo que agora estou olhando para o encosto da poltrona, enquanto meu primo esquentadinho ganha uma visão privilegiada da minha retaguarda.

— Se você pudesse ver o que tem aqui atrás, não afirmaria que está tudo bem — observa ele, num tom divertido. Cretino, está se divertindo à minha custa! — A pancada deve ter sido dura; tem um hematoma que deixa isso bem claro.

Tento me virar, como se de repente fosse conseguir enxergar o ponto cego onde se encontra o roxo. Mais uma vez, para minha frustração, sou impedida.

— Fique quieta. Vou espirrar um remédio gelado.

Ele mal acaba de dar o aviso e já direciona o spray em minha pele. Dou um grito. O treco é mesmo gelado, mas tem um cheiro gostoso.

Luka não consegue segurar o riso.

— Pronto. Agora o próximo passo é...

— Me deixar ir embora — completo a frase, ansiosa para dar logo o fora dali.

— Nada disso. Não antes de me contar que merda é essa que acabou de acontecer com você.

LUKA

Capítulo 10

Intensifico meu olhar, esperando que Elena comece a contar o que houve. Do meu ponto de vista, parecia que dois ladrões assaltavam uma moça, apesar da improbabilidade do ato. Roubos à luz do dia não são muito comuns aqui na Krósvia. Isso, por si só, despertou minha atenção, mas eu teria me aproximado de qualquer forma. Não sou o tipo de homem que foge da luta.

Chegar perto me surpreendeu duplamente: constatei que não se tratava de um assalto coisa nenhuma, e sim de agressão pura e simples; além disso, o alvo era Elena, a priminha insignificante que resolveu crescer e se tornar uma gata de primeira.

— E então? — pressiono.

Ela dá um suspiro para, em seguida, soltar o ar devagar. Desconfio de que esteja ponderando a respeito do que quer ou não falar.

Sem pensar, seguro suas mãos e as aperto, procurando me conter a fim de não ser insistente demais. Eu mesmo estranho minha súbita consideração com essa garota.

— Acho que fui seguida — começa Elena, finalmente. — Saí do castelo para comprar uma câmera. Demorei um tempo dentro da loja. Em seguida, decidi ir ao Parque Real. Queria testar o equipamento.

Elena faz uma pausa no relato e tira suas mãos das minhas. Depois cruza-as sobre o colo. Noto que ela usa um anel de aparência tribal, diferente dos acessórios típicos das mocinhas meigas.

— No trajeto para o parque, fui abordada por aqueles homens. — Ela estremece. Sinto uma ânsia de apertá-la em meus braços, mas me controlo. Não somos amigos. — Eles me fizeram uma ameaça.

— Uma ameaça? De que espécie?

Elena franze a testa. E, pela primeira vez, me olha bem nos olhos. Reajo com a intensidade daquelas íris de um tom raro de verde, como a pedra jade.

Essa menina foi feita para ser beijada de olhos abertos.

Surpreendo-me com meu pensamento nada a ver e trato de apagá-lo da mente.

— O que você sabe sobre uma organização chamada Nova Era?

Custo a assimilar a mudança brusca de assunto. Será que Elena levou uma pancada na cabeça também?

— Nova Era? — Penso um pouco. — Não é um grupo de defensores da instauração do regime republicano aqui na Krósvia?

— Sim. Fico me perguntando como todo mundo sabia disso, menos eu — diz ela, mais para si mesma.

— Os jornais estão fazendo a cobertura — justifico, ainda confuso.

Elena resmunga um *Hum, hum* e prossegue:

— Acho que a coisa toda é muito séria. Os homens que me jogaram no chão, antes disso, pediram que eu desse um recado a Andrej. Disseram que a revolução está próxima e que o tempo do rei está perto do fim. Mais ou menos isso.

Faço uma careta. Ao que parece, Elena foi vítima de uma disputa política, algo complexo e de grandes proporções.

Faz anos que não vivo no país, mas tenho acompanhado essa história pela TV. Tudo indica que um simples ideal de jovens revolucionários acabou se tornando a bandeira de um movimento contra a monarquia, que tem conquistado cada vez mais adeptos.

— Eles usaram você para atingir o rei — comento.

— Ou só me aproveitaram como garota de recado.

— Não há como saber ao certo. A partir de agora, vai ter de tomar mais cuidado ao sair de casa.

Elena balança os ombros e revira aqueles espetáculos de olhos verdes.

— Não acho que corro o risco de ser sequestrada.

Assim que termina de pronunciar a frase, minha prima esconde a boca atrás de uma das mãos, como se quisesse devolver as palavras recém-ditas. Imagino o que passa por sua cabeça. Anos antes, a mãe dela, a princesa Ana Markov, viveu maus momentos presa num cativeiro, enquanto seu sequestrador, meu digníssimo *pai*, articulava um plano ridículo de tomar o trono para si. Quando o podre foi esclarecido, minha família se despedaçou, quero dizer, minha mãe tentou segurar as pontas de modo a evitar que sofrêssemos muito. Até parece que conseguiríamos sair ilesos dessa. Imagino que Elena esteja envergonhada por, indiretamente, trazer o assunto à tona.

Não estou nem aí.

— Sua vida pelo trono? Acho que essa ideia já foi usada antes. — Eu debocho. Fico de pé e caminho ao redor da sala. Passo os dedos pelo cabelo, ignorando o choque que provoquei na garota.

Ela não reage de imediato. Mas acaba se levantando.

— Tem razão. Então não tem por que me preocupar. — Elena pega a sacola com a câmera e se vira para a porta. — Obrigada pela ajuda. Agora eu tenho mesmo que ir andando.

Não tento impedi-la dessa vez. Porém, antes de alcançar a maçaneta, ela se volta para mim mais uma vez e me faz um pedido:

— Gostaria que não comentasse o... ocorrido com meus pais ou com meu avô.

Bufo, incrédulo.

— Por que não? — questiono, incerto se estou conseguindo seguir sua lógica.

Elena respira fundo.

— É melhor assim. Não quero preocupar as pessoas.

Altruísta, claro.

— Nem ser obrigada a ficar presa ou ter meus passos seguidos de perto por seguranças do governo.

Nem tanto, percebo.

A segunda explicação me agrada mais. Então a doce prima não é tão certinha quanto aparenta.

— Vai ter que dar uma boa desculpa para os ferimentos.

— Digo que levei um tombo feio. — Ela ri, debochada. — O que não deixa de ser verdade. Uma meia-verdade.

— Faça o que achar melhor. — Afasto-me até a mesa da sala e pego a chave do jipe. — Mas vou levar você para casa.

Elena ameaça um protesto, que não vai adiante. Acho que minha expressão "do mal" ainda funciona.

Passamos quase todo o trajeto até o castelo em absoluto silêncio. Elena está quieta, com o rosto voltado para a janela e encoberto pelos cabelos. Eles já não são mais aquela antiga profusão de fios e mechas castanho-claros. Agora descem sedosos até o final de suas costas, em ondas de tons diferentes, que variam de louro-escuro a cor de mel. Imagino como seria visualizá-los espalhados sobre os travesseiros da minha *king size*.

Se a situação fosse a seguinte: eu dando carona a uma bela mulher, levando-a para casa depois de resgatá-la das mãos de bandidos feito um endeusado herói, mesmo que ela fosse nova demais para mim — ou até desconhecida —, daria um jeito de prolongar nosso tempo juntos. Por uma noite só, no máximo. Então eu afastaria seus deliciosos cabelos e os ajeitaria atrás dos ombros dela, bem devagar, revelando, sem ser muito explícito, o quanto eu estava a fim de... explorar a amizade. Entretanto, Elena é a intocável priminha (segunda na linha de sucessão ao trono) com quem preciso parar de ter pensamentos desvirtuados. Nem é bom imaginar o tamanho da encrenca caso resolvesse me "meter" com ela, ainda mais levando em conta que minhas intenções de um romance a longo prazo são inexistentes.

Sendo assim, para apagar as imagens de Elena, lençóis macios e nossos corpos nus entrelaçados, puxo um assunto despretensioso, seguro. Dessa forma, faço com que o silêncio carregado se dissolva, livrando-nos do constrangimento.

— Você é fotógrafa? — pergunto, apontando, com o polegar, para a sacola apoiada no colo de Elena.

Ela demora um pouco para responder. Desvia os olhos da janela e os direciona à câmera.

— Não — responde, sem me olhar. Noto um certo descontentamento em sua voz. Por que será? — É só um *hobby* que cultivo.

Interessante. Um *hobby* nada fresco, como colecionar bolsas, por exemplo. A menos que ela goste de fotografar filhotes fofinhos ou bebês recém-nascidos em poses arranjadas.

— Minha inspiração são as pessoas comuns no dia a dia delas. — Sem que eu tenha tempo de pedir, Elena esclarece a dúvida para mim. Subitamente me dá vontade de conhecer seu trabalho.

Movo a cabeça, fazendo sinal para que continue a explanação, mas ela ou o ignora ou resolve me contrariar. Insisto:

— Você tem algum catálogo ou coisa parecida?

Não sei o que fiz para irritar Elena, mas acabo atraindo um olhar meio enfurecido, como se eu tivesse dito algo terrível. Menina estranha...

— Um portfólio. — E ela para por aí.

Minha língua coça de vontade de atiçá-la mais um pouquinho. Porém, como estamos nos portões de entrada do castelo, é hora de recuar e devolver a princesa sã e salva para os braços da mamãe.

— Elena, o que aconteceu com você?!

Irina nos encara chocada enquanto amparo o corpo de Elena até que ela esteja bem acomodada em seu quarto. Antes de entrarmos no palácio, disse-lhe que faria essa cortesia. Mas não tenho tempo de cumprir a promessa, já que o grito espantado da rainha acabou por atrair curiosos.

Logo somos cercados por uma meia dúzia de empregados, o fedelho do filho mais novo do rei, além de Ana, que aparece no corredor, meio surgida do nada. Eu deveria ter escapado quando tive chance.

— Filha, meu Deus do céu, o que houve?

Os olhos da princesa se alternavam entre mim e a filha. Será que ela pensa que agredi a garota?

Preparo-me para me defender. Não vou levar a culpa por nada.

— Tropecei no meio-fio e caí de qualquer jeito — explica Elena. Ela conta a mentira com a cara mais lavada do mundo. Até mesmo eu teria acreditado nela facilmente se não soubesse a verdade. Fico com vontade de rir. — A sorte foi que Luka estava passando na rua bem na hora e me ajudou.

Irina e Ana focam a atenção em mim. Dou de ombros, como se o que fiz não fosse nada.

— Que coincidência providencial! — exclama Hugo, com jeito de que não ficou convencido pela desculpa dada. Quase o parabenizo pela perspicácia.

— Oh, é mesmo! — ressalta Irina.

Ana se aproxima de nós e analisa compadecida os ferimentos nos cotovelos de Elena. Hoje ela me parece mais cansada do que no jantar na noite anterior. Mas a herdeira do trono, que tem a fama de não se dobrar com facilidade, permanece impassível, ignorando seja lá o que pode estar sentindo.

— Venha, querida. Você precisa limpar esses machucados e tomar um anti-inflamatório.

— O remédio eu vou aceitar, mãe. A outra parte, Luka já resolveu — Elena esclarece, de modo casual.

Sinto o olhar de Ana em mim. Não consigo interpretar o que passa em sua cabeça, embora pressinta que seus neurônios estão trabalhando duro para compreender toda a situação.

Quando criança, eu gostava de me sentir amado incondicionalmente pela prima que chegou de repente do Brasil e conquistou todo mundo. Ela sempre se dirigia a mim com paciência e carinho. Fiz muita merda desde então. Apesar disso, não vejo ressentimento em relação a mim, o que contribui para que eu me sinta ainda mais diminuído e miserável.

Aproveito que Elena não precisa mais da minha contribuição para escapar dali. Prometo intimamente que só voltarei ao Palácio Sorvinski para o casamento de Luce. E depois, pé na estrada.

Estou prestes a sair da vista de todos quando meu nome é pronunciado, quase num sussurro, pela priminha com quem preciso, de qualquer maneira, parar de ter anseios obscuros:

— Luka, obrigada.

Viro-me para dizer que não há por que agradecer, mas acabo preso em seus olhos cor de jade, que me dizem mais coisas do que as palavras proferidas conseguem indicar.

Demoro um instante para reagir. Então faço uma espécie de continência e respondo, empregando o máximo de ambiguidade à frase:

— Sempre às ordens.

E levo comigo a estonteante imagem das bochechas de Elena coradas como se a garota tivesse subido o Everest. Ela entendeu o duplo sentido. Ponto para mim.

ELENA

Capítulo 11

Dimitri respondeu ao meu e-mail alguns dias depois que o enviei. Fiquei feliz em saber que as coisas andavam relativamente bem na Nigéria, apesar das costumeiras desconfianças por parte de alguns moradores da comunidade. Ele me contou que as crianças sentem minha falta e, no final, revelou que é um sentimento do qual compartilha.

Eu gostaria de afirmar que o mesmo acontece comigo, isto é, que tenho saudades do meu amigo de um jeito mais que fraternal. Dimitri tem todas as características que o colocam na categoria de homem totalmente "namorável". É bonito, calmo, solidário, simpático, carinhoso, protetor. Entretanto, para o meu azar, não sinto uma fisgada no peito quando penso nele. Bom, pelo menos, não desde que reencontrei Luka. Porque, desse fatídico dia em diante, a coisa anda meio feia para o meu lado.

Essa sensação vem no momento em que deixo minha cabeça viajar na direção dele, mesmo não desejando isso para mim. Luka, muito embora ocupe o posto do primeiro garoto por quem me apaixonei — e seja lindo como nenhum homem deveria ter o direito de ser —, não tem permissão para povoar meus pensamentos dessa forma. Preciso me lembrar constantemente dos mil motivos que o tornam inalcançável para a minha pessoa.

Dou uma conferida no meu visual uma última vez antes de pendurar a câmera no ombro e deixar meu quarto em direção aos jardins do castelo. O casamento de Luce é daqui a duas horas. Mas quero passar um tempo andando sossegada, fotografando o ambiente e as pessoas.

Meu vestido, desta vez, é menos apertado. Fiz questão de ficar mais confortável; afinal, é necessário flexibilidade para capturar as melhores imagens. O problema é só a altura dos meus saltos. Não fui capaz de abrir mão deles pelo bem das regras de etiqueta. Se minha memória não tiver falhado, tenho certeza de que li a expressão "traje passeio completo" no convite de casamento de Luce e Iuri.

Enquanto quase todas as mulheres do castelo se desdobram em mil para auxiliar a noiva nos últimos preparativos, desço sorrateiramente e escapo para os jardins, evitando que minha presença seja solicitada.

Passei a semana inteira acompanhando a evolução do cerimonial e da empresa de decoração, no entanto, nada me preparou para o resultado. Sinto minha boca abrir de admiração e permaneço alguns segundos esquecida de fechá-la.

Visualizo diversas possibilidades de fazer fotos incríveis nesse cenário. Sem titubear, preparo o equipamento e mando ver. Tenho quase duas horas disponíveis só para mim.

Ocupo meu lugar ao lado do rei enquanto aguardamos o começo da cerimônia. Aproveito os instantes pré-cortejo de entrada para analisar as fotos que fiz. Consegui pouco mais de 200 imagens. Mas sei que não vou aproveitar nem 50 por cento delas.

Vovô, às vezes, desvia o olhar até a tela da câmera a fim de conferir meu trabalho. Percebo pelo sorriso que ele gosta do que vê.

— Estão ótimas! — elogia ele, o que faz meu peito inflar de orgulho.

Irina põe um dos indicadores sobre os lábios, dando a entender que a cerimônia está para começar.

Respiro fundo antes de erguer a cabeça. Passei todo esse tempo procurando evitar a figura de Luka e obtive sucesso até agora. Se fosse possível, gostaria de ficar cega à presença dele. Pode ser que tenha ido embora, levando em consideração que não o vejo em parte alguma no meu campo de visão. Isso decepcionaria tia Marieva e Luce, mas também elevaria consideravelmente meu nível de empolgação com a festa.

Os primeiros acordes da orquestra desviam os rumos dos meus pensamentos. Concentro-me nas crianças fofas no trajeto até o altar. Além de lindas e espontâneas, as mininhas jogam pétalas de flores ao longo do percurso, arrancando suspiros de todos. Não perco a oportunidade de imortalizar a cena numa foto.

Com o olhar saltando faíscas, Irina me repreende. Dou de ombros.

Em seguida, vêm os padrinhos; do lado da noiva são os meus pais. Admiro os dois abertamente, porque eles são lindos de se ver. Mamãe usa um longo cinza, justo na cintura, o que acaba revelando uma barriguinha que não parecia estar ali antes. Está divina. E meu pai, de fraque, provavelmente causa um pequeno tsunami nos corações das mulheres que o observam caminhar com tanta elegância. Eu acho graça. Elas não conseguem disfarçar.

Papai pisca para mim assim que me vê. Faço um sinal de positivo em retribuição.

Uma nova canção dá a deixa para Giovana, a dama de honra de Luce. Toda sorridente, minha prima desfila alegremente, como se fosse uma fada travessa, com aqueles cabelos de fogo esvoaçantes.

E assim, sem mais delongas, a marcha nupcial soa e nos alerta: é a hora da noiva. Posiciono minha câmera, pois não quero perder a chance de capturar as emoções de Luce. Porém, tão logo a avisto, meu peito afunda até tocar o chão. Por que estou tão chocada? Qualquer um com o mínimo de inteligência teria juntado dois mais dois e concluído o óbvio: se Luka não estava em parte alguma, claro que ele conduziria a irmã ao altar. Tia Marieva é que não ia ser. Ela, assim como eu, faz tempo ocupa uma cadeira, com a diferença de que seu lugar é de honra, bem à frente de todos os convidados.

Não sou capaz de olhar para ela nem conferir o quanto deve estar emocionada. Isso eu só consigo imaginar. Porque meus olhos meio que grudaram em Luka. Como, meu Deus do céu, ele pode estar mais sensual a cada vez que o vejo? Mesmo com as tatuagens escondidas pelo blazer e o corpo menos marcado devido ao traje de gala, é muita coisa para assimilar.

Para meu total e completo azar, Luka é fantástico de qualquer jeito. E, se eu não fechar a boca agora mesmo, pagarei o maior mico do planeta caso alguém me flagre babando em cima dele.

— Ela está linda! — Irina choraminga ao lado de vovô. Sim, é verdade, mas eu diria que o irmão merece muito mais esse adjetivo.

Continuo embasbacada, aproveitando cada segundo da evolução dele como condutor de Luce. E, quando penso que sairei ilesa desse momento de fraqueza, sou surpreendida pelo próprio protagonista de minhas fantasias juvenis.

Com os reflexos amolecidos, não consigo evitar o encontro de nossos olhares. Luka me flagra de olho nele e dá a entender que gostou. Seu meio sorriso sutil é a prova de que não estou sonhando acordada. E eu, em vez de me livrar desse constrangimento fingindo estar concentrada em outra coisa — a batina do padre, por exemplo! —, permaneço imobilizada, dedicando minha atenção totalmente a ele. Burra!

Vejo quando uma de suas covinhas se afunda um pouco mais, um indício de que, daqui a pouco, o sorriso presunçoso se tornará mais largo que a extensão do rio Amazonas. Só então reajo e decido parar de dar bobeira, abaixando a cabeça como se o chão fosse a imagem mais encantadora do mundo.

— Prezados amigos. — O padre nos cumprimenta, com sua voz de profeta. Ergo o rosto, uma vez que seria uma tremenda falta de educação ignorar a cerimônia, mas fixo o olhar nas costas dos noivos e me recuso a desviá-lo de lá.

Entretanto, por mais que eu queira parecer indiferente, é impossível deixar de lado o fato de que Luka não está nem aí para as aparências e passa boa parte do casamento com os olhos pregados em mim.

Levando em consideração o problema de falta de vontade própria que me atingiu durante a cerimônia, agora, na festa, é melhor que eu fique o mais distante possível de Luka. Ainda bem que há muito espaço entre nós, o que me permite passar despercebida.

Bom, despercebida para Luka, pois Hugo não tem dificuldade em me achar e sair trotando atrás de mim.

— Você está bonita — elogia. Então seus hormônios adolescentes já estão se manifestando. — Quer dançar?

Reviro os olhos, mas não o deixo perceber. Coitado, é só um garoto.

— Hum... Melhor não. Eu acabaria triturando seus pés com esses saltos.

Na verdade, a recusa se deve à minha ânsia de me manter invisível. Hugo faz uma expressão carrancuda. Jamais gostou de ser contrariado.

— Você tem namorado? — Ele quer saber. Uma de suas sobrancelhas loiras está arqueada.

— Não.

— Percebe-se mesmo. Nunca vi você com ninguém — comenta meu tio inconveniente. — Pela idade que tem, espero que, pelo menos, já tenha beijado uns quatro ou cinco carinhas.

Coloco as mãos na cintura e finjo indignação. Hugo movimenta os ombros com indiferença, como se não tivesse dito nada de mais.

Só que ele pode não ter percebido na época, por ser mais novo e desligado, mas já namorei, sim. Foi durante o ensino médio, uma história legal que não terminou muito bem.

Teria passado invisível pelos últimos anos da escola se não tivesse começado a namorar o Nico no segundo ano. Sempre fui discreta, de pouca conversa, mas não por me achar melhor que os outros. O fato de ser descendente da família real, em vez de me deslumbrar, fez com que eu me tornasse mais reservada, a fim de não chamar atenção sobre o título de princesa que carrego.

Por isso levei o maior susto ao ser notada por um dos alunos mais populares do colégio. Desde que ele chegara à minha turma, transferido de uma outra escola, não pude ficar indiferente à sua figura marcante. Sempre que entrava na sala, Nico arrancava suspiros e atraía olhares.

Não que ele fosse lindo, perfeito. Mas havia algo naquele cara, talvez a altura, o olhar penetrante, um desdém calculado, que o colocava no alto do pódio dos preferidos entre as meninas — e entre muitos meninos também.

Comigo não era diferente. Eu só não dava bandeira. Em vez de me derreter toda vez que Nico aparecia, eu abaixava a cabeça e fingia estar concentrada em minhas anotações.

Teríamos ficado nessa — ele, em destaque; eu, inexistente — se não fosse por uma prova de filosofia com consulta. O professor tinha permitido que usássemos o livro como suporte, mas deu a notícia na hora do teste. Alguns alunos se lascaram bonito, porque haviam deixado o livro em casa. Nico era um deles.

Não prestei muita atenção nesse detalhe, afinal, não poderia fazer nada por ninguém, e tratei de resolver a prova. Então senti uma cutucada no braço. Levantei os olhos e me deparei com Nico fazendo um discreto sinal para mim. Fiquei roxa, com medo de o professor perceber e anular os testes de nós dois. Eu odiava filosofia e não podia me dar ao luxo de ficar em recuperação na matéria.

Ignorei os sinais, mas foi por poucos segundos. Mais uma vez, Nico acertou meu braço com um minúsculo pedaço de borracha. Lancei um olhar irado, o que ele descartou sem se abalar. Então falou, apenas mexendo os lábios, sem emitir som algum:

— Me empresta seu livro?

Eu estava acabando o teste. Faltava apenas uma questão. Tive de me decidir depressa. Ou emprestava a droga do livro de filosofia, correndo o risco de ser pega, ou deixava Nico à própria sorte.

Três minutos. Foi o tempo que gastei para finalizar a prova, levantar-me da carteira e deixar o livro cair. Controlei a tremedeira que tentava inibir meus movimentos e abaixei para pegá-lo. Falei, surpresa com minha súbita segurança:

— Acho que não estragou.

Apoiei meu livro na carteira de Nico, como se fosse *dele*, e caminhei até a mesa do professor, sem olhar para trás. Felizmente ele não percebeu a artimanha e, se algum outro colega viu, ficou de bico fechado, graças a Deus.

Saí da sala com o coração dando cambalhota em meu peito. Acho que fui consumida por uma crise de pânico. Andei para fora do prédio e caí sobre um banco de concreto. Para controlar a crise, inspirei e expirei com força. Apesar do sol brilhando alto no céu, estava frio e minha respiração formava vapor ao meu redor.

Quando me senti melhor, ajeitei a mochila em um dos ombros para ir embora. Mas Nico apareceu diante de mim e meu corpo congelou no lugar.

— Obrigado — falou ele, me dando o mais aberto dos sorrisos. Devolveu meu livro. Depois se reclinou e beijou meu rosto com toda a delicadeza do mundo.

E desapareceu do mesmo jeito que chegou, sem barulho.

Desse dia em diante, tudo mudou. Ao me notar, Nico descobriu em mim a pessoa a quem queria chamar de namorada. De desconhecidos, passamos a ser um casal, que não se desgrudava para nada.

Num curto período, conheci os amigos dele, e ele, os meus. Passei a fazer parte de uma turma. Ia a festas, e todos me cumprimentavam pelo nome.

Nico virou meu mundo. E ele nunca, jamais, tentou me transformar em seu chaveirinho, em alguém que ele carregava para lá e para cá apenas como objeto de decoração, a princesa bibelô. Éramos uma dupla. Conversávamos sobre tudo, discutíamos de igual para igual. Havia respeito mútuo.

Por causa dele, acabei me abrindo mais e venci — na medida do possível — o medo de que algumas pessoas só se aproximassem de mim por causa da família à qual pertenço.

Depois de seis meses de namoro, aos 17 anos, perdi a virgindade, sem traumas nem estresse. E também não houve pressão. Nico esperou eu me sentir pronta e, quando aconteceu, tratou-me como uma princesa — figurativamente, claro. E ele era meu príncipe, o homem da minha vida.

Por tudo isso, imaginei que ficaríamos juntos para sempre.

Mas não...

Todas as coisas que construímos juntos foram reduzidas a nada num único minuto. Sessenta segundos bastaram para acabar com tudo. Vi meus sonhos desmoronarem no momento em que abri aquela porta. Ah! Aquela maldita e horrorosa porta de madeira maciça do século XIX!

A retrospectiva acaba quando sinto as mãos de Hugo me sacudindo. Ele parece irritado.

— Ei, Elena, você ouviu o que eu disse?

Meu rosto esquenta. Fui grosseira por não dar atenção a Hugo e ficar relembrando uma história que só me faz mal, mesmo depois de tanto tempo.

— Desculpe, querido. Não tive a intenção de ofendê-lo — digo, bagunçando os cabelos dele. — O que foi?

Hugo aponta para o palco, de onde a banda toca uma balada dançante. Ou melhor, tocava. Nesse momento, diante do microfone e com uma taça de champanhe na mão, Luka se prepara para se pronunciar.

Meu peito se aperta. O que aquele maluco pretende fazer dessa vez?

LUKA

Capítulo 12

— Boa noite a todos — falo, impressionado com a coragem súbita que me invadiu minutos antes de eu subir ao palco. Bato na taça para chamar a atenção dos convidados. — Gostaria de dizer algumas palavras aos noivos.

De relance, noto os olhares de desconfiança sobre mim. Falta pouco para Andrej intervir, mas Ana segura o braço do pai, impedindo-o de me arrancar daqui à força. Eu mereço essa hostilidade. Sou um imbecil assumido.

Mas não hoje. Quero homenagear minha irmã mais velha, só porque ela é digna das melhores coisas da vida. Além do mais, a bebida que venho tomando desde o começo da festa para tentar tirar uma certa beldade de olhos cor de jade da cabeça já fez um ligeiro estrago, diluindo a pouca sensatez que tenho.

Então continuo:

— Dizem por aí que casamento é para sempre. Não sou louco de contrariar o senso comum, pelo menos não agora.

Ninguém acha graça. Nem assim me intimido:

— Eu poderia dizer que Luce e Iuri são metades da mesma laranja e erguer um brinde ao casal enquanto fica um olhando para o outro o resto da noite. Mas não vou fazer isso. Como diria o russo Anton

Tchekhov, *um homem e uma mulher se casam porque não sabem o que fazer com si mesmos.*

Suspiro. Estou enrolando e irritando todo mundo. Hora de inverter a jogada.

— Antes, preciso contar uma história. E aí, depois disso, prometo erguer a taça. Bom, Luce sempre foi a mais sensível de nós três. Eu sabia que seria a primeira a se casar, se não a única. Concorda, Giovana? — Pisco para a minha irmã do meio e flagro seu sorriso. — Ela gostava de desenhar, de escrever e de sonhar acordada com garotos das *boy bands* da época. Por falar nisso, por onde andam, querida irmãzinha, seus amados do *One Direction?*

Agora sim consigo relaxar a galera. Luce dá de ombros. O que importa de verdade é que ela está aprovando minhas palavras:

— Ainda bem que o Iuri foge do estereótipo. — Faço uma dancinha meio ridícula, quase igual à daqueles caras do passado. — Então, irmã, apesar do tom carrancudo de Tchekhov e de eu mesmo ser um cético assumido no que diz respeito a relacionamentos de longa duração, ainda mais quando há um contrato endossando a união, por trás de tudo, digo que você fez certo em se casar. Porque acredito que, para muitas pessoas, deve ser muito bom dividir um sonho, um projeto, uma realidade, construir um jardim nos fundos da casa, discutir sobre a cor certa das cortinas, economizar para comprar um carro maior. Penso que ouvir um filho falar e reconhecer nele diversas características dos pais seja algo surreal. Por isso, por conhecer você mais do que qualquer outro ser humano no mundo, Luce, sei que está exultante por ter um cara como o Iuri ao lado, *aquela* pessoa em quem você escolheu colocar uma aliança dourada no dedo. Espero que seu marido cumpra tudo o que lhe prometeu ao proferir os votos, senão eu mesmo providenciarei uma surra daquelas nele. Seja feliz, minha irmã. Porque você merece.

Ergo o braço, levanto a taça, faço um brinde às pressas, porque falei mais do que esperava e não sou assim; desço do palco, parando só para receber um abraço emocionado de Luce.

— Luka, eu amei. Amei! — Ela me aperta, espetando meu rosto com os bordados da manga do vestido de noiva. — Deixou todo mundo encantado. Mamãe não para de chorar.

Desde que tudo começou, ainda na cerimônia, tenho evitado cruzar o caminho de nossa mãe. Faço isso deliberadamente, sabendo que a magoo mais e mais. Mesmo assim, não recuo. A menção de Luce a ela não me demove do propósito de ignorá-la.

— Fico feliz. Afinal, alguém precisa subir ali e pagar mico em seu nome, né?

Rimos juntos. É certo que minha irmã notou a desviada proposital na conversa, mas achou melhor não comentar.

A gente se separa quando alguns convidados aparecem para cumprimentá-la. Aproveito para escapar até o bar. Fazer aquele discurso de improviso serviu como um extintor imediato de embriaguez. É hora de cuidar desse problema.

Peço ao barman uma dose de uísque. Enquanto o espero servir, eu me recosto no balcão. Dou uma avaliada geral no ambiente, sem me deter em ninguém. Até que vejo Elena.

Meus olhos param de se mover aleatoriamente e grudam na garota. Se durante a cerimônia fiquei quase sem ar por ela estar tão deliciosa num vestido bem mais comportado do que aquele da outra noite, agora, provavelmente por causa do álcool, falta-me sensatez. Eu não devia estar secando a menina tão abertamente — não se quero voltar para Estocolmo sem deixar sequelas na família.

Mas não me controlo. Elena é uma perdição. Ainda mais quando se inclina daquele jeito para fotografar e a saia sobe alguns palmos. O que ela está pretendendo? Matar todos os homens da festa ou provocar um derrame cerebral coletivo?

Elena ajeita a postura e sorri para um grupo de crianças cujo líder parece ser Hugo. Ele fala alguma coisa que a faz revirar os olhos e fazer um biquinho com os lábios.

Caramba! Preciso urgentemente sair da festa e ir atrás de uma mulher. Devo estar no limite da sanidade por ficar desejando uma que não posso ter, nem mesmo nos meus sonhos. Elena é encrenca pesada, das grossas mesmo.

Olho ao redor, com o objetivo de extirpar meus pensamentos sobre a filha de Ana, encontrando outra garota qualquer para substituí-la. Vai ver que Luce ou Giovana têm uma amiga para me apresentar, que queira esticar a noite de forma mais... íntima. Esse seria o remédio mais eficaz.

Estou certo de que tomei a melhor decisão, até Elena desaparecer do lugar onde conversava com Hugo poucos segundos atrás. Mais por curiosidade que pelo instinto, vasculho toda a área ao redor, inclusive a pista de dança. Nada. A garota simplesmente se foi.

Frustrado, bagunço meus cabelos com as mãos e suspiro. Sou um imbecil.

A noite já está alta. Hora de me mandar.

Sem me dar ao trabalho de me despedir, vou direto à saída dos jardins. Dou alguns passos para fora da festa, de certo modo aliviado por ter cumprido meu papel de irmão e prestigiado Luce no dia mais importante da vida dela. Agora posso voltar para casa em paz.

Casa... está certo que moro na Suécia, mas não consigo especificar onde fica realmente a minha casa. Sei que não é lá, nem mesmo o apartamento que tenho aqui em Perla.

E assim, envolvido por pensamentos que não levam a nada, eu a vejo. Paro imediatamente para observar Elena. Ela está sozinha, recostada no tronco de uma árvore. A pose é interessante: com uma das mãos, a garota sustenta o corpo, apoiando-a na madeira; com a outra, ela tira um dos sapatos.

Ele cai no chão, fazendo um barulho surdo. Em seguida, Elena repete o gesto e se livra do segundo salto. Mais sensual, impossível.

Sinto uma comichão por isso e pelo que acontece depois, quando ela reclina as costas e solta um suspiro longo e profundo. Minha boca se enche de água.

Não penso duas vezes. Num segundo eu a alcanço, surpreendendo-a completamente.

— Olá! Não me diga que já está de saída.

Elena se assusta e coloca as mãos no peito.

— Desculpe — digo, a uns 3 metros de distância. — Não tive a intenção de pagá-la de surpresa. — Mentira. Tive, sim. — Vai embora?

— Estou só descansando os pés — justifica-se. Suas bochechas estão levemente coradas. Tenho um desejo súbito de que seja eu o causador do rubor, e não o calor e a agitação da festa.

Umedeço os lábios e a encaro de um jeito nada educado. Por ser o cretino que sou, quero que Elena saiba o que anda provocando em mim. Depois ela que trate de lidar com essa informação.

Nossos olhares se perdem um no outro durante alguns instantes, mas ela desvia os olhos primeiro. Como se o gesto inconscientemente tímido não fosse o bastante, morde o lábio inferior, prendendo-o entre os dentes. De repente, um instinto meio que de posse me assalta, soprando para mim que apenas os meus dentes deveriam ter o direito de fazer aquilo com a boca de Elena. Só os meus!

— Você é linda — mando essa, sem preâmbulos.

Ela se encolhe, como se tivesse sido atingida por uma balde de água gelada.

Aproximo-me mais.

— É sério. Linda demais. Como eu nunca notei antes?

Elena abre a boca, como se quisesse rebater minha declaração, mas desiste antes de ir até o fim. O silêncio dela funciona como um incentivo.

— Lembra quando eu beijei você, neste mesmo jardim, anos atrás?

— Minha pergunta mexe com a garota. Seu incômodo é quase palpável. — Se eu soubesse que cresceria assim, tornando-se essa beldade cheia de curvas, teria aproveitado mais.

Acho que agora eu fui longe demais. Elena não só volta a me encarar, como arregala os olhos até eles praticamente pularem para fora da órbita.

— Acredito que esteja meio velho para continuar agindo feito um babaca — declara num só fôlego.

Seus punhos estão fechados ao lado do corpo. Ela já não é mesmo a garotinha de antes. Ainda bem!

— Por isso que, para não ser chamado de idiota completo, vou perguntar: seus ferimentos melhoraram? — Eu arqueio a sobrancelha sugestivamente.

Ela não se aguenta e solta um "oh" indignado. E então se abaixa para apanhar os sapatos. Por instantes, todo o vestido se agarra ao corpo esbelto de Elena, deixando muito pouco para a minha imaginação.

Eu a quero agora. Simples assim.

Movo a cabeça de um lado para o outro. Quem sabe assim consigo recolocar meus neurônios de volta aos lugares de origem? Quando estiver seguro no meu apartamento, longe dessa tentação em forma de prima, vou tomar um demorado banho frio. Ah, se vou.

— Me desculpe. Fui mesmo um cretino. — Eu recuo. Um pouco de lucidez me atinge. Não posso sacanear Elena. — Só me diga que os machucados sararam e que não foi mais atormentada por aqueles caras.

Ela balança a cabeça.

— Está tudo bem.

— Ótimo.

Devo deixá-la ir. Só preciso me despedir primeiro. Portanto levo minha mão até uma mecha de seus cabelos e faço um afago. Nada de mais.

— Alguém pode me explicar o que está acontecendo aqui?

Bom, nada de mais *para mim*.

ELENA

Capítulo 13

Não acredito que meu pai está fazendo isso! Ele nos olha como se fôssemos dois criminosos pegos no flagra assaltando uma velhinha indefesa. Parece um *déjà vu*, uma repetição da noite em que fui pega beijando Luka entre as trepadeiras do jardim.

Só que desta vez não está acontecendo nada. A não ser pelas coisas que Luka disse para mim num tom cheio de segundas intenções (tudo besteira, aposto) e o fato de estar ajeitando meus cabelos bem na hora em que papai apareceu, não demos motivos para ser repreendidos dessa forma.

E, mesmo que fosse o caso, não sou mais uma menininha boba e sem maldade. Alexander Jankowski não tem o direito de me envergonhar assim. Já passei do ponto em que ele manda e eu obedeço. Céus!

— Elena, não me diga que você e esse rapaz estão...

— Não! — corto meu pai desesperadamente. Essa frase não pode ser completada nem a pau. Pelo menos, não na frente de Luka.

— Alex, só estávamos conversando, está bem? — O filho de tia Marieva se afasta de mim e encara meu pai sem o menor sinal de constrangimento. Ele mantém a postura, igual à de um lutador bem resolvido, enquanto dobra as mangas da camisa até os cotovelos. Uma parte de suas tatuagens se insinua sob o tecido. — Não pretendia atacar sua filhinha.

Não gosto da maneira como ele se referiu a mim. *Filhinha*, no meu entendimento de estudante de Línguas, dá margem para duas utilizações: quando os pais se dirigem às filhas pequenas e quando queremos ser cínicos, irônicos. Sei lá!

— E, se isso tivesse ocorrido, rapaz, neste momento você estaria sentindo muito mais que o peso das minhas mãos — ameaça papai, deixando de lado seus modos elegantes e educados. Fico chocada. Esqueço que, às vezes, ele costuma se travestir de troglodita.

Para minha surpresa, Luka se dirige a mim novamente, com uma expressão nebulosa, e diz:

— Já vou indo, princesa. Foi bom... conversar com você mais uma vez. — Ele se reclina e, antes que eu tenha tempo de raciocinar, beija meu rosto. Morro cinco vezes (e de maneiras diferentes) e só depois consigo voltar a respirar.

Luka passa por meu pai, fazendo um gesto de despedida com a cabeça, e sai.

— Por essa eu não esperava, Elena.

Concentro minha atenção em Alexander. Por um momento, deixo de reconhecê-lo como o homem que me chama de *slinko*, que me paparica e exagera nos mimos só por se sentir no direito de amar a filha acima de tudo. Eu não me importo. Ou não me importava, até que o limite entre o carinhoso e o possessivo começou a se confundir.

— Por essa o que, pai? — retruco, com as mãos enganchadas na cintura. Meus cabelos caem no rosto. Afasto-os com força, antes que entrem em minha boca. — O que você pensa que estava acontecendo aqui?

— Claramente aquele rapaz se aproveitava de você.

Não me contenho e solto uma gargalhada que custo a controlar. Como alguém pode se aproveitar de uma garota de 19 anos, a poucos metros de uma multidão, sem o consentimento dela? Bom, em se tratando de mim, não vejo possibilidade de uma coisa dessa acontecer.

— Ora, papai, vamos lá. Você não acredita de verdade nisso, não é mesmo? Deixa eu esclarecer: se realmente estivesse acontecendo algo entre mim e Luka, não acha que seria com minha permissão?

O rosto do meu pai fica roxo.

— Elena, você não seria capaz... — esbraveja ele, os punhos cerrados nas laterais do corpo. — Preciso listar, mais uma vez, todos os motivos para que você nem chegue perto daquele marginal?

Perco a paciência. O problema todo é que meu gênio é igualzinho ao de Alexander. Mudo de calma para irada em questão de segundos.

— Eu sei me cuidar muito bem. Não sou uma idiota.

— Olha essa língua!

— E tem mais. Mesmo que você levante bandeiras contra o Luka, conheço o histórico dele também. Não acho que ele mereça esse desprezo por ter sido um adolescente rebelde. As pessoas mudam, papai.

Meu pai faz uma tremenda bagunça nos cabelos e usa um tipo de técnica de respiração para se acalmar.

— Elena, você não sabe de nada — fala, reduzindo o tom de voz.

— Então me conte! — grito, ciente de estar correndo o risco de atrair plateia.

Papai suspira.

— É melhor não. A única coisa que importa é que você se mantenha afastada de Luka. Sei que teve uma paixonite por ele na adolescência, mas é melhor superar. Ele não é para você.

— Pai! — Quero morrer. Não é justo que ele saiba o que senti por Luka anos atrás. É uma história minha, que só dividi com mamãe porque ela foi esperta demais para desconfiar. Claro que dona Ana não conseguiu manter a boca fechada. Que vergonha! — Não sou apaixonada por ele. Era apenas uma conversa. Que tempestade você está fazendo à toa! — argumento, tentando sair por cima.

— Assim espero. Afinal, imagine a repercussão de um envolvimento seu com o homem que menospreza a mãe, trata a família com desdém e, acima de tudo, é filho do cretino que sequestrou a *sua* mãe, Elena, e a fez passar por coisas horríveis antes de ser resgatada. Já pensou nisso?

Deixo os ombros caírem. Não quero discutir mais nada disso. Só friso, para finalizar:

— Fique tranquilo. Não há nada entre nós.

Um sorriso de alívio surge no rosto de papai.

— Só não entendo por que ele é o cara mau, se Luce e Giovana, tão queridas por todos, têm a mesma ascendência bandida — questiono, tão baixo que chego a pensar que meu pai não escutou.

— Eles não têm culpa de serem filhos de Marcus. — Alexander enfia as mãos nos bolsos e me dá as costas. — Acontece que elas não mantêm contato com o cretino. Já Luka...

Não sei o que é pior: ser tratada como um bebê por meu pai ou apenas ter conhecimento de meias-verdades. Esse segundo aspecto me faz ter a clareza de que o senhor Alexander Jankowski acredita honestamente que eu seja uma criança boba.

Frustrada e sem entusiasmo para continuar na festa de casamento de Luce, vou em busca de mamãe. Quero me despedir e me certificar de que está tudo bem. Não posso nem imaginar se ela tiver desobedecido as recomendações da médica e entrado na farra na pista de dança. Papai surtaria de vez.

Felizmente, eu a encontro sentada e tranquila, de papo com Irina e tia Marieva, bebericando um líquido que só pode ser água.

— Filha! Onde esteve esse tempo todo? — Ela quer saber, não num tom autoritário como o que meu pai usou comigo poucos minutos antes, mas com carinho, numa demonstração afetuosa de que sentiu minha falta.

Agacho-me a fim de alcançar seu ouvido com mais facilidade.

— Fiz umas fotos, conversei um pouco. Nada de mais. — Faço um afago na barriga dela. — E você? Está se divertindo?

— Não como eu gostaria.

Rimos juntas, todas nós.

— Não quer subir, deitar um pouquinho? — sugiro. Mamãe não pode abusar.

— Daqui a pouco. Ainda é cedo. Estou curtindo a banda.

Claro que sim. Se não estou equivocada, toca uma música do Bon Jovi no momento. Não sou fã deles. Já estão velhos. Mas a princesa Ana ama. Um dia, ela me contou que foi beijada pela primeira vez por papai durante um show da banda, aqui mesmo em Perla. Ai, ai...

— Joia. Só tente não exagerar, tá? — recomendo, invertendo nossos papéis. Beijo a testa dela antes de dar a notícia: — Hoje vou dormir em nossa casa, tudo bem?

— Ué, por quê?

— Lá é mais tranquilo. Não conseguirei pegar no sono aqui — minto. Não tenho a menor intenção de chateá-la relatando o que houve entre mim e meu pai. Só preciso ficar um pouco comigo mesma.

— Não sei se gosto da ideia de saber que vai ficar lá completamente sozinha, Elena.

— Mãe, acredite, não corro o menor perigo nesse caso. Se eu estivesse na Nigéria, aí sim teria motivos para se preocupar — argumento com jeitinho.

Mamãe tomba a cabeça para o lado e me analisa. Ela é capaz, com seu sexto sentido de águia, de ler minha expressão e concluir o que se passa de verdade dentro de mim. Impressionante.

— É só isso mesmo, filha?

Não quero enganá-la, mas me limito a assentir:

— Sim.

— Está certo. Mas não vá de carro. Fale com o Jorgensen. Ele leva você.

Prometo que farei isso e me despeço dela, de Irina e de tia Marieva.

Sem parar nem falar com mais ninguém, voo até o meu quarto. Tiro uma mochila do armário e jogo ali meu notebook. Troco rapidamente de roupa, adorando o contato da calça jeans e da camiseta de malha com a minha pele. Não preciso levar mais nada, pois a maioria das minhas coisas permanece intacta na casa que divido com meus pais. Prendo os cabelos num rabo alto, enfio os pés num par de All--Star vermelho e me dou por satisfeita.

Não vejo a hora de curtir a solidão.

Ainda não tive tempo de assimilar tudo o que passei com Luka no jardim. Deixarei para fazer uma análise racional assim que encostar a cabeça em meus travesseiros.

Ando pelas alas do castelo com a mochila jogada sobre o ombro. Opto pela saída usada pelos empregados, uma vez que não estou disposta a esbarrar em ninguém.

Quando chego à cozinha, um ruído estranho chama minha atenção. Vem do corredor que leva à despensa de mantimentos. Meu coração se sobressalta, sinalizando que é melhor eu ignorar o som e sumir. Mas algo me motiva a checar o que está havendo. O sistema de segurança do palácio é perfeito. Aposto que algum convidado mais corajoso — e embriagado — resolveu fuçar o lar da família real e tirar umas fotos para postar no Instagram.

De fininho, esgueiro-me pelos cantos, até ter um vislumbre da cena tórrida que se desdobra diante de mim.

Eu devia fugir. Ou gritar. Porém fico imóvel no lugar, espectadora de um amasso fenomenal, protagonizado por Luka e uma garota que nem imagino quem seja.

Ela está encostada na parede, com as pernas enlaçando a cintura dele, enquanto Luka a tortura com beijos no pescoço. No chão, um amontoado de roupas, talvez o blazer e a camisa do fraque. Não há luz, por isso não posso afirmar com exatidão, mas parece que vejo também uma calcinha jogada ali.

Fico sem ar, enquanto Luka se aperta na mulher, provocando gemidos de prazer que ecoam pelo cômodo deserto. Os músculos das costas dele se contraem e relaxam, e mais uma vez, e outra, e outra...

Sei que, se continuar parada, poderei ser flagrada a qualquer momento. Basta que Luka erga um pouco a cabeça para me apanhar bisbilhotando. Nem assim consigo me afastar. Estou nervosa, mas também em chamas.

Ouço algo ser rasgado e depois um soluço abafado. E então os gemidos (dos dois) aumentam, a ponto de poderem ser ouvidos na sala de café da manhã.

Minhas pernas adquiriram a consistência de gelatina. O ar custa a chegar aos meus pulmões. Esta pessoa descompensada não sou eu.

Apoio as mãos na parede e tento recuperar o controle desviando os olhos para o assoalho. Conto até dez, repetindo um mantra mentalmente: "Isso não está acontecendo. ISSO. NÃO. ESTÁ. ACONTECENDO."

Um pouco mais controlada, decido que é hora de escapulir. Ajeito a postura e ergo a cabeça, com o objetivo de tomar o caminho de volta. É quando meu coração para de bater.

Não sou mais uma intrusa despercebida. Enquanto faz a parceira subir pelas paredes — literalmente — com seu *sex appeal*, Luka me vê. Seus olhos grudam em mim, faiscando de prazer e alguma coisa além disso. Ele não parece bravo por ter sido flagrado quase dentro da despensa fazendo sexo com uma qualquer. Pelo contrário, um sorriso maldoso me revela que ele está se sentindo o máximo, poderoso até não poder mais.

E aí, no momento em que tudo indica que a atividade está prestes a chegar ao fim, Luka me olha ainda mais intensamente e movimenta os lábios, dos quais não sai som algum. Mas sei exatamente o que ele disse em seu frenesi. Bem na hora da libertação, Luka falou, concentrado totalmente em mim:

— Elena.

LUKA

Capítulo 14

Dirijo até a periferia de Perla com vontade de meter minha cabeça no volante até perder os sentidos. Sou um asno, um cavalo idiota que só faz besteiras mesmo.

Primeiro quase me deixei levar nos jardins do castelo, ao ir atrás de Elena. Se o imbecil do pai dela não tivesse aparecido e armado aquela tempestade, não sei até onde teria ido. A garota é fogo puro, embora dê a impressão do contrário. Acredito que ela desconheça o tamanho do seu poder de sedução.

Esfrego o rosto. Meus dedos reagem ao encostarem na barba espetada.

Não sei exatamente o que foi interrompido quando Alexander chegou, mas ele foi o responsável por minar as expectativas do meu corpo. Azar o meu se minha cabeça anda trabalhando arduamente para fazer de mim um cara legal.

Como eu não estava para sermão, larguei Elena sozinha para encarar a ira do pai. Não foi uma atitude digna, eu sei. Entretanto eu precisava descontar a frustração de algum modo.

Foi assim que acabei cometendo a segunda besteira do dia. Ao atravessar a área da festa, uma convidada se atirou em cima de mim. Eu já tinha reparado nela. A mulher me secou a noite inteira.

Então, porque precisava arrancar Elena da cabeça — e por não ser homem de deixar as oportunidades passarem —, levei a mulher, Mirna, para os fundos da cozinha do castelo, onde pensei que ficaríamos seguros, e dei a nós dois o que ambos queríamos naquele momento.

Eu só não esperava usar Elena como motivação. Toda vez que abria os olhos e enxergava Mirna pendurada em mim, eu os fechava de volta e via Elena e aqueles olhos de jade, que despertam em meu ser desejos que eu preferiria não ter. Ela é uma maldição, sempre foi. Só que antes era uma criança chata e sem graça. Agora é uma beldade de cabelo esvoaçante e proibida para mim.

Essa constatação quase me tirou do prumo. Quase. Eu estava prestes a passar a maior vergonha com aquela mulher, que, pela ousadia com a qual me abordou, não esqueceria com facilidade uma negação de fogo, nem deixaria isso barato.

Voltei a me concentrar em Mirna, com a intenção de acabar logo com aquilo, mas, quando abri os olhos, fui surpreendido pela visão de Elena. A princípio pensei que era delírio por eu tanto fantasiar com ela. Mas delírios não costumam ser tão reais nem nos olham como se estivessem prestes a entrar em erupção.

Foi um choque, mas de um jeito bom. Meu corpo reagiu depressa à presença de Elena, proporcionando a mim e a Mirna o resultado pelo qual ansiávamos.

Não sei por que Elena não correu como uma garotinha assustada. Não. Ela ficou até o fim, como se estivesse hipnotizada com o que via. Será que queria estar no lugar da mulher? Pensar nessa possibilidade me animou. Tanto que cheguei ao clímax pronunciando o nome "Elena", sem emitir som algum, só para que ela soubesse quem eu gostaria que estivesse ali comigo.

Nessa hora eu a choquei de verdade. Elena fugiu feito uma gata acuada, sem me deixar fazer nada além de observar sua retirada às pressas.

É isso aí. Confusão e merda são meus nomes do meio.

Dirijo devagar, com a cabeça a mil. Paro diante de uma casa de tijolos aparentes, localizada num bairro de classe média baixa na periferia da capital. Não venho ao endereço porque quero. Honestamente, não sei por que continuo vindo. Ponto. Passei muito tempo sem aparecer. Não quero voltar a Estocolmo com problemas de consciência, mais do que os que já tenho.

Desligo o motor e fico um tempo sentado dentro do carro, protelando a obrigação ao máximo. Então uma luz se acende e vejo uma sombra se movimentando no interior da casa. É a minha deixa.

Saio do jipe sem entusiasmo. Enquanto caminho até a porta, preparo-me mentalmente para uma nova guerra de nervos.

É sempre assim.

Estalo o pescoço e movimento os ombros antes de enfiar o dedo na campainha. Odeio o som que o troço faz. É estridente, irritante.

A porta é aberta segundos depois. O homem que me recebe recende a cigarro e bebida alcoólica.

— Imaginei que estivesse na Krósvia. — Sua voz está rouca, acentuando o velho sotaque. — Afinal, o casamento foi hoje, não é mesmo?

— Tecnicamente, começou ontem. — Faço uma piada para amenizar o clima. Se existe uma pessoa neste mundo capaz de despertar uma insegurança fodida em mim, esse alguém é Marcus Acetti, meu desonrado pai.

Ele se arrasta pelo cômodo imundo até alcançar o sofá, de onde assiste um jogo de futebol entre dois times que devem estar na terceira divisão do campeonato krosviano. Porcaria pura.

Em cima da mesa de centro, vejo uma garrafa pela metade de uísque barato, além de embalagens de fast-food. Nunca vi tanta imundície e desleixo na minha vida, e olha que sou um homem da noite, acostumado com a degradação humana.

Mas não estou aqui para sentir pena do meu pai. Não posso seguir por esse caminho, senão corro o risco de foder com minha cabeça outra vez.

Marcus pagou pelos pecados dele. Ficou preso por 18 anos, condenado pelo sequestro da princesa, formação de quadrilha e tentativa de assassinato. Acabou premiado com uma liberdade condicional por bom comportamento na prisão, desde que não saia do país nem seja flagrado próximo a um membro da família real. Bom, acho que eu não conto nessa determinação da justiça, já que de real não tenho nada.

Minhas irmãs e Marieva jamais o procuraram. Por anos ocupou o posto de único condenado a nunca receber visitas na penitenciária. Até que tive idade suficiente para acabar com a hegemonia dele. Passei a visitá-lo com certa frequência, o que só acrescentou mais motivos para a família me abominar.

No começo eu fazia isso porque me dava uma sensação incrível de ser dono do meu nariz. Nem o sistema era capaz de me deter. Depois, bom, nem eu entendo por que continuei indo.

Talvez eu acreditasse que meu pai e eu éramos farinha do mesmo saco e que, uma hora ou outra, eu acabaria como ele.

— Como foi o casamento? — indaga Marcus, como quem não quer nada, sem tirar os olhos da televisão. Jogo-me sobre uma poltrona velha, toda puída, e finjo prestar atenção no jogo.

— Incrível, como não poderia deixar de ser. — Sou sucinto de propósito. Sim, fico inseguro perto desse cara, porém, ainda assim, não perco a oportunidade de irritá-lo ou de lhe mostrar o quanto a vida andou numa boa sem a presença dele.

— Imagino que o rei aproveitou o momento para testar sua popularidade com os convidados. — Ele arrisca. Para falar a verdade, está enganado. Andrej se manteve discreto, deixando os holofotes para os noivos. Mas não vou contar isso a Marcus.

Dou de ombros, reticente.

— Soube que a coisa anda brava para ele. Muita gente querendo derrubar a monarquia. — Meu pai dá uma risada esquisita, sem ânimo, mais por impulso do que por satisfação. — Espero, sinceramente, que essa organização, a tal de Nova Era, consiga acabar com a pose de Andrej. Ficarei na primeira fila, puxando as palmas, no dia em que o rei for deposto.

— Você acabaria preso de novo — comento. Cruzo os braços, à espera do encerramento da visita. Faltam 20 minutos para o martírio acabar. É muito tempo.

— Voltaria sorrindo para a porra daquele presídio, contanto que o regime monárquico tivesse caído. Se eu pudesse, me juntaria aos manifestantes. Melhor, lideraria todos eles.

Sei muito bem que meu pai seria capaz de se meter numa enrascada dessas. O ódio dele por Andrej é algo inexplicável, doentio até. Seria muito mais fácil se simplesmente tocasse a vida e esquecesse o rei e todo o resto.

Como não dou força para que o assunto continue, Marcus volta a falar sobre o casamento.

Quinze minutos.

— E a sonsa da sua mãe? Devia estar meio deslocada naquela cadeira ridícula. — O homem é cruel, debochado. Trinco os dentes para não reagir. Não sou tão melhor que ele, mas odeio o modo como se refere a Marieva. Se resolvesse assumir minha identidade de antigamente, daria um soco naquela cara traidora só pela falta de respeito com alguém como minha mãe. Ela não merece. Não merece nenhum de nós dois.

Ignoro o comentário para não ter que concordar com meu pai nem retrucar. Há situações em que é melhor fingir que não ouvi nada.

Mudo de assunto:

— Luce estava linda, do jeito que sempre foi. — *E você nunca prestou atenção.* Minha língua coça com a vontade de completar.

Marcus bufa e entorna um gole grande de uísque. Em seguida, balança a bebida no copo e fica olhando para o líquido castanho, como se estivesse em transe.

— Além de esnobe. — Ele pontua. — Soube que o marido é um herdeiro mimado. Somos mesmo uma família com dedo podre para escolher nossos parceiros.

— A Luce nunca foi esnobe. — Fico de pé. Restam ainda dez minutos até que eu possa dar o fora. Mas acho que vou encurtar a visita.

— Ela é uma dama, uma pessoa caridosa e gentil, como nenhum de nós dois passa perto de ser.

Com uma gargalhada assombrosa, meu pai se vira para mim e me encara. Sua expressão é de pura revolta.

— É claro que não somos como ela. Somos a escória, Luka, o lado podre dessa família de perfeitos.

Encolho-me diante da verdade contida nessas palavras.

— Gostaria de saber quem conduziu sua irmã até o altar. O imbecil do Andrej ou aquele enteado metido a herói?

— Nenhum deles. Fui eu. Eu entrei com a Luce e a entreguei ao noivo. E, quer saber, foi uma honra fazer isso por ela. Por alguns minutos pude ignorar o fato de que não sou alguém por quem os Markov morrem de amores — desabafo, libertando toda a raiva contida desde o momento em que pisei naquela casa.

— Que bom para você. Pena que a magia durou pouco.

Não aguento mais. Para mim já deu.

Sem me despedir, ando a passos largos em direção à saída. Preciso de ar e de distância do meu pai, por alguns meses, pelo menos.

Minha mão mal toca a maçaneta da porta quando ouço Marcus gritar do sofá:

— Rapaz, meu dinheiro está acabando. Não se esqueça do nosso... combinado

Sem olhar para trás, murmuro:

— Já depositei a quantia do mês.

— Aquela miséria? O que você está pensando? Que sou a porra de um monge?

Arrastando-se até ficar a um passo de mim, meu pai conclui seus argumentos, indo por um caminho com o qual já estou insuportavelmente acostumado.

— Não vou continuar vivendo feito um mendigo, à espera de sua caridade. Portanto, garoto, trate de aumentar o valor da mesada. Sei que tem se dado bem lá na Suécia. Não me venha com desculpas.

Explodo:

— Não devo nada a você, caramba! Nem sei por que continuo aparecendo aqui, que nem um cordeirinho babaca. — Soco a parede com força, desviando o alvo da ira que me consome, antes que eu faça algo do qual me arrependerei amargamente. — Pai, você fez suas merdas. Não estaria desse jeito, precisando da minha caridade, se tivesse agido como um homem normal. Me recuso a continuar desse jeito. Melhor esquecer que eu existo.

— Ah, querido filho, isso seria impossível! — rebate Marcus, com ironia. — Nem passa pela minha cabeça esquecer você, e espero que a recíproca seja verdadeira. Caso contrário, aquele seu segredinho, tão bem guardado até hoje, acabará vindo à tona. É isso mesmo que você quer?

ELENA

Capítulo 15

Passei a noite em claro, como se fosse possível dormir depois da cena que presenciei no corredor da despensa do castelo.

Agora o céu já está claro e meus olhos pesam como se tivessem cem quilos de areia dentro de cada um deles. Tento permanecer na cama mais um pouco, para ver se o sono vem, mas percebo que é uma esperança vã.

Tenho uma ideia melhor: vou levar minha câmera ao centro da cidade e ficar por lá, enchendo meu cérebro de imagens até que ele apague a memória da pegação entre Luka e aquela maluca, à qual fui obrigada a assistir. Bem, não é como se houvesse uma faca contra o meu pescoço, me forçando a testemunhar aquilo tudo. Mesmo assim, não agi por curiosidade ou como uma *stalker* ensandecida. Quem no meu lugar não teria reagido da mesma forma ao se deparar com um casal naquelas condições, sendo que o elemento masculino da relação havia acabado de jogar charme para cima de outra mulher — no caso, eu — no escurinho do jardim?

Será que alguém faria diferente?

Pois é. Agora tenho que ficar revivendo os momentos enquanto uma nova onda de calor me pega de jeito todas as vezes em que visualizo os músculos das costas de Luka se contraindo e relaxando, a poucos palmos do meu nariz.

Inferno!

Acho uma caixa de Sucrilhos no armário da cozinha e saio de casa com ela debaixo do braço. Não estou com fome, mas é certo que ficarei no caminho. Posso comer os cereais enquanto dirijo. Ainda bem que o carro que papai me deu no aniversário de 18 anos está abastecido. Sendo assim, não preciso chamar um táxi nem andar muitos quilômetros a pé debaixo do sol escaldante, comum durante os verões krosvianos.

Chego ao Parque Real no horário em que os atletas estão terminando seus exercícios e as mamães e babás vão aparecendo com as crianças. O dia é um dos mais lindos dos últimos tempos. Meus dedos coçam com a expectativa de conseguir excelentes fotos. Essa empolgação é quase suficiente para me fazer esquecer de vez Luka e sua virilidade. Faço um pacto comigo mesma: não permitirei que ele force a entrada em meus pensamentos. Não sou mais a garotinha insegura e apaixonada de antigamente.

Ando pelo parque sem planejar o trajeto. Sou conduzida pela eventualidade dos fatos ao meu redor. Vejo um menino de cabelos crespos e cheios, dobrado sobre si mesmo para amarrar os cadarços dos tênis. Clico. Mais adiante, um senhor de óculos e boina francesa lê o que, de longe, me parece ser um livro de faroeste americano. Clico. Um grupo de meninas rebate uma bola de vôlei no gramado perto do lago. Capturo a expressão de uma delas ao deixar a bola cair. Clico.

E assim me desconecto da minha mente, focada só no prazer de fazer uma das coisas que mais amo na vida.

Quando a sede me abate, procuro um banco e faço uma pausa para me hidratar. Ouço o sinal de mensagem do meu celular dentro da bolsa. Nem preciso checar para adivinhar que minha mãe está preocupada comigo.

> Bom dia, querida! Como passou a noite?
> Espero que esteja tudo bem... Onde está?
> Liguei e você não atendeu. Beijos!

Não disse?

> Bom dia, mãe!
> Estou no Parque Real, adivinhe fazendo o quê? Pois é.
> Devo ficar mais um pouco. Depois dou um pulo aí para vê-la.
> Está tudo ótimo. Beijão!

Mas não foi somente a princesa que se lembrou de mim. Tia Estela, minha madrinha e melhor amiga de mamãe de todos os tempos, também resolveu dar o ar da graça. Porém, a mensagem dela tem um quê de puxão de orelha. Claro que mereço o pequeno sermão. Faz meses que não dou bola para ela.

> Querida Elena, por acaso se esqueceu de sua madrinha?
> Só porque não é mais uma garotinha não significa que pode ignorar a dinda.
> A senhorita é parecida demais com a sua mãe. Se não a procuro, ela some!
> Que feio, hein!
> Estou esperando o seu sinal. Beijos!

Estela tem razão. Ando em falta com ela, de um modo quase imperdoável. Quase, afinal minha madrinha tem uma qualidade única e especial: basta uma palavrinha carinhosa para que ela se desmanche e se esqueça do meu jeito meio desnaturado.

> Madrinha querida, desculpe, desculpe, desculpe.
> Você tem razão por ficar brava, mas me perdoe.
> Como sabe, fiquei um tempo fora da Krósvia, praticamente incomunicável.
> Sei que voltei há uma semana e isso é tempo suficiente para eu ajeitar as coisas e dar sinal de vida.
> Mas, tia, você me conhece. Tenho uma desagradável tendência a ser desligada.
> Ficarei mais atenta. Por que não vem nos visitar?
> Manter mamãe quieta tem sido uma missão e tanto.
> Beijos a todos! S2

Envio a mensagem sorrindo. Sinto saudade do Brasil e das pessoas que amo e que moram lá, como a vovó Olívia, minha madrinha e sua família, a bisa Nair. A última vez em que estive no país onde mamãe nasceu foi incrível. Conheci o Rio de Janeiro — imperdoável eu ter demorado tanto a ir à Cidade Maravilhosa. Preciso voltar em breve.

Deixo de lado meu celular, as mensagens e meus pensamentos e volto ao trabalho. Assim que ajeito no ombro a alça da câmera, meus olhos captam uma movimentação estranha na entrada do parque.

De longe não é possível entender o que está havendo. Por isso vou me aproximando devagar. Ainda a uma distância segura, aponto a máquina fotográfica para o local da agitação e aproximo a imagem com o zoom. Então percebo, trêmula, que se trata de uma manifestação contra a monarquia.

Chego mais perto, mas não a ponto de me colocar em risco. A rua que passa pela entrada do parque está tomada. No entanto, membros da guarda municipal impedem que os manifestantes entrem.

Como ainda não tinha visto, nem pela televisão, algo semelhante — não aqui na Krósvia, pelo menos —, não me preparei para a dimensão do ato. Vejo pessoas com cartazes, algumas usam megafones e toda a massa se uniu num coral, que repete refrãos e frases de efeito, todos carregados de ira contra o rei e os demais membros da família.

— Chega de privilégios! — grita um homem na traseira de uma caminhonete. — Chega de luxo e concentração de poder! Fora, Andrej Markov! Queremos ter o direito de escolher nossos governantes!

A multidão aplaude e grita de volta, inflamada.

De repente, ouve-se um burburinho mais intenso. Mudo o foco da câmera e me deparo com um grupo de pessoas sacudindo e rasgando fotos gigantescas do rei e da rainha. Também há imagens de Hugo, de mamãe e até minhas!

Esses mesmos manifestantes se destacam do grupo principal e começam a jogar pedras nos monumentos e nos edifícios públicos. No mesmo instante, a polícia intervém e a coisa ganha um aspecto nada pacífico.

É hora de dar um jeito de correr e escapar do parque sem a) ser reconhecida nem b) acabar no meio da confusão.

Lembro-me que há uma saída secundária nos fundos do Parque Real. Portanto, é para lá que me dirijo. Enquanto corro, passo por crianças chorando, mães desesperadas, idosos confusos. Meus instintos humanitários crescem no peito. Não serei capaz de fugir sem ajudar o máximo de pessoas ao meu redor.

— Vamos por aqui! — Tento me acalmar, respirando fundo. Então dou uma de líder de acampamento e faço o que meu coração manda.

Organizo uma evacuação às pressas, levando em consideração que não temos muito tempo disponível a nosso favor.

Do lugar onde estou, não consigo enxergar a manifestação, mas é impossível não ouvir os berros, cada vez mais fortes, dos manifestantes. As crianças se desesperam quando sons surdos de explosivos se propagam pelo parque. Podem ser apenas alguns fogos de artifício. Ou não.

— Por aqui! Por aqui! — Oriento. Para minha sorte, naquele desespero todo, ninguém dá a entender que me reconhece como a neta do rei. Para ser sincera, é raro isso acontecer. Costumo ser bem anônima no dia a dia.

Aos poucos, o parque vai ficando vazio. Uma sensação de bem-estar me invade pela consciência de que não apenas tirei o meu traseiro da rota de perigo como também prestei um pouco de solidariedade. Agora só preciso ir até meu carro e me mandar o mais rápido possível.

O pouco de alívio que senti agora há pouco se esvai no segundo em que me dou conta: meu carro está estacionado numa rua adjacente à avenida onde ocorre o protesto. Ou seja, espero a manifestação acabar ou tento atravessá-la, fingindo ser uma simpatizante à causa republicana. Mas existem prós e contras em ambos os casos.

ESPERAR:
Prós: Evito ser pisoteada, reconhecida, linchada ou presa.
Contra: Sabe-se lá Deus a que horas conseguirei voltar para casa.

ATRAVESSAR:

Prós: Caso tenha sucesso, logo estarei longe da bagunça.

Contra: Ser pisoteada, reconhecida, linchada ou presa.

No final, vence a vontade de pisar logo em território seguro. Opto por atravessar o mar de gente. Antes, conto até dez para tomar coragem, posiciono minha câmera à frente do corpo a fim de protegê-la e faço o sinal da cruz. Seja o que Deus quiser.

Caio no meio da multidão, surpresa pela quantidade de pessoas apertadas umas às outras. Quase não há espaço entre elas. Começo a sentir falta de ar. E se eu não conseguir?

— Com licença — peço, educadamente, esforçando-me para respirar e manter o controle. — Desculpe. Com licença.

Felizmente, ninguém presta atenção em mim. Alguns abrem espaço, outros me ignoram, mas eu vou passando, cada vez mais perto do meu objetivo.

E então, do nada, a mão de alguém faz pressão sobre um dos meus pulsos. Abro a boca para gritar a plenos pulmões. Porém não tenho tempo de reagir. Sou puxada para fora da passeata, como se uma pinça mecânica tivesse me escolhido, igual àquele brinquedo dos parques de diversão.

— O que você pensa que está fazendo?!

O dono da mão quer saber. Penso em pisar no pé dele como resposta. Mas mudo de ideia rapidamente. Porque *ele* é ninguém menos que Luka, com cara de poucos amigos — e uma linda barba de dois dias —, surgido não sei de onde, nem como, nem por quê.

A menos...

— Espere... — Movo a cabeça, buscando um pouco de lucidez. — O que *você* está fazendo?

Meu olhar perscruta seu rosto, atrás de vestígios que comprovem o envolvimento de Luka na manifestação. Ele veste jeans surrado, camiseta preta com estampa da banda AC/DC e botas da mesma cor.

Seus olhos azuis preenchem, por alguns instantes, todas as reentrâncias do meu cérebro. Não usa mais o fraque elegante e caro, mas, se isso é possível, consegue ser ainda mais sexy vestindo somente essas roupas mundanas.

— Como se meteu no meio dessa manifestação, garota? — Luka ignora minha pergunta, além de acabar com as divagações sobre sua aparência.

Adoto uma postura empertigada, preparando-me para rebater, de novo, o questionamento:

— Posso estar querendo saber o mesmo que você. — Arqueio a sobrancelha, para enfatizar.

As suspeitas de que Luka seja adepto da organização que quer destruir a monarquia mexem comigo de modo surpreendente, e não de um jeito bom. Se ele estiver lutando contra a própria família, jamais serei capaz de encará-lo novamente.

— Esqueceu que tenho um apartamento perto daqui?

Bom, isso é verdade, mas não o suficiente para eliminar as desconfianças. Ainda assim, deixo passar por enquanto.

Nossas cabeças se voltam na direção de uma nova explosão. Sem que eu chegue a comentar sua justificativa vaga, Luka me puxa pelo braço e nos leva até um local mais seguro, dentro de um pequeno café a alguns metros de distância da avenida.

Ele nem toma conhecimento da carranca armada pelo atendente ao nos ver. Simplesmente anda até uma mesa nos fundos da cafeteria, ainda me segurando com firmeza, e nos acomodamos de frente um para o outro.

Dou uma conferida ao redor. Somos os únicos clientes, os responsáveis por acabar com a folga do garoto do lado de dentro do balcão.

— Vão querer alguma coisa? — resmunga ele ao se aproximar.

— Ovos mexidos, dois filetes de bacon crocante, duas torradas de pão integral e café preto sem açúcar.

Sério que Luka vai comer tudo isso? Já passam das dez da manhã, pelo amor de Deus!

— Um chá gelado, por favor — peço, sem ter certeza de que conseguirei engolir alguma coisa.

Os primeiros indícios do estresse pelo qual acabei de passar começam a aparecer na forma de uma tremedeira que inicia em minhas mãos e, aos poucos, se estende pelo resto do corpo, especialmente queixo e lábios. Enrolo os braços em torno de mim mesma, com o intuito de mascarar a fraqueza que ameaça me dominar. Não posso permitir que Luka receba de mão beijada mais um motivo para achar que sou uma idiota.

— Ei, você está tremendo? — Bom, ele notou. Não disfarcei tão bem assim.

— Estou le-legal. — Tropeço nas sílabas, desviando os olhos para não precisar encará-lo.

Demonstrando frustração, Luka dá um suspiro. De soslaio, consigo ver a bagunça que ele faz nos cabelos claros, que têm um corte estiloso, cheio no meio e bem aparado nas laterais. Se eu nunca tivesse visto essa cara antes de esbarrar nele por acaso, deduziria o óbvio: integrante de uma banda de rock endeusado pelas fãs histéricas. Com todas aquelas tatuagens selvagens, mais as roupas despojadas e a postura confiante e sensual, não restaria margem para qualquer dúvida. Só que eu o conhecia e, fora o tempo em que bancou o roqueiro de fundo de garagem, sua aparência podia até sugerir algo sobre Luka, mas, na verdade, não revelava absolutamente nada.

— Vamos ser honestos aqui? — propõe ele, assim que deixa os cabelos em paz. — Você está metida com esses baderneiros que querem derrubar o rei?

Fico tão abismada com a pergunta que só me resta rir. Ou Luka tem um parafuso a menos ou está usando a técnica de psicologia reversa em mim.

— Eu não trairia minha família desse jeito — resmungo, bem na hora que o garoto chega com nossos pedidos. — Obrigada — digo a ele, que continua de mau humor.

Sem tirar os olhos desconfiados de mim, Luka apoia os cotovelos na mesa.

— Então que diabos estava fazendo metida naquela confusão? — Seu tom de voz é baixo, mas, ainda assim, bem intimidador.

Dividida entre dizer a verdade ou dar de ombros, termino vencida pela primeira opção. Logo, coloco tudo para fora. Antes isso do que lidar com o outro assunto que paira entre nós, feito uma nuvem carregada prestes a desaguar: a cena de sexo quente na despensa do Palácio Sorvinski.

— Você saiu para fotografar e acabou no meio do protesto?! — resume Luka, batendo as costas com toda a força no encosto da cadeira. — Por que será que isso não me surpreende?

Franzo a testa, meio confusa.

— Desculpe, não entendi.

— É que você tem uma tendência a aparecer no lugar errado, na hora errada, não é? — conclui ele, escancarando um sorrisinho bastante sugestivo naquela cara de pau.

Meu rosto arde com a referência subentendida ao meu flagra da noite anterior. Juro, quase acreditei que Luka não se atreveria.

Dou uma golada generosa no chá, pois preciso ocupar as minhas mãos para não estapear aquele rosto que não vê um barbeador há uns bons dois dias.

— Ei, princesa, não precisa ficar constrangida. — Luka arrasta sua cadeira até ficar bem perto de mim. Neste exato momento, todas as células do meu corpo estão em alerta, extasiadas de expectativa. Células traidoras! — Não sou exibicionista, mas confesso que sua aparição inesperada foi uma... motivação a mais para mim.

Engasgo com o chá, por pouco não dando vexame.

— Mas, talvez, eu preferisse você em outra posição naquele cenário, se é que me entende. — Luka dá uma piscadela. Mais uma cretinice em menos de cinco minutos.

Para mim é o suficiente. Demonstro minha indignação ficando de pé e dando as costas para o idiota. Vou sair do café antes que meu embaraço possa se tornar palpável.

Jogo uma nota de dez na mesa. O garoto do balcão finalmente desamarra a tromba e fica na expectativa do que acontecerá em seguida. Show de graça é sempre bem-vindo.

E ele não fica desapontado, porque, nem bem dou dois passos com a intenção de sair do café, acabo interceptada por uma garra poderosa, que enlaça minha cintura, prende meu corpo e o esmaga contra outro alto, forte e sólido. Estou desgraçadamente sem fôlego quando lábios altamente beijáveis pairam a milímetros do meu ouvido e, com uma simples frase de efeito — batida e barata, por sinal —, derrubam minhas defesas:

— Nós ainda não acabamos, princesa.

Depois de me certificar de que a última palavra foi a dele, Luka me solta, dá um tapinha em minha bunda — INACREDITÁVEL! — e complementa:

— A gente se vê por aí. Quem sabe amanhã mesmo, na despensa, hein?

Abro a boca para proferir a lista de palavrões que aprendi na escola — com os colegas, lógico — para usar em momentos como esse, mas a expressão de deleite do garoto me faz recuar no último minuto. *Terá de se contentar com um espetáculo incompleto, meu camarada.*

Luka me paga!

LUKA

Capítulo 16

Volto para casa de barriga cheia e satisfeito com o poder que ainda exerço em Elena. É inegável que a garota se atrapalha toda quando fica perto de mim, o que não necessariamente significa que toparia uma noite descompromissada comigo, sem implicações futuras nem traumas psicológicos.

Embora eu não devesse nem sequer cogitar essa possibilidade, confesso que não seria nada mau curtir a priminha por algumas horas. Desejos satisfeitos, eu pararia finalmente de pensar naquela garota o tempo inteiro. Que castigo, meu Deus, ficar voltando à imagem dela toda sensual naquele vestido preto mais apertado que metrô na China! Se por milagre, um dia, essa fantasia se concretizasse, eu a saborearia devagar, de olhos bem abertos, só para não perder a chance de mergulhar no olhar verde-jade mais sensual com o qual tive o prazer — e o azar — de me deparar.

Só que de nada adianta cultivar esperança. Jamais vai haver Luka e Elena, nem mesmo uma vez.

Pretendo deixar Perla até a próxima quinta-feira, o mais tardar. Cumpri com louvor meu compromisso com Luce, não causei problemas à família e fiz, ainda que a contragosto, uma visita ao meu pai.

Não tenho planos de voltar tão cedo.

Como estou longe dos negócios há alguns dias, mando uma mensagem para o meu gerente. Quero saber se está tudo bem com a boate.

Enquanto espero a resposta, abro o chuveiro para um banho rápido. Acordei de ressaca, e, apesar de ter transado na noite passada, isso em nada contribuiu para aliviar a tensão acumulada em meus nervos. Uma chuveirada de água fria deve ajudar.

Não me preocupo em me secar antes de sair andando pelo quarto. Só enrolo a toalha em volta da cintura enquanto vejo meu violão encostado na parede. Faz dias que não dou umas dedilhadas. Assim que voltar a Estocolmo, pretendo incluir umas apresentações minhas na boate, como nos velhos tempos. Sinto falta da adrenalina proporcionada pelos palcos.

Escuto meu celular tocar. Deve ser Lars, meu gerente, com uma resposta. Apresso-me para atender. Entretanto, ao ler o nome que aparece na tela, quase desisto de apertar o botão verde. Acabo derrotado pela curiosidade.

— Algum problema? — Nada de "alô", nem um "como vai?". Com ela, não consigo agir de outro jeito.

Ouço um suspiro antes de sua voz.

— Oi, filho — cumprimenta minha mãe, num tom desanimado.

— Ainda não voltou para Estocolmo, presumo.

Meu peito se fecha ao perceber a infelicidade dela. Lembro-me de quando as coisas estavam bem entre nós. Eu costumava ter problemas para dormir, com medo de monstros e fantasmas. Dormia sozinho por ser o único menino dos três filhos. Mas Marieva fazia questão de ficar ao meu lado, segurando minha mão ou contando uma história, até que eu conseguisse adormecer.

De volta ao presente, forço-me a manter a postura rígida e digo:

— Sim, ainda estou em Perla.

— Fico contente e aliviada. — Ela faz uma pausa para tomar fôlego. — Porque gostaria de discutir um assunto com você.

Acho estranho. Há anos que não conversamos. Tudo o que dizemos um para o outro são monossílabos e meias-palavras. Imposição minha, óbvio. Por Marieva teríamos uma relação bem próxima, ainda mais unidos depois da tragédia.

— Pode falar.

— Não. Por telefone não dá.

A irritação começa a gerar efeito. Aposto que minha mãe pretende tentar uma nova manobra para nos reaproximar. Já passei por isso antes e não tenho saco para aguentar tudo de novo.

Dou um chute na primeira coisa que vejo — no caso, meu tênis de corrida —, procurando encontrar uma forma de me esquivar sem precisar ofender.

— Marieva, olha, numa boa, acho que não existem assuntos entre nós que precisem ser discutidos pessoalmente.

Sinto-me mal por tratá-la assim. Esse é o meu calvário.

— Entendo que não queira me ver, Luka — retruca Marieva, agora com um pouco mais de firmeza. — Mas o que tenho a dizer não tem nada a ver com nós dois. É sobre a vinícola e o futuro dela.

Ando até a janela e paro para apreciar a vista. Comprei este apartamento, anos atrás, principalmente por causa da bela visão do Parque Real. Hoje, devido à manifestação, ele está quase deserto.

— Preciso tomar uma decisão e agora só falta o seu parecer. Com suas irmãs, já me entendi — anuncia minha mãe, sem revelar muita coisa. — Gostaria que viesse aqui ainda hoje.

Aperto o maxilar.

— Tudo bem — digo, contrariado. Claro que preferiria não ter que encontrá-la, mas a vinícola, desde que meu pai ferrou com tudo, é motivo de muitas discordâncias na família. Luce e Marieva eventualmente pensam em se desfazer dela. Giovana é mais reticente. Às vezes concorda com as outras, ora acredita que é um grande patrimônio do qual não podemos abrir mão. E eu sou cem por cento a favor disso. A empresa é nossa, tem uma marca forte e consolidada no mercado, além de contribuir na renda de nós quatro. Minha mãe detém metade das ações. A outra metade é distribuída igualmente entre mim e minhas irmãs.

Seja lá o que Marieva disser em relação à Colline Viola, provavelmente é algo de meu total interesse. Só por isso concordo em falar pessoalmente com minha mãe.

— Espero você para o almoço.

— Não precisa. Chegarei um pouco depois.

Sou recebido pela mesma mulher que esteve conosco desde sempre. Ivana já ocupou o posto de babá, mas agora é uma espécie de secretária de Marieva. Seu papel se tornou ainda mais importante depois do acidente que deixou minha mãe paraplégica.

Ao me ver, Ivana não permite que transpareça nenhuma emoção. Não parece contrariada nem feliz. Simplesmente abre a porta, me cumprimenta e anuncia:

— Sua mãe está lá nos fundos.

Faço que sim com a cabeça.

— Ei, Luka! — Ivana me chama depois de eu ter chegado à metade do *hall* de entrada. Como ela demora a falar, ergo a sobrancelha a fim de incentivá-la. — Vá devagar com sua mãe. Ela não anda nada bem.

Não sei o que mais me incomoda: a primeira ou a segunda frase. Há sempre alguém mandando eu ter cuidado com Marieva, como se eu fosse parti-la ao meio ou derrubá-la da cadeira de rodas. Entretanto, nunca ouvi nada ruim a respeito da saúde — física ou mental — da minha mãe.

— Nada bem como? — questiono, interessado demais para quem, no dia a dia, demonstra justamente o contrário.

Ivana balança os ombros.

— É melhor perguntar a ela, não acha?

Não insisto. Sei que não vai adiantar mesmo.

Vejo Marieva antes de me aproximar. A parede que divide a cozinha do deque onde minha mãe gosta de ficar é de vidro. Procuro não chamar sua atenção, de modo que posso observá-la um pouco mais, de longe.

Está, como sempre, encarando as montanhas ao fundo, as mesmas que demarcam os limites da fazenda. Nas mãos, uma xícara de café (suponho), sua bebida quente favorita.

Controlo meus sentimentos tumultuados para, enfim, revelar minha presença. Não sei de que modo, mas Marieva sabe que estou próximo sem que eu precise dar sinal.

— Finalmente! — Ela apoia a xícara sobre uma mesa e movimenta a cadeira até ficar de frente para mim. — Pensei que tivesse desistido.

— Não — balbucio, incapaz de não notar a palidez de seu rosto.

Será por minha causa? Ou tem a ver com aquilo que Ivana disse?

Sinto-me mal por não conseguir lidar melhor com o fato de estarmos diante um do outro e a sós, coisa que não acontece há muito tempo. Sei que minha mãe espera algo a mais de mim. Porém eu jamais serei capaz de corresponder aos anseios dela.

Então pergunto à queima-roupa:

— Por que me chamou aqui?

Enxergo a decepção através dos olhos dela, apesar de suas tentativas de lutar contra o sentimento. Essa é sua maior característica. Não gosta de atrair piedade nem compaixão sobre si mesma.

— Não quer se sentar?

— Prefiro ficar em pé.

Minha mãe assente com a cabeça, leva a xícara à boca para mais um gole e informa, sem me encarar:

— Estou pensando em vender a vinícola.

Franzo a testa, incerto se ouvi direito.

— Você está falando sério? — questiono, permitindo que um sorriso incrédulo tome conta do meu rosto. — Ou é só uma desculpa para me fazer vir até aqui?

Agora quem ri é ela.

— Eu não usaria um artifício tão baixo.

Sei que não. Mas não admito isso em voz alta. Ainda estou confuso demais com a notícia, embora já estivesse mais ou menos esperando isso.

— E por que agora? Nós já discutimos outras vezes e sempre chegamos à mesma conclusão. — Caminho pelas laterais do deque, feito um tigre enjaulado.

— Porque a empresa está com problemas. O administrador tem feito muita besteira, criando dívidas que, nos últimos tempos, têm superado os lucros. — Marieva apoia a cabeça nas mãos, permanecendo uns instantes em silêncio. Chego a pensar que não vai dizer mais nada, mas logo ela retoma: — Não aguento mais ter que me preocupar com um negócio que, além de não me interessar, só traz péssimas recordações para minha vida. Luka, eu detesto aquela vinícola.

Nem lembro qual foi a última vez em que vi Marieva perder um pouco do controle. Ela tem o maior orgulho de ser contida e equilibrada.

— E suas irmãs também não a querem — completa, um pouco mais calma. — Isso significa que só falta o seu parecer.

— Meu parecer? — Dou uma gargalhada. — Me parece que já sou voto vencido. Antes a Giovana costumava ficar do meu lado. Agora vocês três juntas representam 75 por cento favoráveis à venda. De que adianta eu ser contra?

— Bom, acontece que concordamos em manter a empresa se esse for mesmo o seu desejo, filho.

Meus olhos voam até o rosto de Marieva, demonstrando a confusão que ela criou em minha cabeça. Estou enlouquecendo ou acabei mesmo de ouvi-la anunciar que pretende vender a vinícola?

— Agora você me confundiu — resmungo.

Então minha mãe sorri e dá a notícia seguinte:

— Luka, se faz tanta questão de preservar as ações da Colline conosco, proponho que volte para a Krósvia e assuma a empresa. Passaremos nossa parte para você, desde que se responsabilize por ela daqui para a frente.

Puta merda! Por essa eu não esperava.

ELENA

Capítulo 17

Só quando meus nervos se estabilizam percebo que ajo feito uma idiota nos poucos momentos que passo na companhia de Luka. Vamos combinar que o cara tem o dom de me tirar do sério, o que não chega a ser desculpa para justificar minhas atitudes patéticas.

Sim, admito: fui apaixonada por ele na adolescência. Fui, no pretérito perfeito, de modo que fique bem claro: Luka pode ser um gato, melhor, mais que um gato, *sexy* até dizer chega, fala umas coisas com aquela voz poderosa que desassossegam meu espírito, além de parecer um especialista em amassos inesquecíveis, MAS não é dono do meu coração. Está certo que desperta diversos tipos de sensações em meu sensibilizado organismo traidor. E só.

Então não há razões concretas para eu me deixar abalar tanto.

Diante dessa recém-descoberta constatação, desisto de gastar meu precioso tempo me preocupando com Luka e tomo a decisão de ir ao castelo. Pretendo passar o restante do dia com minha mãe, talvez assistindo a um filme antigo, da época em que ela era adolescente, uma comédia boba que me faça relaxar.

Ligo para avisar que estou chegando, sem mencionar a manifestação de hoje mais cedo, e deixo mamãe contente.

— Quer escolher um filme para vermos mais tarde? — sugiro.

— Hum... Gostei da ideia — Ela aprova. — Prepare-se para um clássico.

— São os meus preferidos. — E é verdade. Adoro as histórias de antigamente.

Mamãe solta uma risada e, em seguida, diz que está me esperando.

Não faço hora. Tiro meu carro do estacionamento na rua, animada com a perspectiva de passar uma tarde tranquila. Quem sabe, depois, eu mande um novo e-mail a Dimitri? Posso não estar apaixonada por ele nem pretendo criar falsas esperanças, mas gosto do seu jeito. É um bom amigo. Além disso, preciso de notícias frescas sobre as minhas crianças.

Encontro mamãe de papo no celular assim que chego ao castelo. Ela está de bermuda, camiseta e óculos escuros, tomando sol no terraço. Faz sinal para que eu me aproxime, embora continue repetindo ao telefone: "Pois é. Sim. Nossa! Então." Desconfio que a interlocutora seja Estela, a única capaz de dominar uma conversa sem ter que tomar fôlego ou parar para respirar. Minha madrinha é uma figura.

— Amiga, podemos continuar mais tarde? — Minha mãe propõe, com cuidado para não ofender Estela. — Elena acabou de chegar e vamos fazer um programa legal juntas.

Beijo a bochecha dela e contorno seus ombros com um braço. Dá para ouvir a voz estridente da minha madrinha sem que eu precise me esforçar. Mamãe afasta o celular do ouvido. Olha para mim com o rosto moldado numa careta engraçada.

— Está bem, Estela. Prometo. Mas a próxima visita é de vocês — avisa ela, antes de desligar. — Oi, meu bem. — Sua atenção agora está totalmente voltada para mim. — Que bom ver você!

— Atrapalhei sua conversa com a tia Estela, né? — pergunto, com culpa.

— Que nada! Faz mais de meia hora que estamos penduradas no telefone. Sinceramente, você me salvou.

Acho graça do senso de humor dela. Minha mãe ama soltar umas frases de efeito, às vezes carregadas de ironia.

Percebo que estou sendo analisada assim que paro de rir. Desvio o olhar para que os problemas que andam me incomodando ultimamente fiquem bem escondidos.

Mas a princesa Ana é esperta e vai direto ao ponto:

— Qual é o problema, filha? O que tem causado essas marcas em sua testa?

Instintivamente passo o indicador no local que ela apontou. Não há nada em minha testa. Aposto que mamãe disse isso no sentido figurado. Como ela consegue ser tão perspicaz?

— Está tudo tranquilo, mãe — minto sem dor na consciência. Não acho uma boa perturbá-la com minhas neuras.

Ela alcança minhas mãos e segura com ternura. Suas palmas são quentes e calorosas. Gosto da sensação.

— Elena, lembra quando costumávamos ser unha e carne? Houve uma época em que você trocava qualquer programa com as amigas por uma tarde de cinema e pipoca comigo. — Revejo as imagens daquele período de nossas vidas. Minha mãe sempre foi minha melhor amiga. — E costumava me contar tudo, mesmo quando o assunto era meio constrangedor.

Nós duas rimos juntas. Ela tem razão. Jamais escondi qualquer coisa da princesa Ana Markov.

— Até quando aquele boboca do Nico fez o que fez com você, fui a primeira a saber, não é?

— Isso. — Começo a me sentir pouco à vontade com esse papo. Pressinto que isso tudo é apenas uma introdução para o assunto principal.

— Então, filha, por que agora está se esquivando? — Mamãe manda essa, na lata. — Só porque estou grávida? Humpf! Esqueça! Não aceito essa desculpa.

Arregalo os olhos, surpresa com o tom usado por ela. Sua voz não permite que eu saia pela tangente nem a enrole com meias verdades. E como estou mesmo engasgada, exausta de esconder até de mim mesma meus sentimentos, despejo tudo de uma vez, sem pausa, senão corro o risco de recuar antes de finalizar o desabafo:

— Mamãe, acho que não me reconheço mais — começo. Essa única frase abre as comportas do meu coração. — Os meses na Nigéria me fizeram pensar que eu podia estar sentindo um algo a mais pelo Dimitri, sabe? Meu colega do grupo "Universidade sem Fronteiras".

Ela faz que sim, sem me interromper.

— Então, ao voltar para cá, notei que esse sentimento não passava de uma confusão, possivelmente causada pela distância de casa e pelo convívio diário, e quase exclusivo, com Dimitri.

— Você não sentiu falta dele. — Minha mãe deduz.

— Não, quero dizer, sim. Ele é meu amigo.

— Sim, é claro. Mas a saudade que sentimos dos *amigos* não dói. É ruim, mas não machuca. Esse tipo de saudade, que parece rasgar nossa alma, é típico. — Mamãe me olha de um jeito maroto, instigando-me a seguir sua lógica. Porém, não é necessário que eu diga nada. Estamos em sintonia. — Já sentiu uma saudade assim, Elena?

Enrubesço, não porque a pergunta me constrange. O que me incomoda é constatar que a resposta é não, ou melhor, *não* até agora.

Digo isso em voz alta; é a vez de mamãe se assustar.

— Até agora? O que quer dizer?

É o seu olhar demonstrando um genuíno interesse que me estimula a prosseguir:

— Não consigo parar de pensar em Luka — reconheço pela primeira vez. E é um alívio. E chocante também. — Ele mexe comigo, mãe.

Mamãe segura meu queixo, levantando-o com delicadeza.

— Achei que você tivesse deixado essa história para trás.

Dou de ombros, tentando mostrar indiferença. Preferiria que não fosse importante. Mas é.

— Estou confusa. — Suspiro profundamente e me levanto. Sou uma garota de 19 anos. Sei exatamente o que quero da vida. Mas tudo fica meio nebuloso quando se trata de Luka.

— Ele se tornou um homem muito bonito — comenta mamãe, numa tentativa de elucidar as coisas. — Muito bonito mesmo.

A ênfase na palavra *mesmo* nos faz cair na risada. Ainda com um sorriso nos lábios, formulo meu ponto de vista e boto para fora:

— Luka é mais do que lindo, mãe. Ele é marcante, charmoso, com um quê de perigoso... o que o deixa ainda mais atraente.

— Uau! Tudo isso, é? — O sorriso de mamãe se alarga; as sobrancelhas sobem. Ela não consegue ocultar o baque que minhas palavras lhe causam.

— Mas não é *só* isso. É difícil explicar, entende? — Fixo o olhar no oceano até minha vista alcançar a Ilha de Catarina. Foi lá que minha tataravó viveu seus últimos anos de vida, vítima do desprezo e da ira do marido, o rei Miroslav Markov, lá no começo do século XX. O lugar, uma pequena ilha a poucos quilômetros do continente, é lindo e triste pela história que carrega. — Passei a adolescência apaixonada por Luka, e ele só pegava no meu pé. Era mau comigo, chato, o que não me impedia de viver aos suspiros. Então cresci, conheci o Nico, me apaixonei de novo e parei de pensar em Luka. Sua saída da Krósvia facilitou ainda mais a minha vida.

Mamãe se levanta também e para bem ao meu lado. Seus olhos se fixam na ilha, como os meus.

— Agora ele voltou — digo, desanimada.

— E bagunçou tudo de novo.

— É.

Por alguns minutos, não falamos mais nada, só apreciamos a vista diante de nós, enquanto digerimos todas as palavras ditas. Minhas ideias são só confusão.

— Elena, sabe o que eu acho?

Nem imagino. Demonstro isso franzindo a testa.

— É perfeitamente aceitável o que você está sentindo. Um amor deixa marcas.

Animo-me um pouco. Se for assim mesmo, logo, logo estarei curada então.

— Mas, se essas marcas custam a se curar, é aconselhável investigar a profundidade delas.

Meu peito se contrai. Desconfio que, se eu for mesmo investigar, vou acabar encontrando o que não quero achar.

Conforme combinamos, minha mãe e eu preenchemos nossa tarde com uma sessão de cinema. Hugo chegou a ser convidado a nos acompanhar, mas a idade e o título do filme escolhido o repeliram feito alho esfregado na cara de um vampiro. Honestamente, não sei onde estava nosso juízo quando nos decidimos por "Uma história de amor". Se a ideia era relaxar e espairecer um pouco, o resultado foi o oposto. Nossos olhos inchados são a marca do equívoco que cometemos.

Nada contra a história. Acontece que não sou chegada a tramas tristes a ponto de me fazerem chorar. Prefiro as risadas, ainda mais se levarmos em conta meu atual estado de espírito.

Agora, já no finalzinho do dia, aproveito que mamãe está cansada e doida para cochilar um pouco e a deixo sozinha em seu quarto. Meu pai deve chegar logo do trabalho. Portanto, como ainda não esqueci a palhaçada que ele aprontou comigo ontem, preciso correr antes que a gente trombe pelos corredores.

Vou passar a noite fora do castelo mais uma vez. Embora eu adore minha família, tenho gostado de ficar sozinha no meu canto, sem os luxos proporcionados pela vida no Palácio Sorvinski. Inclusive, faz algumas horas que um pensamento vem ganhando espaço dentro de mim: talvez, quando minhas aulas recomeçarem, eu vá morar no alojamento da universidade. Vai ser difícil me afastar de casa, ainda mais com a chegada dos bebês. Porém, sinto que ser independente tem se tornado um dos itens mais urgentes e necessários da minha existência. Afinal, não posso viver sob as asas dos meus pais a vida inteira.

Revigorada pelas horas de conversa e lazer com mamãe, despeço-me alegremente das pessoas com quem encontro até chegar ao salão principal do castelo. No meio do caminho, sou interceptada duas vezes. Primeiro, por Irina. Ela insiste para que eu fique mais um pouco e jante com a família. Depois, por Hugo. Meu tio quer me mostrar a nova fase do jogo de computador que tem feito dele um escravo da internet. Declino dos dois convites com bastante tato. Não tenho a intenção de magoar os sentimentos de ninguém. Só que estou louca para chegar em casa logo.

Já me imagino deitada em minha cama, com um bom livro nas mãos e uma música ao fundo completando a cena. Rodeada de palavras escritas e cantadas, não sobrará espaço para devaneios sobre Luka, meus questionáveis sentimentos por ele nem sobre seu jogo barato de sedução, que até agora não entendi direito.

É fato, de conhecimento geral até, que Luka não se prende a ninguém, muito menos gasta suas energias para conquistar uma mulher difícil. Afinal de contas, ele é um chamarisco feminino, ou seja, não faltam garotas em sua horta — o que dirá na cama dele.

Xingo a mim mesma por não impedir que esses pensamentos surjam e dominem minha mente. E, justamente no momento em que estou fechando um pacto com meu cérebro — ele terá que bloquear tudo a respeito de Luka; em contrapartida, eu não deixo meu coração entrar na dança —, esbarro na figura alta e sólida do meu pai bem no estacionamento privativo do castelo.

Que azar!

— Que beleza! Hoje é meu dia de sorte — comemora ele, com um sorriso torto.

Como não posso dizer o mesmo, resmungo:

— Oi, pai.

— Está indo embora? Vai dormir em casa de novo? — questiona, enquanto apoia as costas na lateral do carro e cruza os braços. Pelo gesto, sei que não pretende dar a conversa por encerrada tão cedo.

— Sim. — Já que não voluntario mais nenhuma informação, acabo recebendo em troca um olhar gelado e muito exigente.

— Não me diga que resolveu ser rebelde pós-adolescência. No primeiro desentendimento com o pai, prefere fugir de casa a encarar o problema. É isso, Elena?

Meu sangue ferve. Por que as pessoas tendem a interpretar as atitudes das outras antes de procurar saber a versão delas para seus atos?

— Tecnicamente, eu fugi *para* casa — respondo com ironia. Quase posso ver fumacinhas escapando dos ouvidos dele. — E não tem nada a ver com o que houve entre a gente. — Tem, sim. Em parte, uma pequena parte. Mas ele não precisa tomar conhecimento disso.

— Lá eu fico mais à vontade, cuidando de mim mesma, o que é impossível aqui no castelo.

— E quanto à sua mãe? Você não voltou para ficar ao lado dela?

— Pai, sempre estarei ao lado dela, precisando de mim ou não. — Raspo o pé no chão, com impaciência, desenhando um círculo imaginário no piso de cerâmica. — O fato de eu dormir longe do palácio não minimiza meus sentimentos por mamãe. Ela está em primeiro lugar.

Um lampejo de decepção e mágoa passa rapidamente pelos olhos do meu pai. Não quis dizer que ele vem em segundo plano, mas aposto que entendeu minhas palavras dessa forma.

Tento me explicar:

— Você também...

— Elena, eu entendi. — Papai muda de posição. Descruza os braços, bagunça os cabelos com as mãos e depois as enfia nos bolsos da calça. — Não quero fazer o papel do cara chato, intransigente e teimoso. Você é maior de idade e tem direito de tomar as próprias decisões.

Desconfio de que o foco da conversa não seja mais minha debandada para casa.

— Porém, como seu pai, um pai que ama a filha mais que tudo no mundo, é meu dever alertá-la quando você não está enxergando com clareza.

Pronto. Papai conseguiu me deixar perplexa.

— Então agora estou cega. Quanto a quê?

Ele estreita o olhar, ciente de que estou me fingindo de boba.

— Admito que agi mal ontem. Não devia ter gritado com você, nem chamado sua atenção na frente daquele rapaz.

Paro de respirar. Eu sabia que ia dar nisso. Se pudesse, virava as costas e largava meu pai falando sozinho. Nunca, jamais, em hipótese alguma, sinto-me preparada para falar a respeito de Luka com Alexander. Mas me obrigo a ouvir tudo o que ele tem a dizer.

— É que, Elena, eu perco o controle só de pensar em vocês dois juntos.

Meus lábios se abrem no formato de um "O", embora deles não saia qualquer som. Ainda estou sem ar.

— Nem é pelo fato de vocês serem primos de segundo grau. Se fosse só por esse motivo, juro que não me importaria nem um pouco.

— Pai, pelo amor de Deus, nunca estivemos juntos — ressalto. Meu coração está prestes a sair pela boca, não de emoção, nem de surpresa. De raiva, mesmo.

— Mas há algo no ar entre vocês — teima ele. — E não é de hoje.

Desisto. Não tenho argumentos suficientes para convencer esse cabeça-dura de que suas preocupações são em vão. E mesmo que haja alguma verdade nas palavras dele, elas não se aplicam do lado de Luka. Quanto a mim, o que sinto são apenas suposições. E já me decidi a não me aprofundar na busca por uma resposta que possa me mostrar a realidade. Dessa, estou fora.

— Bom, de qualquer modo, só peço que reveja seus conceitos sobre o Luka. Elena, ele não é flor que se cheire, nem é alguém capaz de assumir qualquer tipo de compromisso. Se tem dado a entender que com você pode ser diferente, não acredite. — Papai alcança meu rosto e o segura com reverência. — Aquele imbecil não tem coração. Fisicamente pode ser a cara da mãe. Mas o que tem dentro do peito, ah, aquilo é pura herança do safado do Marcus. Não se deixe enganar.

Expiro o ar lentamente, como um pneu recém-furado. Mas isso não indica que a tensão saiu de dentro de mim. Estou trêmula, irritada, humilhada. Acabei de ser tratada como alguém incapaz de raciocinar.

— Fique tranquilo, pai. Não há nada com o que se preocupar — asseguro.

Não sei se pareço sincera ou não. Entretanto a conversa acaba por aí.

Recebo um abraço esquisito antes de Alexander abrir caminho para que eu chegue até meu carro.

Assim que o perco de vista, seguro o volante com força e apoio a cabeça sobre minhas mãos. Nem mesmo na Nigéria, um país envolvido por tensões muito maiores do que as minhas, eu me sentia como se estivesse pisando em terreno minado como agora.

Pior é que uma vozinha dentro de mim fica me alertando a todo momento que as coisas tendem a se complicar no futuro. Um futuro bem próximo, inclusive.

Capítulo 18

Paro minha moto rente ao meio-fio. Aqui na Suécia é assim que me locomovo. Deixo o jipe na Krósvia para usá-lo quando estou por lá.

Cheguei a Estocolmo há poucas horas. Tenho muito o que fazer, como expliquei para a minha mãe. Ela é a única que sabe da viagem que precisei fazer às pressas. Eu voltaria de qualquer jeito. Mas depois da nossa conversa, as coisas meio que mudaram. Ou eu abria mão da vinícola, mesmo ciente de que receberia uma bolada de dinheiro com a venda, ou aceitaria a proposta feita por Marieva.

Escolhi a segunda opção, por dois motivos: 1) Eu realmente acho que é possível reerguê-la e fazer dela um negócio lucrativo de novo. Meus instintos de administrador me dizem isso. 2) Talvez seja a única oportunidade de eu mostrar para essa família que não sou um inútil, embora minha boate seja uma das mais bem-sucedidas de Estocolmo, fato que a digníssima realeza prefere ignorar.

O certo é que o acordo acabou sendo satisfatório para as duas partes. Marieva finalmente está livre da Colline Viola. E agora ela é minha, de modo que tenho autonomia para agir como bem quiser.

Entretanto, antes, preciso reorganizar as coisas por aqui.

Desço da moto e entro na boate pela porta lateral. Os funcionários já estão avisados sobre a minha chegada, pois liguei para Lars e dei a notícia com antecedência. Passo por eles cumprimentando a todos com um seco aceno de cabeça. Já se acostumaram com meu jeitão carrancudo.

É começo de noite. Por isso o movimento ainda está meio fraco. Vou direto para o escritório, onde encontro Lars ao telefone, resolvendo um problema de entrega de mercadorias.

Além de meu gerente e braço direito nos negócios, ele é meu amigo. O único, na verdade. A gente se conheceu na faculdade, durante uma luta clandestina. Na época, eu era uma espécie de empresário do lutador campeão; Lars, o desafiante da noite. Em apenas dois *rounds*, ele acabou com o adversário, meu "agenciado". Perdi todo o meu dinheiro por causa do cretino metido a besta que me apareceu não sei de onde. No entanto, depois dessa noite, acabamos nos tornando grandes amigos. Vai entender.

— E aí, velho! De volta à batalha! — Lars me dá um soco no ombro assim que desliga o telefone. Massageio o lugar. O maluco às vezes esquece a força que tem.

— Por poucos dias, cara. Como sabe, vou precisar passar uma temporada longa na Krósvia.

— Que foda, hein!

— Nem me fale!

Um dia, de porre por ter enchido a cara de tequila numa das festas da universidade, acabei contando a Lars toda a porcaria da história da minha vida. Não editei parte alguma. Confessei tudo na lata, desde meu parentesco com o rei, o mau-caratismo do meu pai, até as merdas que cometi.

Por isso ele entende o porquê de eu não estar nada contente com meu retorno ao *lar*. Ainda assim, não faz tempestade, muito menos tenta me consolar. E, se ousasse fazer essa palhaçada, levaria um murro de direita bem no nariz.

Levamos quase duas horas para organizarmos tudo no que se refere à administração da *Friheten*. Quando terminamos a reunião, estou exausto, com o pescoço contraído, louco para esticar o corpo na cama e só sair de lá daqui umas 12 horas. Mas o dever fala mais alto e eu acabo ficando.

Desço até o bar, satisfeito com a visão da casa cheia. A música alta pulsa enquanto as pessoas se esfregam umas nas outras, movidas pelo efeito do álcool, da euforia e do jogo de luzes novinho em folha que mandei instalar há algumas semanas, só porque me disseram que ele tem o poder de entorpecer as mentes.

— E aí, Luka! Quer um drinque para comemorar? — pergunta Adna, a bartender mais antiga (e gostosa) da *Friheten*. Ela se inclina e me dá um beijo na boca, sem a menor cerimônia. Nós dois sabemos muito bem que esse gesto é só uma amostra de sua espontaneidade. Até porque já tivemos nossa noite de perdição. E como ambos pensamos do mesmo jeito, ficou por isso mesmo. Ponto final.

— Comemorar o quê, Adna? — devolvo a pergunta, enquanto esfrego o dorso da mão na boca para limpar a marca de batom vermelho que ela acabou de deixar ali.

— Ora, estamos lotados hoje. Todas as entradas foram vendidas. E fiquei sabendo que a fila de espera lá fora está dando volta no quarteirão.

— Então temos um excelente motivo. Quero uma *long neck*.

— Ah, nem vem, chefe! Peça uma bebida mais forte.

Dou uma risada, pasmo com a ousadia da garota. Porém, vou na onda dela.

— Está certo. Uma dose de tequila se isso vai te deixar mais satisfeita.

Adna põe a língua para fora, exibindo o *piercing* prateado, orgulhosa por ter me feito mudar de ideia tão facilmente.

— Para você, a melhor, querido. — Adna coloca sobre o balcão uma garrafa de *Patrón*, além de sal e fatias de limão. Depois pisca o olho, emitindo a mensagem: "Não faça cerimônia."

— Está louca se pensa que vou beber tanto assim.

Ela dá de ombros, chacoalhando os cabelos platinados. Em seguida me serve uma dose, que eu mando para dentro como se fosse água.

Depois disso, a noite passa feito um borrão. Perco um pouco a noção das coisas ao meu redor, só sei que a tequila está cada vez mais gostosa, e as pessoas, mais embaçadas.

— Olá, bonitão!

Pisco uma centena de vezes até ter certeza de que meus olhos estão me pregando uma peça. A garota parada diante de mim, com um sorriso exuberante nos lábios carnudos pintados de laranja, é quase uma cópia de Elena. Eu a examino dos pés à cabeça, lentamente, apreciando — e muito — o que vejo. Assim como a priminha, ela é toda sinuosa, com curvas nos lugares certos. O que as diferencia é o tom de verde dos olhos. A cor dos de Elena é incomparável.

— Quer dançar? — A pergunta vem acompanhada de um movimento muito sugestivo do seu quadril. Deliberadamente, ela se esfrega na parte da frente do meu corpo, fazendo-o reagir de imediato.

Sem lhe dar resposta, pego-a pela mão e a levo até o meio da pista de dança. O DJ acabou de colocar uma música dançante, mas também muito sensual, um prato cheio para a garota atirada. Antes que eu tome a iniciativa, ela se vira, com as costas grudadas em meu peito, e vai descendo lentamente, com a bunda inclinada e muito mal coberta por um pedaço de pano vermelho e brilhante. Ao atingir o chão, ela faz o caminho inverso, subindo o corpo devagar, sem se desgrudar do meu por nada neste mundo.

Entro em estado de alerta. A qualquer momento terei de arrancá-la da pista, senão correremos o risco de sermos presos por atentado ao pudor.

Como se tivesse ouvido meus pensamentos, a garota sussurra no meu pescoço:

— Quer sair daqui?

Um rugido baixo escapa por minha garganta. Penso em Elena, que é ela que está ali comigo, prestes a embarcar numa prazerosa viagem nos meus braços. Sendo assim, imbecilizado pela tequila e pela fantasia com a princesa da Krósvia, sigo a garota maluca, sem sequer saber aonde estamos indo.

Saio trombando nas pessoas, tropeçando nos meus próprios pés, até que sinto o corpo bater contra uma parede fria e duas mãos pequenas, mas muito obstinadas, traçarem os músculos do meu peito.

— Você é muito gostoso, sabia? — diz ela, com os lábios a centímetros dos meus.

Fecho os olhos, pronto para receber o que quer que a sósia de Elena queira me dar. Mas, não sei se por sorte ou se sou um asno de marca maior, um lampejo de lucidez me atinge. Lembro-me do meu desejo secreto de beijar Elena de olhos abertos só para me perder naquele verde raro e maravilhoso.

Então, abruptamente, afasto a garota. Nem tenho a consideração de lhe dirigir o olhar antes de deixá-la ofegante naquele corredor escuro.

— Babaca, idiota, cretino! — São as últimas palavras que escuto antes de voltar para o escritório e terminar a noite jogado numa poltrona velha e puída, xingando até a décima quinta reencarnação de Elena, por ela ter se enfiado sem pedir licença dentro da minha cabeça, mesmo não sendo nem um pouco bem-vinda.

Perla, 14 anos antes.

Elena era uma menina meiga, o xodó da família real, afinal, depois que minhas irmãs e eu crescemos, ela tomou o posto de criança fofa da casa. Vivia pelos pátios e jardins do castelo, empurrando um carrinho cheio de bonecas, com a cabeça no mundo da imaginação.

Naquele tempo eu já havia me tornado um mala. Quase não parava no palácio. Mas, quando aparecia, meu passatempo predileto era infernizar a princesinha. No fundo acho que sentia uma inveja traiçoeira daquela menina.

Um dia, eu devia ter uns 13 anos, apareci no castelo depois da aula. A professora de matemática tinha me colocado de castigo por ter colado na prova. Depois da bronca que começou com ela e foi subindo de nível até chegar ao diretor, meu humor estava péssimo. Não me imaginava indo direto para casa, onde minha mãe provavelmente me esperava para completar o puxão de orelha.

Por isso escolhi parar no castelo. A intenção era filar o almoço de Karenina, dar uma zanzada sem rumo pelos arredores e, só mais tarde (bem mais tarde), voltar para minha casa.

Mas meus planos mudaram assim que avistei a pequena Elena, com aqueles cabelos cor de trigo que, por pouco, não engoliam o rosto dela. A menina brincava de casinha sob a sombra de um caramanchão. Estava tão envolvida que nem viu minha aproximação. Fui andando em sua direção, com o objetivo de provocá-la até que a fizesse chorar.

Então, no meio do caminho, uma boa ideia me surgiu. Eu apareceria como quem não quer nada, me fingiria de amigo e daria o bote quando a bobona estivesse distraída.

— Oi. Posso brincar com você? — pedi, sem me impor. Elena me olhou desconfiada.

— Não.

— Por favor. Posso ser o que você quiser.

— Até mesmo o pai das meninas?

As meninas eram as horrendas bonecas.

— Claro.

Elena abriu um sorriso tímido, mas satisfeito, e disse:

— Ótimo. Então pode ir trabalhar, que vou levar as crianças para a escola.

— Pode deixar que passo no colégio no caminho para o trabalho. — Ofereci. Não esperei pela resposta de Elena. Catei as bonecas, segurando-as pelos cabelos, e saí correndo com elas, deixando a garota aos prantos atrás de mim.

Parei de fugir a uma distância segura só para gritar uma condição:

— Se quiser suas bonecas de volta, vai ter que pagar resgate.

Ela ainda chorava, mas conseguiu reter o fluxo das lágrimas quando perguntou:

— Que resgate?

— Vá buscar um pote de sorvete para mim. E uma colher. E uma bisnaga de calda de caramelo.

— Onde?

— Na cozinha, sua tonta. Dááááá...

Então ela foi, voando, enquanto me via girar uma das bonecas pelos cabelos.

Eu me contorcia de tanto rir, me achando o sujeito mais esperto do universo, no momento em que Elena voltou. Já ia comentar que ela havia sido rápida, mas fui obrigado a morder a língua, pois a princesinha não estava sozinha.

De mãos na cintura e com um olhar capaz de perfurar aço, Ana recuperou as bonecas da filha num único puxão. Em seguida me fez ouvir o maior sermão de todos os tempos.

Se arrependimento matasse...

A claridade da manhã entrando pela janela me arranca bruscamente do sono. Olho ao redor e esfrego o rosto, espetando os dedos na barba por fazer.

Custo a assimilar o cenário e a situação, até que a realidade me atinge. Lembro-me da noite anterior: as doses infinitas de tequila, a garota doida se esfregando em mim, e eu fugindo dela feito um adolescente sem experiência e confiança. Então o resto me vem à memória que nem uma enxurrada. Neguei fogo por causa de Elena, caí no sono fora da minha cama e acabei sonhando com ela ferrando com a minha vida anos antes.

Ah, ela merece ou não merece uma bela de uma lição?

A hora dessa garota chegará. Em breve.

ELENA

Capítulo 19

— Elena, estávamos esperando por você!

Encontro mamãe no escritório de Irina, sentada confortavelmente numa poltrona de couro bege, de frente para a rainha, que me parece abatida e sem energia — situação totalmente inédita desde que me entendo por gente.

Cumpro meu ritual de todos os dias: dou um abraço apertado em minha mãe, beijo suas bochechas e faço um carinho nos meus irmãos, que estão dentro da barriga dela. Ainda não sabemos o sexo deles, por isso os tratamos por Pontinho Um e Pontinho Dois.

Depois vou até Irina e me abaixo para cumprimentá-la da mesma forma, exceto pelo afago na barriga. Entretanto, ela estende uma das mãos e me impede de realizar meu intento.

— Não, querida. Não chegue mais perto. Estou muito gripada. Melhor ficar longe dos meus vírus.

Obedeço sem criar caso.

Roubo uma rosquinha de coco da bandeja pousada na mesa da rainha enquanto ela me serve uma xícara de chá. Estou de boca cheia quando mamãe avisa:

— A Companhia de Ópera de Perla vai representar *Carmen* hoje à noite, no Teatro Real, em homenagem à nossa família.

— Sério? — digo, antes de engolir. Irina franze a testa para mim. Ela odeia que as regras de etiqueta sejam violadas, em qualquer situação. — Que bacana! Vocês vão? Quero dizer, você e vovô, já que minha mãe não pode nem pensar em sair de casa desse jeito.

As duas se entreolham, cúmplices. Prevejo que ouvirei notícias inquietantes.

— Bem, Elena, com essa gripe terrível, não terei condições de aparecer. — Para provar seu argumento, Irina tem uma crise de espirros, acompanhada por uma tosse rouca e pesada. — E seu avô viajou hoje para uma conferência em Berlim.

— Ah. — Fico sem saber o que dizer. Será que ela vai me pedir o que estou pensando? Ai!

— Acreditamos que você seja a pessoa ideal para nos representar nesse evento — anuncia mamãe, toda animadinha, como se tivesse acabado de me comunicar a informação mais importante do mundo.

Torço o nariz automaticamente, pelos seguintes motivos:

1. Não tenho o menor traquejo social, ou seja, sou fraquíssima no quesito receber e ser recebida.

2. Fico envergonhada quando sou o centro das atenções. Então acabo cometendo gafes que, no dia a dia, eu não cometeria.

3. Odeio trajes de gala. Eu me sinto completamente inadequada de vestidos longos, cabelos presos em penteados que repuxam até meus neurônios, além de toda aquela pompa requerida pela ocasião.

Dou um suspiro, daqueles bem compridos, exibindo minha contrariedade.

— É sério, gente? Tenho mesmo que ir a esse concerto?

— Seria constrangedor não enviarmos um representante, Elena — observa Irina.

— Ei, filha. Não vai ser tão ruim assim. É um espetáculo belíssimo. Você vai gostar.

A questão não é essa. Eu até aceitaria ir numa boa, como uma pessoa anônima. Mas serei a convidada de honra e, ainda por cima, chegarei sozinha. Como já participei de eventos assim antes — como coadjuvante da princesa Ana —, sei que o mestre de cerimônia chamará a atenção do público devido a minha presença no camarote exclusivo da família real. Todos vão esperar que eu me levante, acene, sorria e represente o papel da herdeira feliz e agradecida. Ah, tenha dó!

— Acho que não tenho um vestido adequado para a ocasião. — Lanço uma única desculpa esfarrapada, com a intenção de me safar dessa obrigação inglória.

Mamãe e Irina trocam olhares condescendentes. Admito: não existe a menor chance de eu escapar.

Estou embalada num longo nude cheio de pedrarias da Armani Privé, cortesia da princesa Ana Markov. Numa de suas viagens pelo mundo antes de engravidar dos gêmeos, ela foi presenteada com o exclusivo modelo pelo próprio dono da grife. Trata-se de um *revival* da elegante peça usada pela veterana atriz inglesa Cate Blanchett na premiação do Oscar, muitos anos atrás.

O vestido é realmente maravilhoso, mas como foi confeccionado para o corpo esguio de mamãe, marca minhas curvas de um modo um tanto quanto desconcertante. Fiz esse comentário antes de sair do castelo, numa nova tentativa de me ver livre do compromisso, mas ele não surtiu efeito algum. Tanto Irina quanto minha mãe disseram que fiquei uma graça e que serei a moça mais bela do Teatro Real.

Pelo menos, eu tentei.

Sou recebida sob um forte esquema de segurança pelo cerimonial da casa de espetáculos. Em outras ocasiões, esse aparato não seria necessário, mas agora, com a rotina de protestos e manifestações contra a monarquia, a pedido do próprio rei Andrej, percebo que estou mais segura ali do que se estivesse trancafiada num contêiner à prova de bombas, enterrado a 30 quilômetros de profundidade.

Isso me alivia. Um pouco. Porque ainda tenho uma noite inteira pela frente.

Resignada, subo os degraus que me levarão ao camarote acenando para todos que passam por mim, sem permitir, nem por um minuto, que meu sorriso se desvaneça. Irina me orientou muito bem.

Ouço os sons de admiração que saem da boca das pessoas e me sinto uma fraude. Não fiz nada, além de ter nascido em berço de ouro, para merecer tamanha consideração.

As mulheres comentam a respeito do meu vestido e das joias que exibo, enquanto os homens, bom, demonstram estupefação por outros motivos. Nem quero me aprofundar muito nessa questão. Caso contrário, acabarei armando a maior tromba de elefante da história da realeza krosviana.

Finalmente, depois do que me pareceu uma eternidade, chego ao camarote. A chefe de relações públicas do Teatro Real, o tempo todo ao meu lado, indica o lugar onde devo me sentar. Considerando que só há duas cadeiras, não teria sido difícil deduzir. Agradeço, mesmo assim.

As cortinas do palco ainda estão fechadas. Então tenho tempo de reparar nos apetrechos deixados para meu uso durante a apresentação: um binóculo (de ouro?), lenços de linho bordados com o brasão da família real, um leque de madrepérola com folha de tafetá decorada pela delicada pintura de uma cena bucólica — a coisa mais linda —, além de um balde de prata cheio de garrafinhas de Evian.

Nem bem assimilei tamanha ostentação, e um homem impecavelmente vestido, com porte de mordomo das mansões inglesas do século XVIII, se apresenta como meu pajem pessoal durante todo o espetáculo. Isso ainda existe, gente?

— Estarei à sua disposição, princesa. Basta apertar o botão no braço esquerdo de sua cadeira.

As palavras me faltam. Estou aqui, rodeada de tudo o que há de melhor, enquanto as crianças da Nigéria são submetidas a uma miséria tão absurda que chega a parecer mentira. Só a poltrona onde minha bunda avantajada repousa confortavelmente deve valer o preço de um carro popular. E os meninos nigerianos — e de tantas outras partes do mundo — mal têm uma carteira para estudar.

Essa disparidade social me deprime. Sei que soo como uma hipócrita, já que usufruo de tudo que recebo de bandeja apenas por ser uma Markov. Mas isso não me impede de me indignar nem de sonhar em ver essa triste realidade mudar.

Meus pensamentos evaporam assim que a voz do mestre de cerimônia ressoa pelas caixas de som espalhadas pelo teatro. Como previ, ele saúda o público anunciando minha presença como motivo de honra para os membros da Companhia de Ópera de Perla. Fico de pé ao ouvir meu nome; meu rosto queima de nervoso e embaraço. As pessoas me aplaudem, gesto que agradeço com as mãos sobre o peito e uma pequena reverência.

Para minha sorte, logo as cortinas se abrem e os atores-cantores surgem no palco, e toda as atenções se voltam para eles. Graças a Deus!

Desse momento em diante, sinto-me presa à peça, a ponto de esquecer o motivo de eu estar ali. Quando a orquestra introduz a *Habanera*[1], meus olhos transbordam de emoção. Uso o primeiro lenço de linho da pilha.

Baixo os olhos para secar as lágrimas. Assim que volto a erguê-los, sinto que estou sendo observada por alguém no camarote da frente. Estreito os olhos, procurando me certificar de que a impressão é verdadeira.

---

[1] Ária famosa presente no Ato I da peça. Teve origem em Havana, capital de Cuba.

São as emoções à flor da pele, só pode ser. Primeiro, porque Luka nem está em Perla. Faz dias que voltou para Estocolmo sem ao menos se despedir. E duvido muito que optaria por assistir a uma ópera por escolha própria.

Desvio os olhos do ponto onde penso que o vi e fixo-os por alguns minutos na cena que se desenrola no palco, sem necessariamente dar atenção a ela. Permito que poucos segundos passem, contando os números, e volto a olhar para o camarote da frente. Conforme já previa, não há ninguém conhecido, nem mesmo minimamente parecido com Luka. Isso não impede meu coração de bater acelerado, me deixando sem fôlego.

Solto o ar devagar, incerta se me sinto triste ou aliviada por constatar que não era ele. Se já estou delirando é porque a situação anda pior do que eu imaginava.

A fim de me distrair desse lapso, dessa ilusão de ótica, apanho o rebuscado binóculo e me concentro novamente na apresentação. Então me perco no mundo da cigana Carmen e de Don José.

Por isso me assusto quando as luzes sobre a plateia se acendem, indicando a pausa para o intervalo. Suspiro, toda emotiva, mal podendo esperar pelo próximo ato.

E é aí que tudo muda.

De repente, uma agitação se forma nos fundos do teatro. Meus olhos registram o momento exato em que um grupo de pessoas se levanta, aponta para mim e começa a entoar frases de protesto. Estou em choque.

Ouço:

"Vamos acabar com sua pose, princesa!"

"É o fim das regalias!"

"Arranquem a princesa da torre!"

Minha cabeça gira. Os manifestantes se infiltraram no meio do público premeditadamente, pois, com certeza, sabiam da homenagem à família real. Sinto-me exposta, perdida, ferrada.

Tudo acontece em aproximadamente três minutos que me parecem horas. Até que os seguranças intervêm. Nesse momento, o teatro é puro caos. Quem não está envolvido na confusão se desespera, os agitadores tentam se defender, há flashes de câmeras pipocando em todas as direções.

E eu estou prestes a chorar, fincada no lugar, sem saber como devo agir. O binóculo escorrega das minhas mãos trêmulas, com uma pancada baixa quando bate no chão. Indecisa, não sei se me abaixo para pegá-lo ou se mantenho a postura, até que o caos seja dissolvido — se é que isso vai acontecer.

Mas alguém resolve pensar por mim. Quando me falta o poder de decisão, mãos fortes e possessivas enlaçam minha cintura por trás e me puxam de encontro a um corpo sólido e decidido. Antes que eu grite ou faça algo que atraia ainda mais a atenção sobre mim, lábios pairam sobre meu ouvido direito e sussurram:

— Shhh...

Todo o meu corpo estremece. Sou levada para fora do camarote, completamente atônita. E aí, quando começo a admitir que devo estar sendo sequestrada, as mesmas mãos que me mantinham de costas para o seu dono me fazem girar e me prensam contra a parede do estreito corredor, privado aos ocupantes do camarote real.

Tento me libertar, debatendo os braços e as pernas, embora os meus olhos estejam semicerrados, com medo de enxergarem quem quer que esteja colado em mim daquele jeito.

Mas então ouço uma voz:

— Calma, Elena.

E sou obrigada a encarar a realidade.

— Luka — murmuro.

E, sem raciocinar, jogo-me nos braços dele, entregue ao alívio de estar sendo salva e não raptada.

LUKA

Capítulo 20

A quem quero enganar? Dessa vez voltar a Perla não me causa tanto desgosto assim. E nem é pela missão que tenho nas mãos. É óbvio que minha animação é motivada por outros fatores, bem menos nobres.

Estou obcecado por Elena. Isso é um fato irrefutável. Penso nela noite e dia (mais à noite, para ser sincero) e acredito que só ficarei curado dessa fixação quando ela se tornar uma conquista do passado.

Sendo assim, que se dane o pai dela, o fato de sermos primos — de segundo grau! —, a realeza, nossa diferença de idade e a porcaria dos meus segredos. Elena tem que ser minha, pelo menos, uma vez.

E, depois, ao ficar livre dessa comichão que me consome, seguirei normalmente com minha vida, sem dor na consciência.

Ao aterrissar no aeroporto da capital, ontem de tarde, recebi uma mensagem de Giovana, avisando que estava me esperando no saguão. Foi bom porque, além de ganhar uma carona até em casa, pude sondar, como quem não quer nada, a situação de Elena. Evidente que minha irmã, que não é boba, captou as segundas intenções no ar e aproveitou para expor seu ponto de vista:

— Luka, pelo amor de Deus, não se meta com a Elena. Você, melhor do que ninguém, conhece as implicações de um relacionamento passageiro com ela.

Dei de ombros, fingindo indiferença.

— Não estou interessado num relacionamento superficial com nossa querida priminha, Gio.

— Ah, não? Então por que as perguntas?

— Curiosidade, ora. Afinal, eu não esperava que ela tivesse ficado tão gata. E você me conhece bem quando o assunto é mulher.

Pelo comentário chauvinista, recebo um soco no ombro. E a gente não fala mais sobre esse assunto. Quero dizer, não depois que consigo arrancar uma informação de ouro: os planos de Elena para aquela noite.

Nada como estar bem localizado. Mesmo com a reputação que carrego, ter o sobrenome Markov abre muitas portas. As melhores.

Ocupo meu lugar no Teatro Real bem a tempo de ver Elena fazer sua entrada triunfal no camarote da família. Não preciso usar um binóculo para constatar o quão produzida ela está, num vestido que reluz em todas as direções e marca desavergonhadamente suas perigosas — e desejáveis — curvas. Pura tentação.

Ainda não planejei a hora do ataque, mas sei que dessa noite não passa.

O público a recebe com gosto. Entretanto, as bochechas coradas de Elena dão o recado: ela está pouco à vontade em seu papel de herdeira do trono. Apesar disso, acena para todos, balançando as unhas pintadas de vermelho vivo em todas as direções.

Quase posso senti-las afundando nas minhas costas. E só de pensar nisso tenho uma comichão na virilha.

Decido esperar o encerramento do concerto para me revelar. Por enquanto, contento-me em apenas observá-la de longe, como um perseguidor maluco.

Confesso: é mais emocionante visualizar as reações dela do que o espetáculo. Posso afirmar sem medo de errar que Elena entrou no clima da peça.

E, de tanto admirá-la, acho que acabei despertando nela a sensação de estar sendo secada por alguém. De repente, os olhos dela me encontram, certeiros. A sorte é que parece que Elena não me reconheceu. Sendo assim, tenho a oportunidade de me safar. Não quero estragar a surpresa.

Dou uma escapulida estratégica, saindo sorrateiramente pelos fundos. Tiro dela a chance de me pegar prestes a dar o bote.

Mas minha satisfação dura pouco. Uma agitação nos fundos do teatro se forma logo que encerra a primeira parte da peça. Os baderneiros querem confusão das grandes, já que atacam Elena com xingamentos e refrãos sobre a família real. Não é difícil deduzir que se trata dos republicanos da tal organização Nova Era.

A primeira coisa que passa pela minha cabeça é: eles merecem uma lição, e eu me candidato a ser o executor. Porém, ao erguer o olhar até Elena, fico abatido. Ela está mal, em choque, talvez. Então, mudo meus planos.

Apresento-me apressadamente à mulher postada em frente à escadaria que termina na entrada do camarote real. Para meu alívio, ela e uma penca de seguranças parrudos abrem caminho e eu subo os degraus de dois em dois, que nem um foguete.

Chego rápido à cabine. Nem penso duas vezes. Agarro Elena pela cintura e tiro a garota da vista das pessoas. Culpadas ou não, elas não merecem olhar para ela.

Levo-a até um canto escuro, de modo que me veja e saiba que não está mais sozinha. Mas, de olhos semicerrados, ela só se debate, querendo se libertar.

— Calma, Elena — falo, procurando transmitir segurança.

Então, me presenteando com a imagem mais incrível do mundo, ela arregala as duas esferas de cor jade. Sua expressão diz tudo: está feliz em me ver.

Se há alguma dúvida a respeito disso, Elena trata de esclarecer ao pronunciar meu nome de um modo que faz minhas entranhas se contorcerem:

— Luka.

Para completar, sem que eu precise implorar, ela se joga nos meus braços, totalmente entregue, enterra a cabeça no meu peito e soluça. Prendo-a com mais força, impedindo que desmorone.

Alguns minutos depois, ela se afasta um pouco, sem me encarar.

Faço o que acredito ser o certo. Seguro o rosto dela com as mãos e me aproximo, até que nossos olhos estejam na mesma altura e a poucos centímetros de distância. Há uma energia diferente no ar, liberada no momento em que nos encaramos. Fico meio sem fôlego, assim como Elena.

Então eu digo, num fio de voz:

— Vamos sair daqui.

ELENA

Capítulo 21

Meu corpo inteiro ainda treme, mesmo depois de ter conseguido escapulir do Teatro Real, numa manobra que enganou até os manifestantes mais espertos.

Estamos agora estacionados em frente à casa dos meus pais. Luka dirigiu até aqui mudo, empenhado apenas em ganhar o máximo de distância do Teatro Real.

Fico me questionando como aquelas pessoas podem ser tão frias e vingativas. Será que esperam ganhar a simpatia do povo agindo tão irracionalmente?

A chuva que cai desde cedo em Perla bate no para-brisa, formando desenhos aleatórios no vidro. Isso me distrai, tanto o barulho quanto as formas, até porque não tenho energia para iniciar um diálogo com Luka e perguntar o que ele estava fazendo no concerto, para começo de conversa.

Olho de relance e o que vejo mexe com meu coração: suas mãos ainda seguram o volante com força e servem de sustentação para a cabeça, apoiada em cima delas. Como não dá para enxergar os olhos dele, não posso deduzir o que está sentindo. Mas que sua atitude é estranha, ah, isso é. Por que, por Deus, ele está tão nervoso?

Lembro-me de quando o vi pela primeira vez, no jantar em homenagem a Luce e Iuri. A despeito da minha perplexidade por estar diante do sujeito que atormentou minha infância e virou as costas para a família, mesmo sabendo que deveria odiá-lo, ele parecia tão poderoso, dono de si e da situação. E tem sido assim desde então, apesar de suas incoerências.

Movida pelo sentimento que me inundou de repente (e que não sei nomear), ergo o braço e, sem refletir, faço aquilo que tenho desejado fazer há tempos: deslizo meus dedos pelos cabelos sedosos de Luka, provando, com o tato, o que eu já sabia só de ver. Eles são macios, perfeitos, embora sejam um pouco mais curtos nas laterais. A sensação é tão gostosa, que fecho os olhos para potencializá-la.

Luka fica por alguns segundos na mesma posição; não reage ao meu toque. Não sei se isso é bom ou ruim, no entanto, não é motivação suficiente para me fazer parar.

Então ele levanta a cabeça e me encara. Minha mão paira no ar, como um beija-flor durante o voo. Não consigo segurar um gemido que me escapa da garganta sem que eu tenha tempo de engoli-lo. Droga!

Os olhos azuis de Luka exibem um brilho diferente. Tenho a impressão de que um tigre arma a mesma expressão quando surpreende a presa. Embora sejam intimidadores, não consigo desviar o olhar.

Subitamente, o clima dentro do carro muda. Fico sensível a tudo quanto é odor e som. Noto o perfume da terra molhada do lado de fora e o cheiro do couro dos bancos. Também sinto um leve perfume que Luka, provavelmente, passou para ir ao concerto. É pujante, másculo... afrodisíaco?

Balanço a cabeça. Não posso continuar dando bandeira. Luka não precisa de mais uma integrante enlouquecida em seu fã-clube, que imagino ser imenso.

Volto a olhar a chuva pelo para-brisa, procurando recuperar o controle das batidas do meu coração. É difícil, uma vez que o cara do meu lado é tão... gato e mexe comigo de um jeito impossível, intenso e incalculável. Faço um esforço para não ofegar.

Busco me concentrar numa velha história que li quando criança, *Júlia dos sete aos dezessete*, da escritora Irene Hunt. Numa noite de chuva, como esta, ao voltarem de uma aula, Júlia e seu melhor amigo, Daniel, estão dentro do carro, em frente à casa dela. O desconforto domina o ambiente, e a menina se concentra no vai e vem do limpador de para-brisa, que parece entoar *Júlia ama Daniel, Daniel ama Júlia*. É nesse clima que acontece o primeiro beijo dos dois. Para mim, uma leitora, foi lindo ver os melhores amigos finalmente chegando ao final feliz.

Suspiro, impressionada com a coincidência entre as situações.

Então, enquanto minha mente retorna da viagem ao passado, sinto os dedos de Luka afastando meus cabelos caídos na frente do meu ombro esquerdo. O movimento é deliberadamente lento, o que causa uma reviravolta boa no meu estômago. Muito boa, mesmo. Quando termina, ele não retira a mão. Pelo contrário. Afaga meu pescoço, provocando arrepios involuntários por todo meu corpo.

— Elena... — sussurra Luka, e segura meu queixo, me fazendo olhar para ele.

Estou em brasas, a mil, como jamais fiquei antes, nem nos bons tempos do namoro com Nico.

É difícil encará-lo sem deixar transparecer o que sinto nesse instante. Quero ser beijada por Luka, insanamente beijada, como ele beijou aquela garota da despensa do castelo. Posso até me arrepender depois — e eu sei que vou.

Luka segura meu rosto com as mãos e se aproxima devagar. Uma gota de chuva escorre da minha franja (eu me molhei um pouco ao sair correndo do teatro) e desce lentamente pelo nariz, mas eu nem me importo. Na verdade, quem se incomoda é ele, que se distrai com a gotinha e decide retirá-la... com a própria língua!

Meu peito dispara num ritmo alucinado quando Luka lambe o osso do meu nariz bem devagar. Primeiro ele sobe; em seguida, sopra o lugar, espalhando seu hálito que cheira a bala Halls.

Acho que gemo de novo, mas não posso garantir, uma vez que estou completamente embriagada de Luka.

— Elena... — repete ele, com os lábios a milímetros dos meus. — Eu preciso saber.

— O quê? — balbucio, incapaz de ser mais articulada.

— Se você é tão gostosa quanto imagino.

Arregalo os olhos, espantada e exultante por ouvir essas palavras. Luka é tudo o que quero nesse momento.

E então ele me beija, ou melhor, me prova, porque só o que faz é roçar a boca na minha e traçar meus lábios com a língua. É uma experiência frustrante e, ao mesmo tempo, deliciosa. Mas, afinal, as coisas entre nós têm andado meio assim mesmo: ambíguas.

Minhas entranhas formigam de vontade de aprofundar o beijo, e eu quase chego a tomar essa atitude, já que Luka continua me provando — ou seria provocando? —, bem devagar.

— Delícia — avalia ele, por cima da minha boca, mandando o pouco de sanidade que ainda conservo para o espaço. — Muito gostosa mesmo.

A chuva lá fora aperta. O barulho dela batendo no teto e no capô do carro aumenta bastante. Porém, no momento em que Luka volta a me beijar, nada ao meu redor tem importância.

Ele reclina o encosto do banco e se aperta contra mim. Meu vestido é fino, o que me permite sentir o calor que emana do seu corpo. Luka me beija profundamente, explorando minha boca, meu queixo, meu pescoço, meus ombros. E, enquanto cuida de me agoniar com os lábios, suas mãos me agarram pela cintura, grudando meu corpo ao dele, que é tão rígido e forte quanto eu sonhava.

Luka é uma tentação capaz de levar qualquer mulher à loucura, e está fazendo isso comigo, logo comigo, que conheço muito bem seu jeito de ser.

Mas, no fundo, sempre desconfiei de que, se ele insistisse, eu acabaria cedendo.

— Elena, você tem me deixado louco, sabia? — confessa, com a voz mais rouca do que de costume. — Seus olhos, sua pele... Ah, como sonhei em ter você!

De repente, sinto dedos acariciando minha barriga, sobre o caro tecido do vestido, e depois subindo. Ofego de prazer, porque adivinho o que Luka pretende. Ele para ao alcançar os ossos mais altos da minha costela e espera meu comando enquanto me massageia com os polegares.

Penso em ceder, em dar permissão para que Luka faça o que quiser comigo, bem no banco do carro. Afinal, se só de beijá-lo quase vou até as nuvens, imagino como será o resto.

Então, quando estou prestes a dizer sim, ele simplesmente para, interrompe tudo o que está fazendo, e volta depressa para o lugar do motorista.

Viro o rosto para a janela ao lado, as bochechas queimando de vergonha por ter sido rejeitada. Lembranças dos últimos tempos do namoro com Nico me voltam à mente. No final, ele não usava os melhores adjetivos para se referir a mim. Eu não devo ser lá grandes coisas mesmo no quesito amasso.

— Desculpe — diz ele, com a voz entrecortada. Então não sou só eu com dificuldades de controlar os nervos. — Isso não vai mais acontecer.

Não faço ideia do que pode ter acontecido entre o *Você está me deixando louco* e o *Isso não vai mais acontecer.*

Tampouco quero ouvi-lo dar desculpas esfarrapadas para justificar sua recuada. Por isso, decido ignorá-lo, mesmo que meu assento esteja num ângulo aberto demais para a minha já abalada dignidade. Coloco-o de volta à posição normal, tremendo de vergonha. Eu ia deixar Luka me traçar — sim, porque ele não faz outra coisa com as mulheres, como namorar ou fazer amor — dentro do carro, igual a uma safada qualquer.

Eu não preciso de mais um trauma assim na minha vida. Não basta, meu Deus, a humilhação por que passei anos atrás ao flagrar Nico na cama com aquela... garota?

Ajeito meu vestido tanto quanto possível e respiro fundo. Preparo-me para pedir a Luka que destrave a porta do carro, mas ele se adianta, antes que eu tenha tempo de pronunciar a primeira sílaba:

— Eu não sou bom o suficiente para você, Elena. Pode acreditar.

Ah, que declaração batida! Seja nos livros, filmes ou novelas, quase todo babaca que não esteja a fim da mocinha usa esse argumento para se proteger.

Dou uma risada seca, que mais parece um resmungo, e me obrigo a permanecer calada. Não sei o que pode acabar saindo da minha boca se eu resolver abri-la.

— É sério, Elena, porra! — insiste Luka, enquanto bate as palmas das mãos no volante. — Olhe para mim!

Claro que não obedeço. Só faltava essa agora.

— Olhe para mim! — Seu grito me assusta, mas o que faz meu coração disparar são os dedos dele em meu queixo, forçando-me a encará-lo.

Resisto o quanto posso, porém, Luka é muito mais forte e ganha a parada. Quando olho nos olhos dele, enxergo as sombras que o atormentam. É difícil não me sensibilizar com o que vejo. Luka é um homem e tanto, mas suas dores, seus mistérios, derrubam o gigante sempre que ele baixa a guarda. Não é a primeira vez que percebo isso. Muito triste.

— Olhe para mim, Elena, e diga que não quero você. — Ele prende minhas mãos nas dele, quentes e ásperas, e as direciona até seu corpo. Posso captar o calor, mas ele quer que eu sinta mais. Então as empurra para baixo, e eu entendo o que ele quer demonstrar. — Percebe o quanto eu a quero, garota? Tem coragem agora de duvidar de mim?

Luka ofega; eu coro de vergonha. No entanto, não sou capaz de retrair minhas mãos nem ele me liberta.

— Eu só não posso te querer. Esse é o problema.

Sendo assim, resignado, Luka me solta e, sem mais uma palavra, sem me dar qualquer explicação, destrava a porta.

Ainda mais trêmula do que quando fui atacada verbalmente pelos manifestantes no Teatro Real, saio do carro sem olhar para trás.

Às vezes, não é fácil para uma criança ser descendente de uma das famílias mais poderosas do mundo. A gente é criado com tanta proteção, por motivos óbvios, que acaba repelindo até os mais flexíveis candidatos a amigos.

Digo isso porque foi o que aconteceu comigo. Cresci vendo grupinhos surgirem e se desfazerem, mas sempre do lado de fora, à parte. Afinal, quem iria querer formar laços duradouros com uma garota que não tinha permissão nem para ir ao shopping sem a companhia de seguranças?

Mais tarde, acabei conquistando alguma liberdade, mas aí já era. Eu não pertencia a nenhum grupo, não tinha uma melhor amiga, embora recebesse a simpatia de quase todos os colegas. E então surgiu Nico, e o resto, bem, eu já contei.

Não que eu esteja reclamando.

Apesar de tanto relacionamento superficial na época da escola, nunca me faltou um ombro amigo, uma pessoa disposta a ouvir meus desabafos, sem censuras ou julgamentos: mamãe.

E é para ela que eu corro assim que o dia clareia. Preciso dividir com alguém os fatos da noite anterior e a confusão que se instalou dentro de mim desde então.

Faço questão de eu mesma levar o café da manhã para ela, o que acabou gerando um ligeiro mal-estar entre mim e a criada que costuma fazer esse serviço. Azar. Não estou com cabeça para atender as normas do castelo.

Abro a porta depois de bater. Minha mãe me recebe com ares de preocupação. Estranho.

— Elena! Eu ia mesmo ligar para você. — Ela ergue o corpo e se recosta na cabeceira da cama. Para meu alívio, papai já saiu. Somos só nós duas. — Por que não telefonou pra gente ontem à noite? Soube do que aconteceu no Teatro Real. Fiquei muito aborrecida.

Vou até ela e a abraço.

— Queria evitar justamente isso, mãe.

— Minha nossa, será que estamos perdendo o controle? — Mamãe alisa meu cabelo, inconformada. — Você poderia ter sido...

Não permito que termine a frase. Existem várias possibilidades de complemento, mas não acho uma boa ela ficar se martirizando com as alternativas.

— Deu tudo certo, mãe. Os manifestantes não fizeram nada de mais, além de estragarem o espetáculo.

Ela se afasta e me analisa com atenção. Depois diz:

— Deu tudo certo porque o Luka estava lá, não é mesmo? Eu já soube.

Encolho.

— Sim, por isso também — concordo. E, antes que mamãe emende outra observação, completo: — Mas não quero que se preocupe. Foi uma casualidade e eu estou bem.

— Não parece — rebate ela, estreitando o olhar. — Vejo que andou chorando. Ou será que estou enganada?

Diabo de mulher observadora! Nada passa batido por ela. E como eu a procurei para ser sincera, nem cogito inventar uma desculpa qualquer.

— Chorei, sim — admito. — Mas não por causa daqueles baderneiros ridículos.

Mamãe empina o queixo, incentivando-me a continuar.

Diante disso, faço o que ela quer e conto tudo o que houve entre mim e Luka. A cada nova informação, minha mãe reage impassivelmente, como se estivesse escutando a lista de compras do supermercado.

— Por fim, ele afirmou que gosta de você, mas não pode te querer? — repete, para confirmar se entendeu direito.

Só balanço a cabeça, assentindo.

Então ela ajeita o corpo novamente na cama e dá um gemido.

— Mãe, você está sentindo alguma coisa?

— Elena, a pergunta é: *você* está sentindo alguma coisa, mais forte, por Luka?

Abaixo os olhos. Acho que está claro que só há uma resposta para essa pergunta e não é nada difícil deduzir qual é.

— Entendo — diz mamãe; a voz soando meio ofegante. — Eu poderia tentar convencê-la de que esse sentimento é em vão, que Luka não é o homem certo para você e blá-blá-blá. Mas iria adiantar?

Mordo a língua, porque prefiro não contrariá-la.

— Poderia, Elena, mas não vou fazer isso. Sabe por quê?

Eu nego; meu coração está prestes a saltar pela boca.

— Porque, filha, sei o que é gostar de alguém considerado inadequado e não haver nada neste mundo capaz de colocar um pouco de sensatez em nossas cabeças.

— Mas o papai não era inadequado, era? — questiono, um tanto quanto espantada.

Mamãe retira uma mecha de cabelo caída sobre um dos meus olhos, coloca-a atrás da minha orelha e conta:

— Em muitos aspectos, sim. Só de ter uma namorada, no princípio, e ser enteado do meu pai, além de desconfiar das minhas intenções, bem... — Ela revira os olhos.

Rimos juntas.

E é bem quando estamos começando a relaxar que minha mãe grita e se dobra sobre o próprio corpo. Gelo. Será que ela está... está...

— Elena, chame alguém. Estou sentindo muita dor.

LUKA

Capítulo 22

Faço uma vistoria superficial no meu quarto antes de apanhar a mala num canto e o violão em outro. Estou de partida para a Colline Viola, onde pretendo me estabelecer por tempo indeterminado e deixar meu rabo bem distante de Perla e, consequentemente, de Elena.

Essa obsessão por ela já anda meio fora de controle, o que acabou culminando naquele beijo — muitos beijos, aliás — e algo a mais, que é melhor deixar para lá. Portanto, me manter afastado trará bons resultados em vários aspectos, mas, em especial, no que diz respeito à minha fixação por aquela garota. Assim espero.

Porque nós dois juntos chegamos a soltar faíscas, uma sensação nada agradável para alguém que sempre conseguiu se manter inexoravelmente imune a romances e a todas as suas complicações.

Melhor eu fugir por uns tempos e deixar as coisas esfriarem. Afinal de contas, odeio sequer pensar na probabilidade de estar cultivando algum sentimento por Elena. Aceito a atração, a comichão, a vontade de experimentar, todo o lance carnal. Mas eu proíbo meu coração de se envolver. Isso, não!

Afastando à força esses pensamentos, fecho a torneira do gás na cozinha e me preparo para sair. A viagem até Craiev é relativamente curta, mas falta pouco para anoitecer, melhor partir o quanto antes.

Apanho minhas chaves, penduradas ao lado da geladeira, porém, não chego a dar um passo para fora da cozinha, já que o interfone toca e me obriga a atrasar minha saída para ver quem é.

— Senhor Luka, boa tarde! Gostaria de saber se posso permitir a entrada do senhor Marcus Acetti — anuncia o porteiro. — Ele disse que vocês se conhecem há bastante tempo.

Não acredito! Aperto a base do nariz, perplexo com a audácia do meu pai. Nunca, durante esses anos todos, ele ousou me procurar. Sempre esperou que eu tomasse a iniciativa.

Quase afirmo que não conheço ninguém com esse nome, mas desisto. Um homem como meu pai se irrita com facilidade, e as consequências desse temperamento são sempre desastrosas.

Autorizo a entrada dele, muito contrariado. Mas não há outra opção.

Dou um tempo para me acalmar. Apoio a testa no azulejo e respiro fundo, tentando encontrar um pouco de equilíbrio. Em seguida, após calcular por alto o tempo que meu pai levaria para subir, vou até a porta da frente e a abro.

Marcus está saindo do elevador. Não dou chance para que entre no apartamento. Eu o recebo no corredor mesmo. Ele já chega sorrindo, o sorriso de desdém eterno, deixando claro que está pouco se importando com o resto do mundo.

Se eu tivesse sido mais rápido, a essa hora estaria na estrada. Que merda!

Marcus vem até mim sacudindo um pedaço de jornal, mas não dá nenhuma explicação. Toda vez que o vejo me arrependo de um dia, mais por rebeldia que por compaixão, ter aparecido no presídio para visitá-lo, o que acabou resultando num vínculo esquisito entre nós.

— Então é verdade — diz ele. — Você ainda não foi embora.

Cruzo os braços e encosto o ombro no batente da porta. Melhor ele não entrar.

— Venho me indagando sobre o que tem segurado você aqui na Krósvia. Jamais gostou de ficar por muito tempo...

E eu me questiono como ele sabe que não viajei.

— Eu já estava preocupado, afinal, pensei que tivesse partido e se esquecido de mim, ou melhor, do que combinamos.

Dinheiro. Sempre dinheiro. Porque para ele é apenas isso o que importa. Impressionante.

Eu me preparo para argumentar, para ganhar tempo, qualquer coisa. Só que Marcus se adianta, abre o jornal e quase o esfrega, literalmente, na minha cara.

— Mas aí, hoje de manhã, quando já sofria por ter de espalhar aquele seu segredo, resolvo ler as notícias do dia e dou de cara com isto.

Olho para o lugar apontado pelo dedo dele, e minhas entranhas se retraem. No centro da página, em tamanho grande, vem uma foto feita ontem, em frente ao Teatro Real. Nada especial, não fossem as pessoas mostradas, ou seja, Elena e eu, saindo às pressas de lá. Em cima, a manchete: "Princesa Elena Markov Jankowski é alvo de republicanos durante apresentação da Companhia de Ópera de Perla, no Teatro Real". Na parte de baixo, uma legenda: "Salva pelo atraente e controverso sobrinho do rei, Luka Acetti."

Que inferno! Só me faltava essa.

— Daí, filho, comecei a pensar se o motivo de você estar adiando sua volta para a Suécia não estaria relacionado com essa menina. — Meu pai deduz. E erra. Fiquei por causa da Colline Viola. E, quando puder administrá-la a distância, não me sentirei preso a Perla por nenhuma outra razão.

Como não pretendo esclarecer nada, só coço a cabeça e dou um sorriso cheio de sarcasmo. Mesmo não tendo um caso, uma relação, um romance ou qualquer porcaria do gênero com Elena, me sentirei melhor se estiver certo de que ele não cismou com ela.

Mas meu pai não parece a fim de acreditar em mim, pois insiste:

— Sabe, Luka, se isso for verdade, terei de lhe dar os parabéns. Anos atrás, quando ainda era casado com sua mãe — ele torce o nariz —, em algumas ocasiões me senti atraído pela Ana. Mas aquela lá sempre fez a linha "não encoste suas mãos nojentas em mim".

Esse homem é inacreditável. Se não fosse o pouco de educação que me sobrou, acho que nada me impediria de escorraçá-lo aos chutes.

— Porém, essa filha dela, a Elena, além de ser bem mais... voluptuosa, não me parece muito reativa. Ah, se eu fosse um pouco mais jovem!

Não gosto da maneira como Marcus se refere a Elena. Para dizer a verdade, me incomoda até o que ele diz sobre Ana. E para mim já deu.

Descruzo os braços e faço um gesto para que meu pai veja a mala atrás de mim.

— Bom, fico feliz em ouvir seu ponto de vista, mas estou atrasado.

— Mas eu ainda não terminei por aqui — rebate ele. Então chega bem perto, a ponto de encostar o bico dos sapatos na ponta das minhas botas. Sou alguns centímetros mais alto. Porém, ele desconta essa diferença estufando o peito e ameaçando, igual a um general ditador. — Ainda estou esperando o reajuste da mesada. Parece que você não entendeu que o que tem me mandado não dá para nada.

— É suficiente, sim. — Teimo, de repente, pouco me lixando se ele vai contar a porra do segredo para o mundo inteiro. — É mais do que suficiente, pai. Não vou acrescentar nem mais um tostão.

Eu me preparo para entrar, sem pena por deixá-lo plantado do lado de fora, quando suas mãos agarram minha camisa e me impedem de dar qualquer passo adiante. Permito que Marcus pense que é capaz de me deter. Porque, caso eu resolva dar o troco, a situação vai ficar bem feia.

— Você vai acrescentar bem mais do que um tostão, Luka. Senão, dessa vez, eu terei de ir atrás da deliciosa princesinha. E, se eu a pegar, garanto que ela não terá a mesma sorte da mãe.

Empurro meu pai com força, derrubando-o no chão. Não fico com remorso. Apenas me agacho e enfio o indicador na cara dele.

— Não ouse encostar num fio de cabelo da Elena — esbravejo; as veias latejam em meu pescoço.

Em seguida, entro no apartamento e bato a porta.

Vou até a geladeira e pego uma lata de cerveja. Meus nervos estão em frangalhos.

Nem sei do que eu seria capaz se alguém sequer imaginasse fazer algo de ruim com Elena. Tampouco posso explicar de onde vem toda essa raiva e por quê. Só de uma coisa tenho certeza: não aceito que mexam com o que é *meu*.

ELENA

Capítulo 23

Sou mesmo uma imbecil. Eu me concentrei nos meus problemas — tão bobos, se formos comparar — e não me dei conta de que mamãe estava passando mal, embora tivesse emitido vários sinais durante a nossa conversa.

Por sorte o socorro chegou rápido e a levou para o hospital, onde constataram que não houve nada grave, apenas uma indisposição causada pela alteração na pressão arterial. Agora mamãe terá de intensificar o repouso e triplicar os cuidados com a alimentação.

No meio de toda a tensão — dela, minha, de papai, de Irina —, pelo menos, aconteceu uma coisa muito legal: descobrimos os sexos dos bebês. Terei um irmão e uma irmã. Quanto aos nomes, bem, temo que não serão escolhidos tão cedo.

Só sei que voltamos ao castelo com outro astral. Neste exato momento, estamos todos juntos, em torno da mesa de jantar, desfrutando de um momento íntimo e de muita felicidade. Karenina preparou um jantar especial, embora leve, para que pudéssemos comemorar a boa notícia.

Deu certo. Tia Marieva e Giovana apareceram também, e vovô Andrej chegou de sua viagem diplomática a tempo de se juntar a nós.

— Se é que tenho o direito de sugerir, um bom nome para o garoto seria Viktor — palpita vovô, entusiasmado com a chegada de mais um herdeiro do sexo masculino.

Mamãe e papai se entreolham, mas não discordam da ideia, tampouco dizem sim. Já captei a linguagem subliminar: não vão atender a sugestão, mesmo que seja uma homenagem ao meu bisavô, o rei Viktor Markov.

— Veremos, papai — diz minha mãe, o tempo inteiro agarrada ao corpo do meu pai. Bonitinhos.

Ela volta sua atenção à tia Marieva, que, a despeito da euforia por ver a sobrinha bem depois do susto, dá a impressão de não estar se sentindo muito à vontade.

— Tia, soube que Luka resolveu administrar a vinícola.

Mesmo? Procuro esconder minha expressão de surpresa e apuro a audição. Quero ouvir essa resposta mais que tudo.

— É verdade. — O sorriso embevecido revela sua satisfação. — Nós íamos vender, mas ele acredita que pode fazer a Colline voltar a dar lucro.

Tenho certeza de que meus olhos brilham de admiração. Na verdade, todos estamos impressionados.

Menos meu pai, claro. Ele, se pudesse, nem estaria escutando essa história. Difícil entender esse ódio todo.

— Estou com muita esperança de que agora Luka vai acabar colocando a cabeça no lugar.

— Oh, titia, está claro que ele já demonstra ser uma pessoa diferente, mais pé no chão, só de se dispor a cuidar dos negócios — derrete-se mamãe, levantando-se para abraçar tia Marieva. — Algo me diz que o próximo passo será ele reconhecer que tem a mãe mais maravilhosa do mundo.

Ninguém diz nada, mas as reações de cada um de nós destoam entre si. Alguns fazem cara de descrença (meu pai, óbvio, e vovô); outros, de compreensão (Giovana e Irina); eu não sei o que pensar, o que sentir; e, infelizmente, sobrou um para desdenhar (Hugo):

— Duvido. E por acaso alguém deixa de ser marginal da noite para o dia?

— Oh! — exclama Irina. Ela não cabe em si de tanta perplexidade. — Hugo, que conversa é essa?

O rei Andrej reage de outra forma. Dá uma dura encarada no filho e ordena que ele peça desculpa.

Tia Marieva exibe um sorriso amarelo.

— Não precisa, querido. Sei que não sabe o que está dizendo.

Duvido muito. Hugo é um pestinha assumido. Adora soltar umas tiradas de efeito quando ninguém está esperando.

Para não lhe dar corda, contenho uma risada na marra. Acho que papai e Giovana fizeram o mesmo.

Irina está no meio de uma bronca entre dentes quando Nicolai, o secretário particular de vovô, irrompe na sala, estampando no rosto uma careta horrorizada.

— Boa noite — cumprimenta sem graça. — Desculpe a interrupção, mas, majestade, preciso falar em particular com o senhor.

Meu avô se levanta da mesa sem titubear.

— Vamos até o escritório.

Porém, antes que os dois tenham tempo de sair, ouvimos umas explosões semelhantes a fogos de artifício. No entanto, de alguma forma, sabemos que não se trata de fogos.

— Ana! — grita meu pai, agarrando mamãe, pronto para tirá-la da sala.

Então Nicolai expõe a informação que veio dar ao rei, diante de todos nós:

— A frente do castelo está tomada de manifestantes republicanos. A equipe de segurança apurou que muitos estão armados. Não sabemos por que estão aqui, mas aconselho que se protejam no abrigo.

Assustados, permanecemos um tempo imóveis, processando a notícia.

Não me lembro de um dia já termos passado por isso. Acredito que esta geração dos Markov jamais precisou usar o abrigo antibombas. Cultivamos, há décadas, um ambiente amistoso e democrático. Muito me espanta esse movimento contra o regime monárquico. Gostaria de saber o que tem sustentado os argumentos da organização Nova Era para derrubar o governo do meu avô, além da alegação de que vivemos de regalias e privilégios.

— Vão! — esbraveja o rei. — Rápido!

— Mas e você? — questiona Irina, segurando o marido pelo braço.

— Tenho que ficar. Há muito o que resolver. — Andrej faz um carinho na bochecha da rainha e a dispensa em seguida. — Vão. Não podemos perder tempo.

Tudo o que nos resta é obedecê-lo.

Vejo papai levar mamãe no colo. Se não fosse pelo estado delicado dela, estou certa de que ele seguiria meu avô, recusando-se a se esconder, independentemente do perigo. Agradeço em meu íntimo por tê-lo conosco. Embora estejamos meio estremecidos, sei que ficaremos mais tranquilas com meu pai por perto.

O abrigo não lembra em nenhum aspecto aquelas câmaras escuras e claustrofóbicas que aparecem nos filmes, quando os personagens têm que se esconder de algum perigo iminente, como ataques aéreos, fenômenos naturais de altíssima intensidade (tufões, vendavais, queda de meteoros sobre Nova York) ou invasões alienígenas.

Trata-se de um salão subterrâneo, uma espécie de *loft*, com todas as condições necessárias para que uma família grande viva confortavelmente por, pelo menos, um mês. Além das oito camas dispostas no canto mais afastado do cômodo — como num reformatório —, há uma cozinha com fogão, geladeira e micro-ondas, armário abastecido e uma mesa. E, claro, um banheiro.

Mas nada disso faz a situação ficar menos tensa. Nós nos ajeitamos como dá, mas é tudo bastante surreal. E eu pensando que complicações desse nível só aconteciam lá na Nigéria. Grande zona de conforto!

Giovana manobra a cadeira de rodas de tia Marieva e a coloca perto de mamãe e papai. Está ali para confortar a sobrinha e não reclama de nada. Fico impressionada com o tamanho do coração dessa mulher.

Fatalmente acabo me lembrando de Luka e me pergunto por onde ele deve andar. Desse pensamento à recordação de nossos beijos no carro dele na noite anterior é um pulo. Alheia ao tumulto do lado de fora do castelo e às manobras executadas pela equipe de governo para minimizar o problema, volto a nós dois sozinhos, entregues um ao outro, e sinto minha pele formigar.

É inegável que estou mais do que atraída por ele, constatação que mais me deprime do que me alegra. Ainda que houvesse a chance de termos um relacionamento, nem que ela fosse mínima, juro que me deixaria levar pelo sentimento. Porém, diante da atitude de Luka de "eu não posso te querer", de que adiantaria eu criar alguma expectativa?

Sem desejar dar uma de mocinha *mimimi* das histórias românticas, obrigo minha mente a parar de ter devaneios com o *bad boy* gostosão. Solto meu corpo sobre uma das camas e dou um suspiro.

Espero que vovô e sua equipe tenham mais sorte com os republicanos do que eu com a minha vida amorosa.

Não sei quanto tempo se passou desde que nos enfiamos no abrigo. Depois do estupor inicial, todos nós ficamos perto da mesa da cozinha enquanto procuramos explicações para o recente fenômeno de insatisfação de parte da população com a política no país. Temos nossas teorias, mas, ainda assim, elas nos parecem insuficientes para justificar o levante.

De qualquer forma, fazemos o que podemos para não deixar transparecer a apreensão que aumenta à medida que o tempo passa. Antes de mais nada, acredito que temos que pensar no bem-estar da minha mãe. Afinal, poucas horas atrás, ela estava hospitalizada, correndo risco.

Permaneço sentada aos pés dela, fazendo um carinho preguiçoso em suas mãos, enquanto esperamos notícias sobre o protesto. É angustiante.

Então, quando a resignação começa a se instalar em todos nós e preparamos nosso espírito para passar a noite amontoados dentro do abrigo, recebemos a informação de que a situação já está sob controle. E temos permissão para deixar o local.

— Graças a Deus! — comemora mamãe, visivelmente satisfeita.

Eu a abraço, aliviada e, ao mesmo tempo, curiosa. Quero muito saber como as coisas acabaram terminando.

Subimos de volta até a sala de jantar, onde esperamos ficar a par de todo o ocorrido. A refeição ainda está nos pratos, do jeito que deixamos quando saímos às pressas. Tudo indica que os empregados também correram para se proteger. Que bom!

— Onde está meu pai? — Hugo choraminga; os olhos cheios de medo. Mal sabe ele que, apesar do aperto, fico com vontade de soltar uma piadinha sobre sua falta de coragem. Afinal, o moleque adora bancar o valentão. Mas me contenho. A hora não é apropriada.

Antes que alguém tenha a chance de responder, Luka aparece, desviando a atenção toda para si. Meus batimentos cardíacos triplicam de intensidade ao vê-lo surgir todo atordoado, como se tivesse lutado uma batalha contra uma horda de inimigos. E talvez tenha mesmo. Afinal, como diabos conseguiu chegar ao castelo com o caos instalado na entrada?

— Como vocês estão? — pergunta, a uma certa distância. Seus olhos percorrem tudo ao redor, até se depararem com tia Marieva. É impossível não ver o alívio estampado em seu semblante, mesmo que sutilmente.

— Luka! — Giovana se joga nos braços do irmão e desata a chorar. Ele a consola apertando-a com força.

— Filho, como chegou até aqui? — Quer saber tia Marieva, consumida de preocupação.

Luka abre a boca para responder, mas meu pai se adianta, lançando-se sobre ele e exigindo explicações:

— Esse marginal só pode estar envolvido com os manifestantes. Caso contrário, não teria chegado tão rápido. Acertei, não é, rapaz? Quero ver você negar isso na minha cara.

Cubro a boca com a mão.

Diante do silêncio de Luka, meu pai agarra o colarinho da camisa dele e despeja sua ira, sem pensar nas consequências. Giovana se afasta, perplexa.

— Não vai falar nada, seu imbecil? Vamos, assuma de uma vez!

— Alex, pare! — grita mamãe. — Largue-o, pelo amor de Deus!

— Você não pode defender esse sujeito, Ana. Não vê que ele não presta?

— Solte-o, Alexander! — Tia Marieva também faz sua exigência.

Quanto a mim, estou em choque, decepcionada e preocupada com que toda essa tensão faça mal à saúde da minha mãe. Então ouso tomar uma atitude:

— Pai, pare com isso! Está deixando tudo ainda pior.

Dois pares de olhos se voltam para mim, ao mesmo tempo. Um deles transmite uma ira à qual eu ainda não havia sido apresentada até hoje. O outro, desarmado, revela mais coisas do que seu dono possa vir a imaginar. Mas não tenho tempo de fazer uma análise detalhada. Papai, enlouquecido, reage ao meu protesto:

— Elena, fique fora disso! — ruge ele, soltando faíscas pelo olhar. — Seu julgamento não é imparcial.

— Alex! — grita mamãe uma segunda vez, mas em vão. Seu marido não quer ouvir ninguém.

— Você está deixando que sua paixão infantil e burra a cegue diante da verdade. Esse sujeito é um...

Aperto os olhos com força e cubro os ouvidos com as mãos. Não acredito que meu pai disse isso. Não acredito que me humilhou dessa maneira na frente de tanta gente; pior, diante de Luka! Estou prestes a chorar de vergonha, mas isso seria a consagração da minha humilhação.

— Mãe, preciso ir — anuncio, trêmula e pálida.

— Filha...

Beijo seu rosto de leve. Depois sussurro:

— Vou ficar bem, certo? E fique bem você também. Por favor...

Ela assente e retribui o beijo.

Sem mais pausas, fujo da sala. Quero desaparecer o mais rápido possível.

Só quando estou do lado de fora, no pátio, longe de todos, é que desacelero. Recosto-me numa pilastra e respiro fundo, ainda em luta contra as lágrimas que fazem força para sair. Meu peito sobe e desce freneticamente.

— Elena.

Dou um pulo, tamanho o susto que levo. É Luka. Ah, não!

Levo uns segundos me decidindo se olho para ele ou não. Mas ele resolve a parada, envolvendo meu rosto com as mãos, que o erguem devagar. Nossos olhares se encontram, e a gente deixa que eles se conectem por um tempo. A química que rola entre nós é quase palpável. Sou obrigada a refrear um gemido.

Luka abaixa a cabeça até parar a alguns míseros centímetros da minha. Em seguida, sussurra:

— Você confia em mim?

Ah, quer saber? Cansei de analisar, de ponderar, de exigir explicação para tudo. Desconheço o que Luka quer comigo de verdade. Tampouco isso vem ao caso agora. Então, exausta de lutar contra meus sentimentos, balanço a cabeça e lhe dou a resposta:

— Sim.

Acho que nunca fui tão sincera na vida.

ELENA

Capítulo 24

— Onde está seu carro?

Pisco. Definitivamente essa pergunta não era a que eu esperava de Luka nesse momento.

— Deixei o meu na estrada para tentar passar pelos manifestantes e chegar até aqui despercebidamente. — Ele ri; sinto um frio intenso na barriga. — Minha estratégia deu certo.

Aponto para o estacionamento.

— Vamos nele ou andamos até o jipe? — Luka quer que eu decida. Como, se não tenho a menor ideia do que ele está falando?

— Vamos aonde? — gaguejo.

— Surpresa.

Com uma cara bem safada, Luka agarra minha mão e me conduz até o meu carro.

— Iremos no seu.

Sem cerimônia, ele me pede a chave. Destrava as portas e ocupa o assento do motorista. Confiante! Dá a partida, dirigindo devagar até o portão do palácio. Checa com os seguranças se a desordem se dissipou totalmente.

— Sim, senhor. Não há mais sequer um único indivíduo pelos arredores — confirma o guarda.

Sendo assim, saímos mais tranquilos. Quero dizer, Luka dá sinais de estar mais relaxado, porque eu, bem, continuo uma pilha de nervos.

Não conversamos até alcançarmos o carro dele, o que não demora muito.

— Vai me seguir?

Eu franzo a testa.

— Preciso passar em casa — explica, sem ser nem um pingo explícito. — Podemos deixar um dos carros lá e viajar no outro.

— Viajar? — Engulo em seco. — Para onde?

— Você disse que confiava em mim — ressalta Luka.

— Sim, mas...

— Shhh...

Luka me cala, pressionando o indicador sobre meus lábios. Esse simples toque me faz ter arrepios múltiplos.

Dou de ombros para disfarçar a empolgação.

— Ótimo.

Dirijo atrás do jipe dele, criando infinitos cenários fantasiosos para onde estamos indo. A possibilidade de maior apelo é: eu sendo levada para um chalé nas montanhas, situado em alguma cidadezinha italiana, bem bucólica, onde viveríamos de amor e de brisa, de sol e de vinho até o fim dos nossos dias.

Rio comigo mesma. Desde quando me deixo levar por pensamentos tão românticos e impossíveis?

Só paro de delirar no momento em que estacionamos os carros na garagem do prédio dele.

Fico de pé do lado de fora e me encosto na porta do meu Citroën, de braços cruzados, à espera de novas informações. Odeio ficar na ignorância.

— Vamos subir? Tenho que pegar algumas coisas lá em cima.

Ignoro o formigamento no estômago e recuso o convite:

— Prefiro esperar aqui.

— Como quiser, princesa.

Ele me deixa sem hesitar. Aproveito para curtir a paisagem. A calça jeans se ajusta nos lugares certos, promovendo uma visão interessante a quem o observa por trás.

Como se eu já não tivesse passado por uma tremenda situação embaraçosa essa noite, sou flagrada observando o traseiro dele. Assim que aperta o botão para chamar o elevador, dá uma olhadinha para trás e pisca para mim.

— Apreciando a vista?

Ofego, com a face, de repente, em chamas. Viro o rosto para o outro lado, tentando me livrar da vergonha de ser pega babando por Luka.

Já fiz isso demais antigamente, quero dizer, ficar pagando pau para a beleza dele. Costumava delirar na frente do computador sempre que solicitava ao Google uma pesquisa sobre o desorientado Luka Markov Acetti. E acabava, por tabela, descobrindo muitos podres dele.

Para ocupar minha mente com outras questões, tiro o celular de dentro da bolsa e escrevo uma mensagem para mamãe.

> Oi, mãe! Espero que o clima exaltado aí no castelo já tenha amenizado.
> Papai passou dos limites. Mas, por favor, não se deixe afetar. Pense nos bebês quando começar a se sentir incomodada, ou irritada, ou temerosa.
> Vai ficar tudo bem...
> Estou com Luka e me sinto segura.
> Portanto, não se preocupe comigo.
> Ainda não sei para onde ele planeja me levar. Penso que seja para a sede da vinícola, nos arredores de Craiev, já que falou algo sobre viajar.

> De todo modo, essa mudança de cenário vai fazer bem a mim.
> Só peço que se cuide. Mando notícias assim que tiver novidades.
> Te amo! S2

O retorno dela é imediato:

> Minha amada filha, aprendi muito cedo que o que nos faz feliz são as coisas simples da vida. Dinheiro, posição social, uma casa de infinitos cômodos, roupas de grife, nada disso tem valor quando não estamos bem com nós mesmos.
> Apesar da crise política, dos acessos de bobagem do seu pai e da minha gravidez de risco, sinto-me em plena felicidade. Porque tenho você ao meu lado, sempre aberta, companheira e carinhosa.
> Desejo que seja feliz também. Não se preocupe comigo. Siga seu caminho. Estarei bem.
> Te amo muito.

Um nó aperta minha garganta. Essa mulher é inacreditável.

Ainda estou envolvida por suas palavras afetuosas quando Luka reaparece. O barulho do elevador desvia minha atenção da mensagem, a qual já li umas três vezes. Luka tem uma pequena mala na mão e carrega um violão no ombro. Está relaxado. Dá para ver isso na maneira como caminha. Porém, sua expressão se fecha um pouco ao olhar do celular para o meu rosto.

— O que foi que eu perdi nos últimos cinco minutos?

— Nada. — Dou de ombros. — Só queria saber se minha mãe está bem.

— E está? Porque você parece meio abalada.

— Sim. Ela está ótima. É que costumamos ser bastante explícitas em nossas declarações de amor uma para a outra. — Deixo escapar, para logo me arrepender. Não queria passar a imagem de filhinha da mamãe.

Mas Luka sorri, sem ironia nem crítica; desarmado.

— Sua mãe é o máximo.

Surpreendo-me com o elogio, embora não devesse. Há dias Luka não tem agido como ele mesmo.

Entramos no carro dele, depois de uma discussão sobre a sexualidade dos veículos — pode uma coisa dessas? —, e em poucos minutos pegamos a rodovia federal. Conforme deduzi, nosso destino é mesmo a sede da Colline Viola. Algo me diz que vou adorar conhecer a vinícola, além do lado... empresarial de Luka.

É constrangedor voltar a sair com ele no jipe. Afinal, 24 horas antes estávamos nos agarrando sobre esses bancos de couro, como se fôssemos os últimos seres humanos do planeta.

Talvez com o objetivo de desviar nossos pensamentos dessa direção perigosa, Luka liga o som e preenche o silêncio com a banda One Republic. Toca *Secrets*, uma música antiga. Reparo na letra, e é impossível não associá-la ao cara do meu lado. Perco-me nela, em sua melodia, o que me leva a fechar os olhos e curtir.

Da curtição para o sono, acho que fui num pulo. Porque, quando volto a abrir os olhos, já estamos estacionados em frente a uma casa enorme, de estilo neoclássico, cuja fachada é toda iluminada por postes semelhantes aos de cidadezinhas históricas, como as da região da Toscana, na Itália.

Estou impressionada e, ao mesmo tempo, temerosa. Toda a euforia de estar fazendo algo sem pensar nas consequências, como fugir com Luka sem ter noção do que me espera, míngua consideravelmente. Além de não saber o que me aguarda, também não conheço direito o cara com quem vou dividir o teto essa noite, apesar do nosso parentesco. E se isso for uma completa burrice?

— Aqui estamos. — Luka interrompe minha luta interior, sem ter ideia do que se passa dentro da minha cabeça. — Impressionante, não?

— E como! — murmuro, sem muita empolgação. Há tensão demais dominando meu espírito para que eu possa curtir o cenário com tranquilidade.

— Minha mãe queria vender tudo isso — Ele faz um gesto com abraços, como se abarcasse todo o espaço ao redor —, mas acredito que podemos fazer a Colline voltar a dar lucro. Por isso vou ficar aqui na Krósvia. Quero reerguer a empresa.

Fico contente que Luka tenha explicado os fatos antes de eu pedir, embora já soubesse disso. Deu a entender que não me trouxe por um motivo frívolo ou obscuro. Apenas aproveitou a própria partida para me dar a oportunidade de respirar livremente, longe das maluquices do meu pai.

Antes que eu faça algum comentário, Luka sai do carro e o contorna a fim de retirar suas bagagens do porta-malas. Então minha ficha cai. Estou somente com a roupa do corpo e ainda nem tomei banho.

Volta o nervosismo. Droga!

— Vem. — Ele abre a minha porta e me ajuda a descer, me puxando pela mão. O violão escorrega do ombro, mas Luka o ajeita de volta sem se soltar de mim.

Sem reclamar, sigo-o até a entrada da casa. Não aparece ninguém para nos receber. Não que isso seja um problema. Luka tira um chaveiro do bolso e destranca a porta, como se fosse um gesto corriqueiro. E sei que não é.

— Fique à vontade. — Ele me dá passagem. Então, eu entro e quase caio para trás. Por fora, a casa é maravilhosa; por dentro, é deslumbrante. E olha que cresci num castelo de verdade, rodeada de obras de arte, mobílias raras e caríssimas, cômodos a perder de vista. Mesmo assim, o lugar é fantástico.

— Nossa! — exclamo, encantada.

Reconheço uma construção de bom gosto com facilidade. Afinal, papai é um renomado arquiteto. Cresci ouvindo suas explicações sobre estilos, história, características de cada época. Portanto, sei que estou dentro de uma preciosidade. Assim como Luka, jamais permitiria que minha família abrisse mão do lugar. E olha que nem conheci ainda o resto.

— Sim, é fantástica — concorda Luka. Ele dá alguns passos, observando as peças de decoração. — Mas nunca a usufruímos como casa de campo. Isso sempre foi o reduto profissional do meu pai. Raramente ele nos trazia aqui.

Devo ter feito a maior cara de interrogação, porque Luka prossegue:

— Meu avô construiu essa casa para morar. O vinhedo veio depois, assim como os negócios. Quando a empresa deu certo e a marca Colline Viola pegou, ele ergueu uma pequena construção, de onde passou a gerenciar a vinícola, uma espécie de sede administrativa. Fica a poucos quilômetros daqui.

Eu não sabia disso. Nem meus pais nem mesmo o vovô jamais tiveram disposição para falar sobre Marcus.

— Este lugar era o reduto da família. Depois que meus avós morreram, ninguém voltou a morar aqui e meu pai parou de nos trazer.

— Puxa, que pena! — Suspiro. Eu teria gostado de crescer ali. — Mas tudo está tão bem conservado e limpo. Tia Marieva costuma vir, ou a Giovana e a Luce?

Luka nega, franzindo a testa.

— Nenhuma delas. Minha mãe e minhas irmãs odeiam esta casa, a vinícola e tudo o que diz respeito ao antigo negócio do meu pai — comenta ele, parecendo não se incomodar. Mas eu acho que Luka se sente incomodado, sim. Os punhos cerrados nas laterais do corpo servem de confirmação. — Temos muitos empregados, a maioria da vinícola. Mas há um casal que cuida exclusivamente da casa, mesmo que ninguém apareça.

Que triste!

— Pelo menos agora você está por aqui — digo, genuinamente feliz porque essa beleza será habitada novamente.

— Sim. — Apenas com essa resposta monossilábica, Luka encerra o assunto. Em seguida, aponta para a escada ao fundo da sala, toda de mármore, com corrimão de ferro fundido trabalhado em arabescos que lembram os da Grécia Antiga. Meus dedos coçam de vontade de fotografar. Gostaria que minha câmera estivesse comigo. — Os quartos ficam lá em cima. São vários. Pode escolher qualquer um.

Subimos em silêncio; eu atrás dele. Meu coração só falta furar o peito a socos. A palavra *quarto* me fez pensar em um monte de coisas, todas perturbadoras.

— Vou ficar naquele ali. — Luka aponta para o final do corredor. O quarto em questão fica atrás de uma porta francesa, daquelas duplas, que abrem pelo meio, o que me faz lembrar de outra porta e do que encontrei atrás dela alguns anos atrás.

Por segurança, escolho um dormitório bem distante do dele, no extremo oposto do corredor.

Luka me leva até ele e diz:

— Tem tudo dentro do armário, eu acho. Pelo menos, foi o que a Marta me disse ao telefone. — Ele coça a cabeça, meio desconcertado. — Se quiser tomar um banho, as toalhas estão no banheiro, bem ali.

Sigo a direção do dedo de Luka. Beleza, mas e quanto a roupas limpas? Tenho certeza de que isso ele não poderá providenciar. E quem diabos é essa tal de Marta?

Perito em adivinhar meus embates mentais, ele esclarece todas as minhas dúvidas:

— Vou pegar algo para você vestir, certo? Marta, a senhora que toma conta de tudo por aqui, deve manter algumas peças de roupas femininas guardadas nos armários, para imprevistos como o de hoje.

Dou um sorriso sem graça, incerta se fico grata ou ainda mais constrangida com a oferta. E então, depois de me lançar uma piscada, Luka me deixa sozinha. Quero dizer, eu achava que ele tinha saído. Porque nem bem começo a soltar o ar, ele volta, encosta o ombro no batente da porta, cruza os belos braços tatuados sobre o peito sarado e avisa:

— Não demore muito a descer. Vou preparar alguma coisa pra gente comer, ok?

Concordo, balançando a cabeça.

— Tem alguma preferência? Ou despreferência? — brinca, não de um jeito bobo. Luka, no momento, é pura sensualidade. Minha boca fica seca.

— Gosto de tudo. — É só o que consigo dizer.

— Ótimo.

De novo, ele pisca, mas agora sorri junto. Que combinação, meu Deus!

Tomo um banho demorado porque ainda não estou pronta para encarar Luka na cozinha. Óbvio que não existe a menor chance de eu protelar esse momento por muito tempo. Uma hora terei de descer.

Saio do chuveiro e me enrolo num roupão enorme, que encontrei dentro do guarda-roupa, do jeito que Luka havia indicado. Fico com uma sensação ruim só de pensar que terei de usar as mesmas roupas. Passei o dia inteiro com elas. E o estresse causado pela quase invasão ao castelo serviu para deixá-las ainda mais desconfortáveis. Que jeito?!

Arrastando-me, entro no quarto. E vejo um blusão de moletom sobre a cama. Sorrio, imaginando como ele apareceu ali enquanto eu estava no chuveiro.

Trata-se de um velho agasalho masculino, cinza, com o logotipo da universidade de Perla na frente. Está visivelmente surrado. Contudo, tem o aroma mais delicioso do planeta — pelo menos, para mim.

Jogo-me sobre o colchão, agarrada ao agasalho, me permitindo um ataque de bobeira. O cheiro de Luka impregnado no tecido me faz ficar tonta. Permaneço alguns minutos desse jeito, largada feito lagartixa ao sol, enrolando o quanto posso antes de enfrentar o maior dos meus anseios atuais.

Depois trato de me vestir, mantendo as mesmas peças íntimas — por pura falta de opção — e a calça *legging* preta. O moletom me engole e vira um vestido, provando mais uma teoria: Luka é mesmo um sujeito de presença marcante.

Calço as sapatilhas azuis, desembaraço a cabeleira recém-lavada com um condicionador de lavanda que encontrei no banheiro, e executo uma espécie de exercício respiratório.

Chega de enrolar!

LUKA

Capítulo 25

Já tomei banho, arrumei ingredientes para o jantar, comecei a prepará-lo, uma taça de vinho já se foi e nada de Elena dar o ar da graça. Ou ela caiu no sono — hipótese que prefiro descartar, caso contrário, me sentirei desprezado —, ou está enrolando para descer. Seja como for, é frustrante esperar uma pessoa quando a gente quer muito que ela apareça.

Dou um pulo para trás quando o azeite que joguei na frigideira começa a espirrar. Sem que eu consiga desviar a tempo, uma gota escaldante atinge meu quadril, o que me leva a xingar um monte de palavrões. É nisso que dá juntar frustração com dor — e optar por não vestir uma camisa.

Quebro quase uma dúzia de ovos dentro da panela enquanto minha mente me leva de volta ao momento em que vi pela televisão, depois que meu pai foi embora, a baderna provocada pelos republicanos em frente ao Palácio Sorvinski. Jamais cogitei que eles seriam capazes de ir tão longe, mas foram. E o que é pior: estão extremamente articulados e prontos para qualquer parada, desde que seja com o objetivo de destronar Andrej e instaurar o regime republicano.

Fiquei tenso ao assistir às cenas pelo canal de notícias, mas o que mais me preocupou foi quando o repórter informou que parte dos

Markov, devido a um jantar em família, se encontrava dentro do castelo. Minha cabeça deu um nó ao ouvi-lo dizer que, além do casal real e seu filho, da princesa e do marido dela, também estavam lá minha mãe, Giovana e Elena.

Não pensei duas vezes. Parti de carro e dirigi em alta velocidade, me lixando para os radares e viaturas, e só parei quando percebi que os manifestantes haviam impedido o acesso ao castelo. Deixei o jipe estacionado numa ruazinha perpendicular à estrada principal e segui a pé mesmo. Furei o mar de pessoas, às vezes, sendo empurrado até quase cair no chão; outras, empurrando para prosseguir.

Assim que fiquei perto o suficiente do portão de entrada, claro que os seguranças reagiram. E não foi com delicadeza. Eles quiseram me atacar. Então, mais uma vez, precisei usar minha carteira de identidade. Mesmo assim, esperei que checassem os dados num computador, o que levou angustiantes minutos. Em seguida, interfonaram para o castelo e alguém lá de dentro liberou minha entrada.

Soube, logo após, que a autorização partiu do próprio rei, mas não tive tempo de perguntar a ele por que fez isso por mim. Afinal de contas, mal apareci na sala de jantar, dei de cara com todo mundo voltando do abrigo para onde haviam sido encaminhados, por precaução. A confusão estava visível no rosto de todos. Não soube muito bem o que fazer. Queria confortar minha mãe — mas não fiz —, ir até Elena, falar com Ana. Mas fui impedido por Alexander, que saiu gritando e fazendo acusações feito um louco, irritou quase todo mundo e, ainda por cima, afastou a filha, que, por sinal, está comigo agora.

Provo o gosto dos ovos mexidos — minha (única) especialidade —, com a paciência já no limite. Cogito subir as escadas e socar a porta do quarto daquela garota até que ela mostre a cara. Mas, felizmente, não preciso fazer isso.

Ouço os passos de Elena ecoando hesitantes pelo piso quadriculado do corredor anexo à cozinha. Sorrio com satisfação. Porém, não me viro para recebê-la. Prefiro que ela pense que estou distraído.

Retiro os ovos da frigideira e faço o maior estardalhaço para colocá-los num prato. Mesmo sabendo que Elena está bem atrás de mim, espero até que se manifeste — pigarreando — antes de voltar minha atenção a ela.

— Ah, oi! — digo, fingindo surpresa. — Não ouvi você chegar.

— Oi.

Passeio os olhos por Elena, demoradamente, apreciando a linda criatura diante de mim. Mesmo de moletom velho e largo, que esconde todas as suas curvas perfeitas, ela consegue me tirar do sério.

Aponto com a escumadeira para o agasalho e comento:

— Ficou meio grande, né? Mas é o mais confortável que tenho.

Elena move a cabeça em concordância, mas o olhar dela está estranho, meio desfocado, como se estivesse incomodada com alguma coisa.

— Está tudo bem? — pergunto, meio preocupado.

— Sim, tudo ótimo. O chuveiro é maravilhoso e o quarto, uma graça.

Dá vontade de dizer que uma graça é ela, além de maravilhosa. Mas me contenho. Não quero assustá-la. Não ainda.

— Então venha se sentar. Você deve estar com fome. Acho que a surpresa interrompeu o jantar no castelo, não é?

— A desagradável surpresa, você quer dizer — acrescenta ela, sentando-se num banco em frente à bancada de granito, que também serve de suporte para o fogão de estilo *cooktop*. Gostei da escolha dela. Assim a gente fica bem próximo um do outro.

— É claro.

Ofereço uma taça de vinho, para a qual olha com dúvida.

— Não gosta de vinho?

— Gosto. Só não sei se é uma boa ideia beber depois de passar por tantas emoções num único dia — argumenta.

Paro para analisar as feições de Elena. As bochechas estão coradas; os olhos, brilhantes. Tudo isso já é bom, mas fica ainda melhor complementado pelos cabelos molhados. Imagens dela debaixo do chuveiro agitam as coisas dentro de mim. Chego a sentir o cheiro do xampu.

— Afirmo que um pouco de vinho, nesse caso, será uma ótima ideia — retruco, empurrando para o fundo meus pensamentos censuráveis. — Vai fazer você se sentir bem melhor.

Elena sorri timidamente e toma um gole. Cruzo os braços no peito para observar sua reação. Péssima ideia. Seus lábios cheios ficam rosados em contato com a bebida, enviando um convite velado para serem languidamente beijados. Para completar, ela geme, que nem uma gata satisfeita. Juro que, se eu não estivesse sem camisa, teria de arrancá-la de qualquer jeito. Essa garota é fogo.

— Muito bom. — Elena dá seu veredito. — E para comer, o que temos?

— Não quero me gabar, mas você está prestes a saborear a melhor comida de todos os tempos — brinco.

— Duvido muito, mas manda ver.

Acho graça do jeito dela. Gosto dessa Elena, menos meiga, mais dona de si. Foi legal vê-la enfrentando o pai, mostrando para ele que pode muito bem andar com as próprias pernas.

Jogo uma boa quantidade de ovos mexidos num prato e acrescento fatias de pão temperadas com azeite e alho.

— Espero que não seja alérgica a nenhum desses ingredientes.

Ela solta uma gargalhada gostosa, sonora, que preenche tudo ao redor.

— Ainda bem que não. Só os meus quadris que têm uma certa aversão a tudo que contém carboidrato e gordura.

— Você não é daquelas mulheres, é? — questiono. Não é possível que ela acredite que está acima do peso.

— Daquelas mulheres? — repete Elena, de sobrancelhas arqueadas. — Quais, por exemplo?

— Daquelas que se acham gordas, mesmo quando não são, e passam fome comendo saladas, embora sonhem com frituras.

Ela ri de novo.

Estou apreciando demais esse novo jeito da garota. Bom, novo jeito de agir perto de mim, pelo menos.

Ela aceita o prato que ofereço e dá uma primeira garfada bastante generosa como resposta ao meu último comentário. Faço o mesmo. E a gente come envolto num silêncio pesado, cheio de frases não ditas, que pairam entre nós como nuvens carregadas prestes a desaguar.

É Elena quem acaba rompendo o desconforto ao levantar uma dúvida que, acredito, a incomoda há muito tempo:

— O que exatamente você fez para que meu pai o odeie tanto?

Deixo o garfo sobre o prato e me inclino até quase falar dentro do ouvido dela, respondendo à pergunta com outra pergunta:

— Não seria porque flagrou a filhinha querida e adolescente aos beijos comigo no jardim?

Pisco para enfatizar a hipótese sugerida. Elena cora, de um jeito encantador, e abre mão de emitir sua opinião a respeito dessa tese.

Divirto-me com o embaraço dela. Mas também tenho pena. Desisto de pressioná-la, apesar de ter sido ela quem começou, e puxo um assunto mais fácil:

— O que você faz da vida, Elena? Quero dizer, além de amar sair por aí fotografando pessoas.

Ajeitando a postura no banco até ficar de frente para mim, ela explica:

— Eu estudo Línguas nesta mesma universidade — aponta para a logomarca impressa no moletom —, mas tranquei o curso por um ano para trabalhar como voluntária no grupo Universitários sem Fronteiras.

Por essa eu não esperava. Já ouvi falar desse grupo. Sei que os integrantes viajam pelo mundo, para as regiões mais miseráveis do planeta, a fim de oferecer ajuda humanitária.

— Você está de brincadeira!

— Ué, por quê? — Elena se empertiga, toda irritada.

— Ora, você é uma princesa. Nasceu em berço de ouro. Sempre teve tudo com facilidade. Não é fácil enxergá-la no papel de humanitária. — Demonstro meu ponto de vista, ainda muito surpreso.

— Ah, pelo amor de Deus! Você nem me conhece, Luka. Não sou uma patricinha fútil. Tenho meus ideais! — Ela se defende.

Sorrio com um dos cantos da boca. Se eu ainda tinha alguma dúvida de que essa garota é diferente e mexe comigo de um jeito único, agora acaba de se tornar oficial. Bom, pelo menos, para mim mesmo. Não que eu vá sair por aí divulgando isso.

— Quer dizer então que esteve fora por um tempo? Onde?

— Nigéria.

Arregalo os olhos. Elena não gosta da minha reação.

— O quê? Pensou que eu fosse começar por um lugar mais *light*, com problemas pequenos, só para dizer que fui?

— Bom, acho que sim — respondo com sinceridade.

Recebo um soco no ombro, e nós dois nos assustamos ao mesmo tempo. Prendo a respiração quando sinto os olhos de Elena sobre o meu peito nu. Acredito que ela não tenha notado que seu gesto não passa despercebido. Seus olhos cor de jade se demoram em minhas tatuagens, principalmente na frase que tenho gravada num dos lados do meu corpo, sobre o osso do quadril. É um pensamento do filósofo francês Jean-Paul Sartre: *O inferno são os outros.*

Elena ergue a mão e a direciona aos poucos para mim. Mas antes de tocar a tatuagem — seu objetivo —, ela se refreia. Uma pena. Quase sinto seu toque, o que me faz estremecer por antecipação.

Com a intenção de impedir que ela acabe se sentindo mal pelo lapso, volto a me ater aos detalhes de sua vida como voluntária na Nigéria:

— E como são as coisas por lá, digo, na África? É muito... ruim?

Vejo que a mudança de foco a pega de surpresa porque Elena demora um pouco para assimilar o que acabei de perguntar. Mas ela é esperta e retoma o controle em instantes.

— É muito complicado. Chegamos à aldeia e não fomos aceitos de cara. Muitos homens ficaram contra nós. No meu caso, que fui para incentivar a leitura entre as crianças, a resistência era muito grande. Os pais não queriam que os filhos deixassem de ajudá-los com suas tarefas para ir à escola. Passamos as primeiras semanas fazendo um difícil trabalho de convencimento e conscientização. Mesmo assim, até hoje, muita gente ainda não admite o apoio do grupo.

— Até hoje? Ainda há universitários por lá? — questiono, depois de mais uma garfada na comida.

— Sim. Voltei antes para não preocupar minha mãe durante esse período de gravidez. Mas o grupo continua atuando lá.

Elena fala com paixão. É impossível não me deixar sensibilizar por seu caráter altruísta. Jamais imaginei que ela fosse assim. Eu me envolvo tanto em minha admiração por ela que perco um pouco o fio da explicação. Só ouço o final da última frase, que termina com algo do tipo "pelo menos, tínhamos o Dimitri".

Limpo a garganta, um tanto incomodado com sua menção a esse nome. Não me contenho e indago à queima-roupa:

— Quem é Dimitri?

— O coordenador do nosso grupo.

— Ele é tipo um... professor? — Na verdade, quero saber se ele é velho e casado. Espero que Elena tenha interpretado dessa forma.

— Não. É estudante também, embora seja um dos mais velhos.

Travo o maxilar. Recuso-me a perguntar se ela o acha bonito, mas não gosto dele, de qualquer jeito. Uma última dúvida:

— Vocês são muito próximos?

— Somos amigos, sim. — rebate ela, na defensiva.

Ah, garota! Agora eu fiquei puto.

Fecho a cara, sem vontade de seguir por esse caminho. Mais uma vez a expressão *não mexa com o que é meu* ronda minha mente.

Como Elena também se cala, sinto que preciso fazer algo para desanuviar o clima. Então, do nada, eu me lembro de uma parte do discurso acalorado de Alexander contra a minha pessoa e resolvo tirá-la a limpo. Quero ver a princesinha sair dessa.

— Elena, uma coisa acabou de me ocorrer. É verdade aquilo que seu pai disse sobre você ter uma paixão antiga por mim?

Ouço o som antes de saber o que aconteceu. Vidros estilhaçados no chão, sangue no dedo: esse é o saldo do susto de Elena, que corre até a pia para limpar a mão. Mas sou mais rápido e ágil. Intercepto seus movimentos e a impeço de lavar o dedo ferido.

Eu mesmo quero fazer isso. Só que do meu jeito.

ELENA

Capítulo 26

—Elena, uma coisa acabou de me ocorrer. É verdade aquilo que seu pai disse sobre você ter uma paixão antiga por mim?

A taça de cristal escorrega da minha mão sem que eu tenha a menor chance de impedir a queda. Não acredito que Luka acabou de me fazer justamente essa pergunta. A investigação sobre Dimitri deu para levar numa boa. Mas isso foi demais, em todos os sentidos.

Eu me abaixo depressa por dois motivos: 1) ter uma desculpa para me desviar do assunto; 2) focar meu olhar em qualquer outro ponto que não seja a expressão presunçosa dele. Na ânsia de apanhar os cacos espalhados aos meus pés, acabo me cortando. Um caco entra na ponta do meu indicador da mão direita, e sangue começa a escorrer pelo dedo.

Corro até a pia, com a intenção de limpar o sangramento. Chego a girar a torneira, mas, com a mesma rapidez, ela é fechada. E não foi por mim.

Um braço forte, dourado e tatuado passa por minha cabeça e interrompe meu movimento. Logo depois, alcança meu quadril e me vira, me forçando a ficar numa posição bastante tentadora.

Fico presa entre a pia e o corpo de Luka, que ergue meu dedo machucado até a altura do rosto. Ele o examina como se fosse um médico dos mais entendidos no assunto.

Aguardo ansiosamente o desenrolar dos fatos, que nem de longe progridem para uma situação minimamente imaginada por mim. Porque, contra todas as minhas expectativas, Luka coloca meu dedo cortado na boca, por inteiro, e passa a língua em torno dele para retirar o sangue que goteja sem parar.

Perco o fôlego, de tão perplexa que estou. Ao mesmo tempo, meu corpo inteiro dispara a tremer, como se tivesse sido ligado numa tomada de 220 volts. Os olhos de Luka procuram os meus, prendendo-os em sua manobra de sedução.

Caio em queda livre dentro deles, no azul oceânico que os colore. Se antes eu supunha que meus sentimentos por esse homem estranho e temperamental nunca deixaram de existir, a partir deste momento assumo que eles permanecem intactos — se não ainda maiores — dentro de mim.

Minha boca abre ligeiramente para facilitar a entrada de ar em meus pulmões, mas dela acaba escapando um gemido baixinho, que rezo para não ter sido ouvido por Luka. No entanto, pela cara dele, temo que minhas orações foram desperdiçadas.

Depois de me torturar por uns bons minutos, Luka retira meu dedo de sua boca e o pressiona em seus lábios, agora fechados. Não há mais sinal de sangue e só o que vejo é o pequeno corte causador da cena idílica em que estamos envolvidos.

Prestes a derreter — e pagar um mico daqueles —, esforço-me para me livrar do aprisionamento infligido pelos braços e corpo de Luka. Penso numa tirada, numa frase bacana, que me ajude a escapar do embaraço, como se o que ocorreu não fosse nada de mais.

Mas Luka quer mais: me prender mais, me constranger mais, me segurar mais, me esquentar mais.

— Você não vai a lugar algum — sussurra ele sobre meus lábios, me matando aos pouquinhos. Dá a entender que vai zerar a distância entre nós de vez, beijando-me do jeito que desejo. Mas ele se mantém a poucos centímetros de mim e continua falando, com rouquidão:

— Eu tentei, Elena, tentei mesmo. Mas é ridiculamente impossível resistir a você.

Agora é ele quem encobre meus lábios com os dedos, traçando seu contorno com lentidão, mas sem muita delicadeza. Meu coração palpita com vontade, fazendo com que o blusão de moletom tremule sobre meu peito.

— Nós dois sabemos que não devíamos nos aproximar um do outro, por diversas razões que nem precisam ser relembradas.

Luka, ainda com as mãos em meu rosto, leva a bochecha até a minha. A barba eternamente por fazer faz cócegas, elevando a temperatura do ambiente.

Então ele completa o pensamento diretamente ao pé do meu ouvido, de modo que eu não fique com nenhuma dúvida depois:

— Mas não consigo tirar você da minha cabeça nem o seu gosto da minha boca. E imagino que você esteja sofrendo do mesmo mal.

— Hum, hum — admito depressa, antes que mude de ideia. Já que é para ser assim..

— Ótimo.

E então, para não negar meus anseios, Luka cola a boca na minha, finalmente acabando com a ansiedade que, por pouco, não me sufocou. E, olha, se ontem foi como ver estrelas, agora é isso e muito mais. Porque sinto que o corpo inteiro dele me quer desesperadamente. Suas pernas se encaixam às minhas; seu quadril me mantém presa entre ele e a pia; seu peito sem camisa me aperta; seus braços enlaçam minha cintura, enquanto as mãos se separam e agarram partes diferentes de mim: minha nuca (com a mão direita), a base das minhas costas (com a esquerda). E eu viajo, viajo, viajo nesse beijo e nessas carícias tão intensas que me fazem perder a razão.

— Abra os olhos — ordena Luka, sem tirar os lábios dos meus.

Faço o que ele quer, não entendendo muito bem o porquê.

— Desde que vi você naquele jantar da Luce — sussurra ele, dentro da minha boca —, esses olhos maravilhosos cor de jade não saem da minha cabeça.

E os dele então? São o quê? Tão azuis que parecem pintados por um artista danado de talentoso. E neste exato momento emitem um brilho espetacular que, assim como as lâmpadas para os vaga-lumes, atraem os meus a ponto de eu me perder dentro deles.

— Olhe para mim enquanto beijo você.

Não sei o que é mais sensual: o modo como Luka diz essas coisas ou o jeito com que ele me encara. Mas, quando volta a me beijar, percebo que nada é mais *sexy* do que sua habilidade em manobrar a boca sobre a minha.

Luka me mordisca, gerando uma corrente altamente energizada dentro de mim.

Nós estamos entregues, derretidos, 100 por cento concentrados no prazer que damos um ao outro. É inegável que não estou sozinha nessa. Mais do que palavras, o corpo de Luka — quente, aceso, excitado — é a maior prova de que não estou enganada.

Sinto dedos passeando por minhas costas, debaixo do moletom. Fico toda arrepiada e ofegante; enlouquecida.

Logo estou sentada na pia, com Luka entre minhas pernas — e a torneira cutucando minhas costas.

— Elena, você não tem ideia.

— De quê? — questiono, alisando o maxilar de Luka, adorando a sensação de sua barba por fazer. Ele é lindo.

— De como estou louco por você.

Já ouvi essa declaração antes, em condições bastantes semelhantes até. Na época eu não passava de uma adolescente apaixonada pelo primeiro namorado. O desfecho daquele namoro deveria ter me prevenido contra futuras recaídas. E preveniu mesmo. Nunca mais acreditei na conversa mole de um cara durante o calor de um amasso.

Tanta prudência não me impede de acreditar na declaração de Luka. De alguma forma, sei que ele está sendo sincero. Ingenuidade? Excesso de confiança? Nada disso. Simplesmente sinto, só não posso explicar como. Talvez seja um sexto sentido recém-aflorado.

Sorrio diante das palavras dele e o abraço. Brinco:

— Você só não pode me querer, não é isso? — provoco, lembrando o que ele disse na noite anterior, quando nos impediu de prosseguir.

— É, não posso mesmo — frisa, acariciando meu pescoço com os polegares. — Mas quero ver alguém ter coragem de me impedir.

Luka, com toda a sua autoconfiança, se inclina sobre mim para morder o local onde, há poucos segundos, estavam seus dedos. É um momento crítico, de tomada de decisão. Ou assumo de vez o que sinto e me deixo levar, ou recuo, movida pela possibilidade de me decepcionar mais cedo ou mais tarde.

E justamente quando estou a ponto de escolher uma das alternativas — vou ser franca, resolvi arriscar —, ouço o som do toque do meu celular, guardado no bolso do blusão. Que corta-clima!

— Não atenda — pede Luka; os olhos azuis implorando por atenção exclusiva.

— Eu preciso. — Quase não consigo falar. Estou distraída com a boca e as mãos dele. — Pode ser importante.

Reunindo toda a força que tenho, empurro Luka e puxo o telefone do bolso. Com a mente entorpecida de empolgação, nem checo para saber quem está me ligando. Acredito que seja mamãe.

Mas me engano completamente.

— Oi? — Minha voz sai horrível, como se eu tivesse sido estrangulada ou coisa parecida. Luka fica se achando. Chega até a levantar uma das sobrancelhas, passando a mensagem *Viu o que faço com você?*

— Elena! Oi, garota. Como está?

Tiro o celular do ouvido e confiro o visor só para ter certeza de que não estou imaginando coisas. É ele mesmo.

— Dimitri! Oi...

As mãos de Luka ficam imóveis nas laterais do meu corpo, enquanto ele me encara com os olhos esbugalhados.

— Adivinhe onde estou? — pergunta Dimitri, todo animado.

— Ué, na Nigéria.

Ele fica em silêncio, embora faça questão de deixar que eu escute sua risada.

— Não? Não está mais na Nigéria?

— Voltei para Perla hoje de manhã.

Franzo a testa. Luka me inquire com o olhar, mas agora só quero saber por que Dimitri largou a missão antes do fim do período. Desço da pia, ajeitando a roupa, e faço a ele essa pergunta.

— O trabalho foi cancelado, Elena. O país está prestes a enfrentar uma nova guerra civil, e o governo não quer estrangeiros por lá.

Cubro a boca com a mão livre, horrorizada.

— E agora?

— Agora não há nada que possamos fazer, além de nos prepararmos para uma nova missão daqui a três meses.

Penso nas crianças do povoado, nas aulas que tivemos juntos. O que será delas? Dói imaginar que tudo pode ter sido em vão, que aqueles meninos e meninas provavelmente terão de abandonar seus sonhos, seus ideais, por causa de um governo truculento, autoritário e retrógrado. Isso se continuarem vivos.

Desabo sobre uma das cadeiras. Apoio os cotovelos na mesa, me sentindo mal pela triste notícia.

— Você vai com a gente na próxima, não é? — Dimitri não parece estar nem um pouco comovido com a situação.

— Não sei. — É só o que consigo responder.

Luka capta meu estado de espírito e se agacha ao meu lado, tentando passar seu apoio com um simples gesto de massagear meus braços.

— Por que não? Sua mãe não está bem?

— Ela está de repouso ainda — conto. — Mas não sei se devo deixar o país de novo, ainda mais agora, com tanta coisa acontecendo por aqui também.

— Você está falando do movimento pró-república? — Dimitri quer saber.

— Sim. Preciso ficar com a minha família.

A palavra *família* desperta algo em Luka, que fica um pouco tenso depois de escutá-la. Olho para ele, mas não consigo interpretar sua expressão.

— Talvez, Elena, esteja na hora da Krósvia ter um governante eleito pelo povo, não acha?

O telefone quase despenca do meu ouvido até o chão. Será que escutei direito, será que não estou delirando?

— O que foi que você disse, Dimitri?

— Olha, desculpe. Sei que você é da família real. Mas penso que a monarquia é, sim, uma forma de governo arcaica. Sou favorável às mudanças, desde que de forma pacífica.

— Bom, Dimitri. Sinto muito que pense assim — declaro. — E agora preciso desligar. Estou um pouco... ocupada.

— Puxa, Elena, espero não ter magoado você. Temos pontos de vista diferentes, mas ainda somos amigos, não é? — Dimitri tem razão. Não posso, de repente, passar a odiar todos aqueles que desejam uma nova forma de governo.

— Sim. Ainda somos amigos.

Falo isso porque acredito que seja o certo a fazer. Mas desligo em seguida. Há muita informação nova para eu digerir.

Luka continua agachado aos meus pés. O desejo em sua expressão trocou de lugar com a preocupação.

Sem me intimidar, traço as tatuagens dos braços dele com a ponta dos meus dedos, distraidamente, sem segundas intenções.

Ele segura meu queixo e me obriga a encará-lo.

— Mas notícias?

— Notícias chatas — corrijo.

— Tenho permissão para dar uma surra nesse tal de Dimitri?

Sorrio. Nossos olhares se conectam, sem o fogo de minutos antes, mas com a mesma intensidade e admiração.

— Sabe de uma coisa? — Ele me dá um selinho depois de falar. — Acho que você devia deixar essas chatices de lado e relaxar.

Luka fica de pé, contorna a cadeira e para atrás de mim. Aperta os meus ombros, massageando-os.

— Hum... — gemo porque é muito bom.

— E, se me autorizar, sei exatamente o que fazer para isso.

LUKA

Capítulo 27

Não faço ideia de quem é o tal Dimitri, mas já nutro uma tremenda antipatia por ele, ainda mais agora, por ter feito Elena ficar triste. Ela não me contou nada, mas sei que não foi coisa boa.

Quero que ela volte a sorrir despreocupada, porque fica linda demais assim.

— Quer nadar? — sugiro. Faço massagem nos ombros dela, cheios de nós de tensão.

Elena enrijece o corpo.

— Agora? Mas onde? Tem piscina aqui? Mas eu nem trouxe roupa de banho!

É visível e hilário o nervosismo dela. Abaixo-me até que minha boca fique a milímetros do ouvido de Elena.

— Há uma piscina nos fundos da casa. É aquecida. — Diminuo o volume da voz. — E, linda, não ter roupa de banho não é bem um problema, é?

— Sim, para mim, é — murmura ela, encabulada. O rubor em seu rosto é encantador. Não resisto. Tenho que beijá-la agora.

O beijo começa inocente, mas logo se transforma num evento de grandes proporções. Minha língua exige passagem, e Elena entreabre os lábios para ela sem hesitar.

Tudo em mim ordena que Elena seja minha — e só minha —, mas não devo assustá-la. Essa garota não tem noção do que faz comigo. Preciso curti-la, bem devagar, enquanto posso.

Puxo-a para cima e troco de posição com ela. Eu me acomodo na cadeira onde ela estava sentada e a ponho em meu colo. Seguro seu rosto com reverência e volto a beijá-la assim que se ajeita sobre mim.

Elena é perfeita, tem um corpo de arrasar. Eu, nos meus velhos tempos, a essa altura, já teria arrancado o moletom e a calça justa dela e, ainda na cozinha, daria um jeito de fazê-la ver estrelas e de tornar o momento inesquecível. Mas agora é diferente. Estou disposto a agir conforme a vontade dela, de acordo com o que achar melhor.

— Ai, Elena — gemo, sem pudor. — Será que podemos ficar assim... por um tempo? — Eu ia dizer para sempre, mas, por sorte, consegui alterar a rota dos meus pensamentos. Não estou preparado para isso. Não ainda, pelo menos. Há muitas pendências na porcaria da minha vida.

Ela demonstra ter ficado surpresa com o pedido, tanto quanto eu.

— Ficar assim... como?

— Aqui, na Colline, só nós dois — explico depressa. A ansiedade me consome. — Gosto de você. Demais até. E isso para mim é tão diferente e novo que quero aproveitar, entende?

— Você gosta *gosta* de mim?

Dou risada. Acho graça da maneira como ela coloca a questão com simplicidade e espanto.

— Sim, gosto *gosto* — admito. O curioso é que isso não me amedronta mais. Fico aliviado, isso sim. — Quero experimentar nós dois juntos e ver aonde isso vai dar. O que você acha?

Por angustiantes segundos, Elena apenas me olha. Suas esferas verde-jade apresentam-me todo tipo de emoção. Chego a me perder dentro delas.

Então ela pisca, cortando a conexão, e diz, bem baixinho:

— Não sei. Eu não trouxe nada, nem uma mísera peça de roupa.

Jogo a cabeça para trás e solto uma gargalhada. É só com isso que está preocupada?

— Nesse caso, a gente dá um jeito. Posso buscar suas coisas amanhã. — Tomo fôlego. Depois pergunto de novo: — Você quer ficar? Quer dar uma chance para nós dois?

Como resposta, Elena faz um movimento sutil com a cabeça, quase imperceptível. Minha boca se alarga num sorrisão vitorioso. Nunca me interessei por mulher alguma a ponto de querer passar um tempo com ela sob o mesmo teto. Isso tudo é novo para mim. Mas não quero pensar demais, senão vou correr o risco de recuar.

Beijo Elena mais uma vez. Não me canso. Porém, agora, faço com mais intimidade, com maior ímpeto, demonstrando o que ando sentindo por essa garota, que corresponde na mesma medida.

Ela está quente, pegando fogo com meu velho moletom. Tudo o que desejo é livrá-la dele para poder sentir sua pele contra a minha. Mas como decidi ser alguém digno, ainda mais depois da cena que Elena presenciou de camarote na despensa do castelo, tenho consciência de que a noite de hoje é de romance, se é que existe algum romantismo escondido dentro de mim.

Afasto-a um pouco. Já que resolvi deixar de ser cretino, preciso ter controle dos meus atos. Caso contrário, não responderei por mim.

Uma mecha de cabelo úmido cai sobre o rosto corado de Elena. Seguro-a entre os dedos e a aproximo do meu nariz a fim de sentir o perfume do xampu.

— Delícia.

— Você já disse isso antes.

Observadora a garota. Prendo a mecha atrás da orelha dela.

— E vou dizer sempre.

Elena olha para o chão, encabulada. E talvez seja isso o que mais me atraia nela, essa mistura de sensualidade e timidez, o fato de não se aproveitar de todos os benefícios que a natureza lhe dispensou — beleza, berço, posição social — para conquistar espaço.

— Luka, você me pediu para ficar — diz ela, ainda sem voltar a focar os olhos em mim. — Mas eu ainda não entendi o que está havendo aqui.

— Não? — questiono, surpreso. Pensei que tivesse sido claro.

— Sei que se sente atraído por mim, que até gosta de mim. Mas o que mudou de ontem para hoje?

Suspiro, compreensivo. Entendo a insegurança dela. No passado, fiz de tudo para ser um imbecil. Nunca olhei para Elena com nada além de desprezo. Então, se ela precisa de palavras, é isso que lhe darei.

— Linda, de ontem para hoje, não mudou nada. Fui ao concerto no Teatro Real porque soube que você estaria lá. Queria vê-la, admirá-la de longe e, mais tarde, havendo ou não brecha, surpreendê-la fazendo um convite para esticar a noite comigo. — Elena estreita o olhar, com desconfiança. Não é mole ter um passado que nos condena. — Mas as coisas não saíram como eu esperava. Aliás, ninguém esperava que acontecesse aquela baderna provocada pelos manifestantes. Eu só pensava em tirar você de lá, levá-la para longe dos insultos dos agitadores.

Ganho um sorriso depois dessa declaração. Meu peito infla de prazer. Em retribuição, beijo os dedos de Elena, um a um, bem devagar. Ela ofega em meu colo.

— Saí daquele teatro com vontade de brigar, Elena, de quebrar a cara de todos que deixaram você mal — revelo, com a boca ainda sobre os dedos dela. — Juro que eu teria feito isso, se a urgência de tirá-la de lá não fosse maior. E quando fico com raiva, bom, tenho a tendência de me tornar um pouco violento.

Em vez de se assustar, Elena ri. Depois acaricia meu rosto.

Noto que gosta da sensação causada por minha barba espetada em suas mãos. Ela não sabe ainda os outros prazeres que essa mesma barba pode proporcionar.

— Por isso levei você para casa, puto, e te beijei daquele jeito.

— Porque estava com raiva?

— Irado, para ser bem sincero.

Ela concorda, mas argumenta em seguida:

— Você afirmou categoricamente que não podia me querer. Mas agora estamos aqui. É muito contraditório, Luka.

— Elena, eu não sou um cara bonzinho. Faço merdas desde pequeno, uma atrás da outra. Tenho uma porção de defeitos, uns bem pesados. Nunca tratei uma mulher como se ela fosse especial para mim. Não sei agir com cortesia, não sou romântico, não falo palavras bonitas. Em outros assuntos, meu passado é bem fodido também. Resumindo, não sou o cara certo para uma garota como você.

Ela se empertiga.

— Isso quem tem que decidir sou eu.

— Talvez. — Largo as mãos dela e me ocupo de sua cintura. Trago Elena para ainda mais perto de mim. — Eu até poderia insistir nesse jogo de *não posso te querer*, mas seria uma grande bobagem. Não vou conseguir me afastar de você, linda, não assim, sem antes descobrir se podemos ter um futuro juntos.

Sem esperar que Elena reaja de uma forma ou de outra, engulo seus comentários com um beijo.

Nunca fui ligado em planejamentos. O futuro para mim jamais passou de uma palavra. Mas agora eu o quero em minha vida. De preferência junto a Elena.

ELENA

Capítulo 28

Minha cabeça ainda não conseguiu assimilar as palavras e as ações de Luka em relação a mim. Muitas pessoas acreditam que uma garota de 19 anos já é suficientemente madura para lidar com questões que envolvem o coração. Em parte, eu discordo delas. Não vivi o suficiente ainda para acumular experiências que possam me preparar para encarar qualquer situação. Honestamente, ninguém com essa idade viveu.

Até hoje, só tive um relacionamento longo, e ele acabou mal. Mesmo durante os melhores momentos com Nico, muitas vezes, ele fazia comentários ou tinha atitudes que minavam minha autoconfiança. Quando ficava bravo, costumava jogar na minha cara que eu era fria, sem entusiasmo e nem um pouco ousada. Depois, ao esfriar a cabeça, pedia desculpas, falava que não queria ter dito tudo aquilo. Eu acabava acreditando. Perdoava e seguia em frente até a próxima explosão.

Precisei ser traída para enxergar quanto tempo perdi com Nico. Mas eu só tinha 16, 17 anos. Penso que ser boba acaba fazendo parte dessa fase da vida de quase toda garota. E agora, dois anos depois, não digo que sou uma *expert* em avaliar as intenções e o caráter dos homens. Só me tornei bem mais desconfiada.

Por tudo isso é difícil acreditar que Luka está mesmo interessado em mim, de um jeito que nunca esteve por mais ninguém. Quero crer que ele está sendo sincero, quero embarcar nessa loucura que ele me propôs. E é justamente essa necessidade, esse desejo de ver as coisas dando certo, que me impede de sair correndo daqui e voltar para casa rezando para esquecer Luka, seus beijos e suas promessas tentadoras.

Foi uma noite muito intensa, um dia muito agitado, para ser sincera, cheio de altos e baixos. Acordei atormentada pelos ataques verbais no Teatro Real e pela reação de Luka dentro do carro dele, depois do nosso amasso eletrizante. Quase surtei de preocupação com mamãe e os bebês, quando ela passou mal e teve que ser levada ao hospital. Depois, manifestantes descontrolados tentaram invadir o castelo. Fomos obrigados a nos esconder em um abrigo subterrâneo, como nas histórias da Segunda Guerra Mundial.

Em seguida, Luka.

Nada, em se tratando dele, é previsível. É capaz de me salvar, de ser desprezível, de me matar de ansiedade e de me encantar com gestos e palavras em tão pouco tempo que chego a ficar zonza. Então ele me surpreende dizendo que quer ter um futuro comigo e depois interrompe, do nada, o momento mais avassalador pelo qual já passei em toda a minha vida.

A cena era: eu ainda no colo de Luka, com as pernas envolvendo sua cintura, sendo beijada insanamente, como se a existência dele dependesse unicamente dos meus lábios colados aos seus. Sentia dedos subindo e descendo por dentro do moletom, ora me fazendo arrepiar, ora despertando em mim um desejo que jamais suspeitei que pudesse vivenciar. Meu rosto, especialmente queixo e bochechas, queimava por causa do atrito com a barba de Luka. De vez em quando, as mãos dele saltavam para fora do blusão emprestado e caminhavam lentamente até abaixo da minha cintura, acariciando meu avantajado bumbum. E, enquanto tudo isso acontecia, eu ronronava feito uma gata bem tratada, sem me desprender nem por um instante daquele corpo bem definido. Ele, por sua vez, ficava sussurrando umas frases quase tão quentes quanto seus gestos. *Fique de olhos abertos, linda. Nossa, você é gostosa demais. Está me deixando sem fôlego. Caramba, Elena, por que não descobri você antes?*

Para qualquer pessoa olhando de fora o desenrolar da cena, nós estávamos nas preliminares de uma noite arrasadora, que começaria na cozinha, sem previsão de término. E eu ansiava mesmo por isso. Queria ir até o fim, sem esperar por juras de amor eterno ou declarações melosas que me fizessem acreditar ser a mulher mais especial deste mundo. O que Luka havia proposto — ficarmos um tempo juntos para descobrirmos em que ia dar esse relacionamento — já era suficiente para mim. Isso e o fato de estar perdidamente apaixonada por ele.

Sim, assumo, ainda que apenas internamente. Entre o começo de tudo — Luka chupando meu dedo para estancar o sangue que escorria do corte provocado pelos cacos da taça de cristal — e a hora em que ele nos interrompeu, desvendei o mistério dos meus sentimentos. Quero dizer, mistério só porque eu me recusava a enxergar a verdade exposta bem diante do meu nariz: eu nunca o esqueci completamente.

Mais determinada que um atleta olímpico em busca da tão almejada medalha de ouro, provoquei seu peito nu com minhas unhas pintadas de rosa-chiclete, arrancando dele um gemido sensual e muito, muito satisfeito.

E foi depois disso que Luka parou tudo.

Agarrando meus pulsos, ele exalou o ar devagar, olhando para mim com uma expressão carregada. Tentei me soltar, com a intenção de contornar seu pescoço e trazê-lo para mim de novo, mas Luka não se deixou levar.

Pediu, com a voz entrecortada:

— Por favor, linda, não.

Então eu congelei meus movimentos. Minhas mãos ficaram paradas no ar; meus olhos, arregalados. Confesso que cogitei a possibilidade de estar sendo rejeitada de novo, como nas vezes em que Nico se cansava dos nossos agarramentos e dizia que eu não estava conseguindo fazê-lo se empolgar.

Luka, porém, não esperou que eu tirasse conclusões precipitadas e tratou de se explicar:

— Elena, não pense que não desejo você. Não é isso, linda. Não há um minuto em meus malditos dias em que não imagino nós dois nas situações mais excitantes possíveis. Mas sou um cara mais velho, com vontade de fazer as coisas direito dessa vez. Podemos ir depressa e amanhã você sair correndo daqui, arrependida e me odiando por não ter parado enquanto tínhamos chance. Ou experimentamos agir com cautela, devagar, curtindo cada fase. Garanto que não vai se arrepender.

Jamais imaginei que ouviria Luka me propor algo desse tipo. Acho que nem mesmo ele esperava, pois notei uma certa confusão em sua expressão, rapidamente eliminada.

Mas eu o compreendi. E acredito que fez o certo. Na verdade, não estava tão preparada assim para ir até o fim, não nessa noite. Foram vários acontecimentos, todos impactantes, de uma só vez. Realmente meu discernimento devia estar comprometido.

— Devagar é bom. — Eu me lembro de ter dito.

— Tão bom quanto forte e depressa. Depende só da ocasião.

Meu estômago gelou diante da ambiguidade presente na declaração de Luka. Devo ter demonstrado minha perplexidade, porque, em seguida, fui presenteada com um sorriso torto todo sensual e um afago atrás da orelha.

Subimos juntos até o andar dos quartos, mas cada um seguiu separadamente para o seu, após um beijo de boa-noite no meio do corredor.

Agora estou aqui, deitada numa cama que não é minha, embaixo de um lençol macio e com cheiro de rosas. Acabei de mandar uma mensagem para mamãe, garantindo a ela que tudo está bem, e recebi de volta apenas uma frase:

> Cuide de sua felicidade, filha.

A expressão mais parece um enigma a ser decifrado, mas não estou com cabeça para isso agora. Depois de quase me consumir com conjecturas sobre as verdadeiras intenções de Luka em relação a mim, acabo cedendo ao sono e ao cansaço. Simplesmente apago.

— Que droga!

É um saco não ter roupa limpa para vestir. Dormi de calcinha e sutiã para economizar as peças, pois sabia que teria de usá-las de manhã. Mesmo assim é uma droga. Sei que topei ficar com Luka por um tempo, mas preciso das minhas coisas com urgência.

Pelo menos, achei uma escova de dentes no banheiro e pude fazer a higiene bucal antes de enfrentar Luka à luz do dia. À noite, costumamos ser mais ousados. É por isso que tantas pessoas sofrem de arrependimentos matinais.

Analiso minha aparência no espelho e dou de ombros. Nada posso fazer para amenizar o fato de que não estou nem um pouco atraente, mas sim que pareço uma garota de ressaca depois de virar a madrugada numa dessas festas regadas a muita bebida e nem um pingo de comida, promovidas por universitários viciados em álcool. Triste situação.

Por outro lado, se Luka quer mesmo levar adiante uma relação comigo, tem que me conhecer de todas as formas possíveis, não é mesmo?

Enfio meus pés na sapatilha azul-piscina e desço as escadas com o coração estacionado em minha garganta. Sei que Luka já está acordado porque consigo escutar ruídos vindo da cozinha. A não ser que seja a tal da Marta, a quem ainda não tive a oportunidade de conhecer.

Puxo as mangas do moletom até os cotovelos — elas engolem minhas mãos, ultrapassando as pontas dos dedos uns bons 5 centímetros — antes de empurrar a porta. Conforme já previa, é Luka mesmo quem encontro lá.

Ele está sentado à mesa, usando roupas sociais que lhe caem muito bem. Seus cabelos estilosos exibem a umidade proporcionada por um banho recém-tomado. Numa das mãos, uma xícara, de onde sai fumaça e odor de café.

— Bom dia — digo, um pouco envergonhada. E olha que nem dormimos juntos. Se isso tivesse acontecido, acho que nem teria me levantado da cama enquanto soubesse que Luka ainda estava em casa.

— Bom dia, linda — responde ele, mais bonito do que nunca. Seus olhos azuis parecem mais brilhantes, e ele não fez a barba. Não vou falar em voz alta, nem sob tortura, mas quase morro por causa dessa mania de não se barbear com frequência.

Paro no meio da cozinha, sem muita noção de como agir diante dele. Não sou descolada. Se fosse, me aproximaria devagar, deliberadamente sensual, e lhe daria um beijo de bom-dia para nunca ser apagado de sua memória. Mas não sou. Então não faço nada além de apertar as mãos com muito nervosismo.

Luka parece disposto a ignorar minha turbulência emocional.

— Não sei qual sabor de chá prefere. Então, pedi a Marta que preparasse três tipos diferentes. — Luka aponta para os bules sobre a bancada. — Tem de maçã, de camomila e de limão.

Não acredito que ele teve a capacidade de registrar que não costumo tomar café. A única vez que dei a entender isso foi no dia em que me enfiei no meio dos manifestantes para chegar ao meu carro, perto do Parque Real, e acabei parando numa cafeteria com Luka, onde meio que tomamos um café da manhã juntos.

— Ei, por que está surpresa? — Pelo jeito, ele notou minha admiração. — Ficou claro para mim daquela vez que você é mais fã de chá.

Abro um sorrisão sugestivo. Não deixa de ser um gesto encantador.

Luka estende o indicador e o movimenta para a frente e para trás, de modo que eu vá até ele. É muito *sexy* esse cara, meu Deus! Ando em sua direção, mas quando estou bem perto, resolvo ser malcriada. Desvio-me de sua cadeira com a intenção de ir até os bules de chá. Porém, esperto como um falcão, ele agarra meu braço antes que eu alcance meu objetivo.

Com o solavanco, caio desajeitadamente em seu colo. E nem tenho tempo de xingar ou me defender. Mal aterrisso nas pernas de Luka, sinto sua boca sobre a minha, querendo, ou melhor, exigindo meus beijos tanto quanto quero os dele.

Ainda colado nos meus lábios, ele impõe:

— Vou cobrar de volta esse moletom mais cedo ou mais tarde. E nunca mais permitirei que seja lavado.

— Preciso ter minhas roupas aqui comigo, então — retruco, sem fôlego.

— Não faço questão — brinca, enquanto dá mordidinhas em meu queixo.

Ah, Senhor! Lá vamos nós!

— Dormiu bem? — pergunta ele, embora não demonstre estar nem um pouco interessado na resposta.

Arfando feito uma vítima de afogamento, respondo:

— Muito. E você?

— Nem um pouco. Revirei na cama a noite inteira fantasiando com você.

Luka tem o dom de fazer declarações fortes. Temo que uma hora dessas eu acabe vendo estrelas só de ouvi-las, se é que me entendem.

Ele está tão cheiroso. Inspiro em seu pescoço para potencializar a sensação que o perfume gera dentro de mim.

— Linda, se fizer isso de novo, não garanto que ficaremos vestidos por muito tempo.

— Ops. — Eu me finjo de inocente.

Luka me dá um último beijo — casto e inocente — antes de nos colocar de pé.

— Hoje é meu primeiro dia como o novo administrador deste lugar. Devo ficar por conta da empresa por um bom tempo. — Eu não esperaria nada diferente. Não estamos de férias. Ele deve honrar sua palavra à mãe. — Você pode fazer o que quiser por aqui. Pode fuçar em tudo, sair para dar umas voltas na redondeza, bater papo com a Marta, até nadar.

Dou risada.

— Acho que vou ficar com a última opção. E como estarei sozinha, nem me preocuparei com o problema de não ter roupa de banho.

Sou puxada contra o corpo dele novamente, com possessividade.

— Se eu passar o dia distraído, colocarei a culpa em você. Então não ouse nadar pelada sem mim, certo?

Minhas bochechas queimam.

— E, quando voltar, à tarde, prometo levá-la a Perla para buscar suas coisas em casa. Combinado?

— Combinado.

Então Luka me deixa sozinha na cozinha, com o corpo ardendo de expectativa e desejo por ele.

LUKA

Capítulo 29

Vou ser honesto: adoro a bebida, mas pouco entendo do processo de fabricação de vinho. Andei lendo muita coisa a respeito durante os dias que antecederam minha chegada definitiva à Colline, porém vou precisar me aprofundar mais no assunto.

Ainda bem que hoje cedo, ao deixar — com muito custo — Elena para trás, consegui me reunir por um bom tempo com o gerente de produção da empresa, que acabou sendo muito mais esclarecedor do que os artigos que li antes.

Por exemplo, ele explicou que as uvas não têm a mesma a qualidade em todo o mundo. Isso depende do tipo de casta, solos, condições climatéricas, técnicas e tecnologia de produção, entre outros aspectos. Normalmente dias moderadamente quentes e noites frias potenciam boas colheitas, embora não se possa aplicar essa regra de modo generalizado. O que faz o vinho Colline Viola ser um dos favoritos no mercado é justamente o clima de Craiev. De dia, costuma fazer um calor agradável, ao contrário do período noturno, quando esfriava drasticamente.

Andando pelo vinhedo, o gerente, um italiano entusiasmado e funcionário antigo da vinícola, foi tentando me deixar a par das informações essenciais para que eu consiga tocar o negócio:

— Caso se trate de vinho tinto, as uvas são processadas juntamente com as suas peles, algo que não acontece na produção de vinho branco, ainda que o champanhe ou vinho espumante, na categoria de vinhos brancos, tenha especificidades à parte, como é o caso do método *Champenoise*. Já os vinhos *rosés* têm "nuances" em relação aos vinhos tintos, podendo mesmo ser o resultado da mistura entre vinho tinto e vinho branco.

Coço a cabeça, confuso. Cacete, é muita coisa para processar!

— Calma, Francesco. Será que pode esclarecer o que é esse tal método *Champenoise*? — peço, fazendo com que ele pare de caminhar entre as parreiras e se dedique a elucidar minhas dúvidas. Afinal, eu tenho uma boate. Sei indicar uma bebida de acordo com a ocasião. Mas daí a ser um entendedor dos detalhes de produção são outros quinhentos.

Ele acha graça da minha ignorância.

— Claro, Sr. Luka. O método *Champenoise*...

— Sem o senhor, certo?

Francesco se corrige:

— O método *Champenoise*, Luka, também conhecido como "Tradicional" ou "Clássico", consiste na segunda fermentação de um vinho base, ou seja, de um vinho já pronto, dentro da própria garrafa. Durante dois meses, as leveduras transformam açúcar em álcool e, consequentemente, liberam gás carbônico, dando origem à *perlage*, às borbulhas do espumante, na linguagem popular. Depois, o espumante passa por um processo de autólise e envelhecimento que pode durar meses ou até anos, sendo finalizado com a remoção das impurezas. Reconhecido pela sua qualidade, esse método é mais delicado e artesanal, resultando espumantes com *perlage* fina, evolução nos aromas e complexidade gustativa.

— Entendi. É por isso que, quanto mais antigo, melhor.

— Justamente.

Continuamos nosso passeio pelo vinhedo, sempre parando para conversar com um grupo de funcionários. É fácil perceber que meu pai não deve ter sido um bom patrão. A maioria me olha de um jeito desconfiado, como se eu estivesse prestes a mandar todo mundo para o tronco, caso saia algo de errado. Até parece!

Procuro ser simpático, perguntando sobre o serviço e querendo saber nome e função de todos eles.

— É, meu rapaz. Será uma longa jornada — comenta Francesco, ajeitando a boina na cabeça sem cabelos.

— Uma longa jornada — repito. O engraçado é que, mesmo sabendo das dificuldades e desafios, estou animado. Tenho a sensação de que vou me achar nessa vinícola.

Você já se encontrou. Uma voz dentro de mim me diz isso, de repente.

Talvez. Mas ainda há algumas coisas pendentes. Se eu pretendo dar uma guinada na vida, tenho de resolvê-las logo.

— As uvas não são amassadas com os pés dos funcionários, né? — Quero saber, meio enojado. — Como nos filmes.

— Não, Luka. Não mais. — Francesco está curtindo cada pergunta lesada que faço. — Nos tempos mais antigos, e ainda em muitas aldeias pela Europa Ocidental afora, esmagam-se as uvas com os pés. As pessoas pisam as uvas em lagares ou recipientes de madeira. Mas a tendência é cada vez mais as uvas serem esmagadas por meios mecanizados e tecnológicos, tanto por uma questão de produtividade e eficiência como também de higiene.

Dou um suspiro de alívio. E faço uma anotação mental: jamais consumir uma garrafa de vinho produzido em aldeias da Europa Ocidental.

Após percorrer parte da plantação de uva — e de experimentar os tipos de uvas mais de uma vez —, chegamos ao galpão onde ficam os tonéis de fermentação. O odor é forte, mas impressionante também.

Os funcionários lá dentro trabalham todos de branco. Deixo escapar essa observação. Então, Francesco mais uma vez explica:

— Temos um padrão de qualidade muito rigoroso. A higiene no processo é um dos itens essenciais da nossa lista de prioridades.

— Você nem imagina o quanto isso me tranquiliza.

Pelo visto, o problema da Colline Viola não está nos métodos de produção, nem na qualidade das uvas e muito menos na mão de obra. Essa parte está a salvo, o que torna as coisas um pouco mais simples.

Sou formado em Administração, gerencio meu próprio negócio — está certo que numa proporção muito menor. Portanto, pela primeira vez desde que assumi a empresa, sinto que reorganizá-la não parece uma missão impossível.[2]

No fim da manhã, depois de analisar superficialmente, junto ao gerente financeiro, as planilhas de orçamento, produtividade e gastos da empresa, reúno todos os empregados da Colline, desde os funcionários dos serviços gerais até os gerentes, e faço um comunicado, explicando minhas intenções e expectativas em relação ao futuro da empresa.

Não me estendo muito, porque não é do meu feitio. Mas procuro deixar claro que não vou permitir que as ações do antigo administrador, demitido assim que pus os pés na sede da empresa hoje mais cedo, deixem rastros por muito tempo. Fazia anos que ele desfalcava a vinícola e desviava dinheiro para uma conta particular. Minha mãe e minhas irmãs, indiferentes ao antigo negócio do traidor do Marcus, nem deram fé, até que a coisa ficou preta de verdade.

Já são quase duas da tarde quando consigo respirar um pouco. Meu estômago reclama por ter recebido, desde o café da manhã, ape-

---

[2] As informações sobre o processo de produção de vinhos foram pesquisadas nos sites http://www.vinho.org/tudo-sobre-vinho/processo-de-producao-e-fermentacao/ e http://www.espumantesvalduga.com.br/metodo-champenoise

nas algumas uvas e umas doses de vinho, insuficientes à sua costumeira voracidade. Penso em Elena sozinha em casa e concluo que não fará mal se eu der uma pausa, de uma hora no máximo, para vê-la.

É impressionante como, em tão pouco tempo de convívio, sinto-me ligado a ela. Caso o destino, os céus ou qualquer coisa parecida decida fazer uma graça e me conceder um privilégio, gostaria de ser digno de ter Elena em minha vida.

E é justo quando estou envolvido nessa fantasia que meu telefone toca. Por um instante, chego a pensar que é Elena. Mas não é ela. Toda a minha empolgação anterior vai por água abaixo assim que leio o nome da pessoa que me chama do outro lado da linha.

Marcus.

Até cogito não atender. Porém sei que estaria apenas adiando uma situação da qual não tenho escapatória. Dou um suspiro, já prevendo o tipo de conversa que vamos ter.

— Fala logo que estou ocupado.

— Boa tarde, Luka. Espero que não esteja atrapalhando seu dia.

— Cada uma dessas palavras tem um tom de falsidade. Claro que ele nem liga se está me incomodando ou não. Aliás, acho até que tem prazer em fazer isso.

— Algum problema? — pergunto por perguntar. Porque o que vai responder eu já sei.

— Não haveria se você tivesse feito o que pedi. Ainda espero um aumento naquela contribuição de merda que você me manda todos os meses. Só que minha paciência está chegando ao fim.

Aperto o osso do nariz com força. Eu não suporto mais as chantagens dele. Pior é que não tenho como escapar. Se ceder, meu pai sempre vai dar um jeito de exigir mais. Mas ao negar coloco em risco muitas outras coisas.

— Eu já disse...

— Não. — Marcus me corta bruscamente. — Quem vai dizer sou eu, e pela última vez. Vou esperar até o final da semana para receber minha *mesada* reajustada em 50 por cento. Caso contrário, se você enrolar mais, vai se arrepender muito. Afinal, Luka, sabe que posso complicar sua vida. A sua e a de outras pessoas também.

Então ele desliga, sem mais uma palavra.

Como eu odeio esse homem! E como sou burro por achar que, procurando-o na prisão anos atrás, estava desafiando ostensivamente minha família. No final das contas, quem mais se deu mal com essa babaquice toda fui eu mesmo.

Meu humor mudou tanto — para pior — que desisto de dar uma passada em casa para ver Elena. Acabo me enterrando no trabalho até tarde, enquanto não descubro uma maneira de lidar com meu pai.

Já passa das oito da noite quando deixo o escritório e sigo em direção à sede da Colline. Puxo a barra da camisa de dentro da calça e abro os primeiros botões. Não estou acostumado com essas roupas de almofadinha. Estou com fome e muito cansado.

E com remorso.

Não entrei em contato com Elena em momento algum ao longo do dia. Imagino que minha atitude tenha bagunçado a mente insegura dela. Não entendo como alguém tão incrível — bela, apegada à família, sensível, inteligente e humanitária — possa duvidar de si mesma, às vezes. Mas também com parentes tão perfeitos é difícil não se comparar e acabar se sentindo inferior. Afirmo com conhecimento de causa.

Abro a porta da frente louco para vê-la e passar as próximas horas com ela, sentindo seu sabor e jogando conversa fora, ou seja, aproveitando sua presença. Mas, quando chego à sala de televisão, guiado pelo som do aparelho, encontro-a dormindo no sofá, enrolada num roupão.

Ah, nem acredito que me esqueci de levar Elena a Perla! Sou um tremendo imbecil. Óbvio que ela não tem mais nada para vestir.

Eu me aproximo dela com cuidado para não despertá-la. Está linda, serena. Uma das mãos repousa confortavelmente sobre a almofada atrás da cabeça. A outra está sobre a faixa do roupão, como um segurança em defesa de um bem precioso. Seus cabelos em vários tons de cobre caem; as pontas a milímetros do chão.

Não resisto: tiro o celular do bolso e registro o momento. Pena que nenhuma foto é capaz de reproduzir a bela imagem tal qual ela é. Algo se agita dentro de mim e não tem nada a ver com desejo, ou melhor, não apenas. É desejo sim e outra coisa, da qual desconfio saber o nome, embora prefira fingir que não sei.

Ajoelho na beirada do sofá, bem diante da cabeça de Elena, e retiro uma mecha de cabelo que encobre um dos olhos dela. E acabo ficando com a mão ali, acariciando de leve suas bochechas e o contorno do maxilar. Elena tem a pele muito sedosa, perfeita.

Os movimentos dos meus dedos, embora sutis, a despertam. Ela pisca algumas vezes antes de exibir definitivamente seus maravilhosos olhos cor de jade. Em seguida, assim que se dá conta da situação, abre um sorriso preguiço, além de muito sensual.

— Oi, sumido — fala; a voz ainda rouca de sono.

— Oi, linda. Desculpe pelo bolo. Mal dei conta que o tempo voou — explico, ainda segurando o rosto dela.

Uso o polegar para fazer um carinho em seus lábios convidativos e recebo de volta um suspiro que me pareceu ser de prazer. Fantasio com esse mesmo suspiro num outro contexto.

— Não se preocupe. Ainda resta este roupão. Mas a partir de amanhã, vou ter de improvisar com as toalhas de mesa e os lençóis — brinca, sorrindo.

— Ou pode simplesmente ficar sem nada. Eu não vou reclamar.

Elena me encara com intensidade. Não sei se é isso, o cansaço, ou o fato de eu não conseguir resistir a essa garota. Sem raciocinar, eu a puxo pelo pescoço e colo minha boca na dela.

O beijo é insano e apaixonado desde o primeiro momento, sem provocações ou preliminares. Parto para cima de Elena com ferocidade, prensando-a entre o assento do sofá e meu corpo. Aprofundo o beijo, de modo que minha língua entre completamente em sua boca. Nós dois suspiramos e gememos ao mesmo tempo. Estou 100 por cento aceso. Minha excitação faz pressão na frente da calça, causando um desconforto do caramba.

Aproveito uma brecha, uma pequena abertura na parte de baixo do roupão de Elena, para acariciar a pele das coxas dela sem nenhuma barreira. Nesse momento, ela ofega e enlouquece ainda mais, apertando meu lábio inferior com os dentes. Enquanto isso, suas mãos agarram minha camisa e se esforçam para abrir os botões que faltam.

Quando todos estão abertos, não hesito: arranco a blusa do corpo e volto a me ajeitar sobre ela. Tento beijá-la novamente, mas ela se esquiva, fazendo-se de difícil de brincadeira, só para aumentar meu desejo.

— Não brinque com fogo, princesa — aviso, em tom de ameaça, porque sei que esse tipo de entonação leva muitas mulheres à loucura. Descubro que Elena não é diferente, pois ela crava as unhas em minhas costas enquanto abre espaço para que eu tenha mais acesso às curvas do seu corpo.

Então aproveito a oportunidade e faço exatamente o que ela quer. Passeio minhas mãos por toda parte, fazendo Elena se contorcer debaixo de mim.

Porém, inesperadamente, quando sinto os dedos dela traçando a frase tatuada em meu quadril, um lampejo de lucidez me atinge. *O inferno são os outros*, declaração célebre de Jean-Paul Sartre, leva meus pensamentos a meu pai e às ameaças dele.

Nada poderia ser mais broxante.

Consciente de que estou agindo feito um idiota com merda na cabeça, afasto-me de Elena sem lhe dar nenhuma explicação. Fico de pé num pulo e, como ainda não consegui controlar meus nervos e respiração, permaneço de costas para ela, sabendo que cometi dois erros grandes essa noite:

1. Ataquei Elena que nem um animal selvagem, com a mente confusa por causa do meu pai;
2. Mais uma vez, dei um jeito de rejeitá-la na hora em que as coisas começavam a se desenrolar.

Estou prestes a receber o prêmio de maior cretino do reino.

ELENA

Capítulo 30

Observo, atônita, as costas de Luka se movimentando para cima e para baixo enquanto tento processar o que acabou de acontecer. Mas fracasso totalmente, afinal, como alguém se transforma de amante poderoso e determinado em fugitivo, em menos de um minuto?

Cansada de tentar compreender os homens — melhor isso do que pensar que a culpa é minha —, levanto do sofá de queixo empinado, altiva, agindo como se nada tivesse acontecido. Arrumo o roupão e reforço o nó da faixa. Meu ultraje é tão grande que é melhor eu ignorá-lo e seguir em frente. Caso contrário, sairão muitos absurdos de dentro da minha boca.

Caminho em direção à saída da sala, contando os segundos para chegar ao quarto e me esconder debaixo das cobertas, como uma borboleta no casulo. Nesse instante posso afirmar que humilhação é meu nome do meio. No entanto, antes que eu deixe Luka e sua reação esquisita para trás, ele alcança meu braço e me obriga a ficar.

— Desculpe... — murmura, sem a decência de me encarar.

Então eu viro bicho. Sem receio de me arrepender, cuspo o que está entalado em minha garganta. Ou faço isso, ou caio em prantos, o que me recuso terminantemente a fazer na frente dele.

— O que foi, hein? — grito. — Então essa é sua especialidade: atiçar e correr? — Bato a mão na testa, como se tivesse acabado de me lembrar de algo muito importante. — Se bem que, desde novo, é assim mesmo que você age. Aquele beijo no jardim, anos atrás, ilustra sua personalidade muito bem.

— Elena, não é nada disso, certo? — Luka tenta se justificar, mas eu não estou nem um pouco a fim de dar ouvidos à explicação.

— O que eu devo pensar, então? Por que você sempre para na hora em que as coisas se tornam mais quentes? — questiono, ainda bastante alterada. De alguma forma, consigo me controlar um pouco. Mesmo assim, acabo me revelando demais para ele. — Porque, Luka, se faz isso pensando que ainda sou virgem, pode ficar despreocupado.

Minha declaração mexe com ele. É nítido o desconforto que provoco ao indicar, indiretamente, que já fiz sexo antes.

Ele abre um sorriso presunçoso.

— É mesmo? E quando foi que isso aconteceu?

Claro que ele lidaria com o assunto de modo indelicado. Mas como estamos os dois fazendo e dizendo coisas meio que sem raciocinar, complemento a informação:

— Foi com meu primeiro namorado, há alguns anos. A gente já estava junto havia um tempo e aconteceu naturalmente. Mas pouco tempo depois o namoro acabou e fim.

Se eu quisesse fazer papel de ridícula, intencionalmente, não teria conseguido me sair melhor.

Luka perde a expressão zombeteira e me olha desarmado.

— Não foi exatamente assim que aconteceu, não é? O que é que está deixando de contar?

Não imagino como ele chegou a essa conclusão. Será que está escrito na minha cara que me estrepei feio?

Eu me recuso a revelar algo tão pessoal e constrangedor. Para fugir da pressão, dou a entender que encerrei a conversa de vez ao dar as costas a Luka e ameaçar minha retirada. Entretanto, de novo, ele me impede de sair, usando sua pegada forte para me persuadir.

— Ele te magoou, não é? — Luka me segura pelos ombros e olha diretamente nos meus olhos. — Como? Foi grosseiro, violento, traiu você?

Tento me soltar, mas ele não permite. E me aperta ainda mais.

— Diga, Elena. Por favor.

É o *por favor* educado que acaba destravando minha língua. Depois de um suspiro e de algumas tentativas de começar a história do jeito certo — se é que existe isso —, finalmente deixo escapar o que Luka insiste em ouvir:

— Eu fui traída, sim — admito, sem coragem de encará-lo. — Foi horrível, uma humilhação, porque peguei meu ex-namorado na cama com outra garota.

Para crédito de Luka, ele não faz cara de piedade nem tenta me consolar.

— Mas o pior nem foi exatamente a traição, e sim o que o Nico me disse para justificá-la.

— E o que foi?

— Ele falou que precisava de alguém mais experiente, que não tivesse vergonha de explorar... tudo. — Tomo fôlego antes de continuar. Os dedos de Luka se enterram ainda mais no tecido do roupão. É nítido seu desconforto. — Confessou na cara dura que comigo era apenas... básico, como feijão com arroz. Era como se estivesse me fazendo um grande favor, concluiu brilhantemente ao afirmar que tentou, mas, infelizmente, eu não soube satisfazê-lo. — Levanto as mãos e faço no ar o sinal de abrir aspas, reproduzindo literalmente a fala de Nico. — "Tenho certeza de que nossas transas nunca foram boas, nem para mim, nem para você. Porque... talvez você seja frígida. Ou... sei lá!"

Luka ampara meu rosto com reverência. Ainda assim, evito seu olhar.

— E o que você fez depois? Espero que tenha dado um chute no meio das pernas do babaca.

— Que nada! Mas devia ter chutado mesmo. — Sorrio. — Fiz um gesto brusco com as mãos, deixando explícito que queria distância dele, e fui embora, horrorizada.

Paro por aí. Aconteceram, porém, algumas outras coisas depois disso. Cheguei em casa arrasada e passei dias horríveis, repassando em minha mente aquelas frases cruéis, vezes sem fim. No fim das contas, minha conclusão era uma só: Nico nunca me amou, apenas tolerava nossa relação.

Não dava para entender por que manteve a farsa por tanto tempo. E quantas vezes eu devo ter sido traída? Várias, lógico.

Como se não bastasse a humilhação, todo mundo queria saber o que de fato acontecera entre mim e Nico, informação que eu não estava disposta a partilhar tão facilmente, nem com colegas e muito menos com a minha família. Só me abri mesmo com mamãe, que foi fundamental em minha recuperação.

Nico jamais me procurou depois desse dia. Tanto tempo de namoro foi descartado como se nunca tivesse existido. Nem uma mensagem. Nada! Puf! De repente, acabou tudo, como na poesia do brasileiro Vinícius de Morais: "De repente, não mais que de repente."

Nico seguiu adiante. E eu fiquei para catar meus caquinhos.

Volto ao presente ao sentir as mãos de Luka deixando meu ombro. Acompanho o movimento, por isso, sei que ele as tirou de mim para dar uma bagunçada nos cabelos. Segundos depois, dando a impressão de ter falado bastante com seus botões, ele declara:

— Sabe, Elena, em outros tempos, talvez eu tivesse feito a mesma coisa, sem pena ou remorso, assim como o cretino do seu ex.

Abro a boca, chocada, pronta para soltar todos os desaforos que passam pela minha cabeça. Mas Luka completa antes de mim:

— Mas jamais com você envolvida na história. Nunca mesmo. E é por isso, linda, que não posso ir adiante, não posso me permitir ir até o fim enquanto não tiver resolvido umas questões que me fazem ser um sujeito tão babaca quanto esse tal de Nico. Porque você é muito importante, bem mais do que imagina.

Não gosto de enigmas nem de mistérios. Nenhum tipo de relacionamento se sustenta quando há segredos em jogo.

— Seja mais específico — exijo, afinal de contas, acabei de escancarar minha vida, um lado dela que não costumo dividir com ninguém.

Luka se agita. Anda de um lado para o outro, mexe as mãos, movimenta os braços. Por fim, ele se joga sobre o sofá e apoia os cotovelos nos joelhos. A cabeça pende para baixo.

— É tanta merda que fiz que nem sei por onde começar — diz, e diminui o tom de voz. — E acho até que não devo.

Bom, se não sou digna da confiança dele, acho que não devo criar expectativas a respeito de nós dois juntos. Porque não é justo que eu tenha me aberto tanto em troca de nada da parte de Luka.

— É direito seu manter seus segredos, e é meu direito não gostar disso. Se não posso confiar numa pessoa, nem sou digna da confiança dela, Luka, prefiro cair fora.

Dessa vez, saio antes que ele me alcance. Corro até o quarto e bato a porta com força. Espero uns três minutos encostada na madeira, imaginando que Luka vem atrás de mim. Mas ele não vem.

Então desmorono no chão e choro até soluçar.

Sem uma única peça de roupa limpa e com o coração partido, decido voltar para Perla na manhã seguinte, nem que eu tenha de ir a pé. Não posso continuar aqui depois da conversa que acabei de ter com Luka. Mas, a essa hora, não há nada a fazer.

Eu me levanto do chão e ando até a cama, onde me jogo desajeitadamente, desejando cair no sono o mais rápido possível e esquecer a última hora. No entanto, mal acomodo meu corpo sobre a colcha e escuto o alerta de mensagem do meu celular. Eu me estico a fim de alcançá-lo na mesinha de cabeceira. Só me preocupo em verificar o remetente porque pode ser mamãe, a única pessoa com quem me importaria de conversar agora.

Mas não é dela a mensagem, e sim, de papai. Mal sinal.

Ele diz:

> Elena, sei que agi mal com você ontem à noite e estou me martirizando até agora. Não há justificativas para o que falei... Então só peço desculpas e torço para que perdoe seu velho pai.
> Porém, continuo preocupado, detesto o fato de que você está sozinha com esse rapaz na vinícola que foi do bandido do pai dele.
> Minha vontade é ir aí e buscá-la à força. Alguns anos atrás eu faria exatamente isso. Mas hoje uma atitude assim só nos afastaria ainda mais.
> Só peço que pense bem nas decisões que anda tomando em relação ao Luka. Ele não é um bom sujeito!
> Fique bem, *slinko*. Papai

Mais cedo eu teria ficado muito irritada com essa mensagem. Agora as dúvidas se multiplicam na minha cabeça e me fazem dar importância à opinião do meu pai.

Deixo o celular de lado, bem como meus conflitos interiores. Puxo a colcha sobre mim, me cubro até o pescoço e me esforço para esvaziar a mente, de modo que consiga dormir.

Não sei quanto tempo adormeci. Tenho a sensação de que foram apenas alguns míseros segundos.

Um movimento atrás de mim é o responsável por eu ter despertado rápido demais. Primeiro sinto o colchão envergando um pouco às minhas costas. Isso, por si só, já é estranho e assustador. Em seguida, um braço enrodilha minha cintura, fazendo força para que eu me aconchegue num corpo quente e obstinado, que se infiltrou em minha cama sem pedir licença.

Tento me virar — o coração aos pulos frenéticos —, mas não chego a completar o movimento, pois sou bloqueada por alguém bem mais forte do que eu, a mesma pessoa que, simultaneamente, aproxima a boca do meu ouvido e diz:

— Não se mexa.

Numa outra situação, eu teria desmaiado nesse exato instante. Afinal, de repente, alguém invade seu quarto no meio da madrugada, agarra você por trás e lhe dá uma ordem dessas. Porém, não há motivo para ter medo. Só preocupação. Já que não imagino por que diabos Luka mudou de ideia.

Esforço-me para me soltar, ganhar distância e questionar esse absurdo. Mas é tudo em vão.

— Shhhh... Quietinha. Agora você vai me ouvir.

Então ele quer falar. Apenas por esse motivo faço o que Luka me pede. Preciso saber o que ele tem a dizer.

— Quando meu pai sequestrou sua mãe e fodeu tudo, eu só tinha 5 anos — sussurra Luka, tão baixo que tenho a impressão de que fala para si mesmo. — Na época, não entendi muito bem o que aconteceu. De repente, tudo mudou e ficou estranho. Meu pai foi preso, a gente se mudou para o castelo e todo mundo pisava em ovos comigo. Até que um dia, na escola, um menino pouco mais velho que eu gritou para todo mundo que eu era filho de um sequestrador, de um bandido. Daí para frente comecei a me rebelar. Já gostava de brincadeiras brutas, como lutar com os colegas até que um de nós acabasse machucado. Então fiquei ainda pior. Vivia de castigo, e minha mãe era chamada na escola com mais frequência. Mas eu não tinha vergonha de nada, Elena. Eu não media as consequências. E quanto mais velho eu ficava, em mais confusão me metia.

— Que tipo de confusão? — Eu me arrisco a perguntar. Minha voz sai fraquinha. Não quero desviar a atenção de Luka.

— Vandalismo, briga no colégio, na rua, sumiço de casa... Muita coisa errada, linda. — Ele respira sobre meu pescoço. Sinto que, aos poucos, ele está eliminando um peso de suas costas. — Eu tinha tanto ódio acumulado dentro de mim que me impedia de raciocinar ou agir de acordo com a educação que minha mãe tentou me dar.

Procuro a mão de Luka, apoiada em minha cintura. Coloco a minha sobre a dele e a aperto.

— Acabei envolvido com muita gente errada, Elena. Fazia de tudo para irritar a família real, já que, na minha concepção, alguém tinha que levar a culpa pelas falhas do meu pai. Precisava descontar minha revolta. A família acabou pagando o pato, afinal, do meu ponto de vista, era mais fácil acreditar que Marcus só se tornou um cara mau por causa da existência do Andrej e da Ana. Dá pra entender?

— Acho que sim. Existem sentimentos que nos cegam. É uma forma de lidarmos com os problemas. — Só não completo dizendo que a cegueira geralmente nos faz ter atitudes equivocadas. Luka sabe disso também.

Ele se aconchega mais em mim.

— Comecei a usar drogas. Fui até preso por dirigir chapado. Mas minha mãe sempre dava um jeito de livrar minha cara. E a cada vez que ela se portava assim, eu a desprezava mais.

Meu peito fica apertado. Eu não sabia de nada disso. Será que vem daí a raiva que papai tem de Luka? O que ele fez de tão grave, afinal de contas?

Ouço uma inspiração profunda, seguida de um longo suspiro. Luka se dispôs a esclarecer os fatos para mim, porém, até agora, fez um relato geral dos atos do passado. Não sei se devo insistir para que seja mais específico. Quero muito saber de tudo. Mas, ao mesmo tempo, penso que a decisão de chegar até o fim ou não tem de partir dele, sem pressão da minha parte.

— Você me perguntou mais cedo por que o Alex não vai com a minha cara. Acredito que se deva ao modo como tratei a Ana durante anos.

Entro em estado de alerta. Prevejo que ouvirei uma confissão concreta. Fico de frente para Luka e me deparo com uma pessoa que nem de longe lembra o sujeito arrogante e cheio de si com quem estou acostumada. É um pássaro de asa quebrada, machucado, que nunca conseguiu lidar com suas tormentas nem pedir ajuda.

Ele encosta a testa na minha e, de olhos fechados, se abre para mim:

— Eu infernizei a vida da sua mãe. Falava mal dela para todo mundo, esvaziava os pneus do carro que a Ana dirigia, derrubava copos cheios durante as refeições só para atingi-la.

— Aposto que ela nem ligava — comento, achando graça das malcriações de Luka.

— Às vezes mais, às vezes menos. Mas isso não é tudo. Uma vez eu passei dos limites. Vocês já moravam fora do castelo. Eu e uns amigos fomos a uma festa bem louca e, como sempre, bebemos muito e usamos drogas. Nesse mesmo dia, mais cedo, ouvi minhas irmãs comentarem que estavam animadas porque você iria passar a noite com elas, já que seus pais tinham um compromisso. Então, depois da festa, os caras e eu fomos até sua casa, vazia àquela hora da madrugada, e aprontamos. Entre outras coisas, nós cozinhamos e nos embebedamos na cozinha e deixamos um rastro de bagunça. E, por fim, entramos no seu quarto e barbarizamos lá dentro.

Luka para de falar. Só então percebo que eu também fechei os olhos. Ele contorna minhas sobrancelhas com a ponta dos dedos.

— Demorou um pouco, mas acabaram descobrindo que a invasão havia sido planejada por mim. Seu pai só faltou me matar. Queria me denunciar à polícia. Sua mãe pôs panos quentes. Quis evitar um escândalo. E esse é só um exemplo, Elena. Há muito mais.

Com uma expressão bem séria, Luka se inclina sobre mim.

— Nunca senti vontade de me desculpar pelas burrices que cometi, linda. Antes de voltar a Perla para o casamento de Luce, pouco me importava se meu filme com a família estava queimado. Mas agora isso importa, e muito. Preciso limpar minha barra, achar um modo de consertar as coisas. Só assim me sentirei pronto para você, Elena.

Eu me emociono com essas palavras. Pode parecer caretice ou bobagem, mas considero a posição de Luka um ato de nobreza. Ele está certo. Não adianta forçarmos uma situação quando há fatos mal resolvidos.

— Eu posso esperar — declaro, com a garganta apertada. Faço força para não chorar na frente dele.

Luka leva um instante — que mais parece uma eternidade — me analisando. Por fim, me puxa até que eu encaixe em seus braços e beija o alto da minha cabeça.

Desse momento em diante, não conversamos mais. Caímos num silêncio mais significativo do que qualquer diálogo. Aos poucos o sono retorna, ainda mais com Luka acariciando lentamente meus cabelos.

Portanto, não tenho condições de afirmar, mas, já com a consciência distante, acho que ouvi Luka dizer uma última frase — ou imaginei, projetei, almejei. Sei lá!

— Amo você.

LUKA

Capítulo 31

Inacreditável! Eu disse "amo você" pela primeira vez na vida. Está certo que Elena estava dormindo na hora e não escutou. Ainda assim considero isso um feito e tanto da minha parte. Agora só tenho que tomar coragem para repetir a declaração quando ela estiver consciente.

Mas eu amo mesmo. E falei sério ontem à noite: preciso arrumar as coisas antes de começar uma história com Elena. Estou mais decidido do que nunca. Ainda mais depois de passar a noite inteira com ela nos meus braços. Mal dormi, curtindo a sensação do corpo de Elena encostado ao meu, de sua respiração cadenciada, tranquila. Projetei essa cena muitas vezes em nosso futuro e gostei do que senti.

Logo, resolvi começar o dia cumprindo a promessa de trazê-la a Perla. Tudo o que mais quero é ver Elena feliz e ser para ela o que o imbecil do ex-namorado nunca foi.

— Volto para buscar você daqui a uma hora mais ou menos, tudo bem? — Estamos parados em frente à casa dos pais dela, dentro do carro. Arranjei outra blusa para ela, que a engole tanto quanto o meu velho moletom da faculdade. Confesso que sinto um enorme prazer por vê-la usando minhas roupas. Mas ela insiste em querer as dela. Fazer o quê?

— Melhor me encontrar no castelo. Vou dar uma passada lá para ver mamãe.

— E se seu pai aparecer?

Elena dá de ombros.

— Está com medo dele, Luka? — provoca ela. Agarro-a pelos cabelos e trago seu rosto até o meu.

— Um pouquinho.

Nós dois rimos e nos beijamos ao mesmo tempo. Toda vez que isso acontece meu corpo enrijece, fica duro e tensionado. Como nunca tive um relacionamento duradouro antes, eu me pergunto se, quando tiver Elena por inteiro, vou matar a vontade e deixar de desejá-la tanto assim. Sinceramente espero que não. Caso contrário, o nome do que venho sentindo por ela não é amor coisa nenhuma.

A gente se despede após uns segundos de amassos quentes. Espero Elena entrar em casa. Só então dou a partida no carro e sigo em direção a um dos piores lugares do mundo para mim.

Nesse encontro com meu pai teremos uma conversa definitiva. Ontem, depois que Elena dormiu, cheguei à conclusão de que ele só vai me deixar em paz se conseguir o que quer. Farei a vontade dele, mas não sem uma compensação. Impossível ter uma vida minimamente tranquila com a sombra das chantagens de Marcus sobre a minha cabeça.

Com a decisão tomada e uma estratégia bem definida, toco a irritante campainha sem o costumeiro incômodo por estar ali. Desta vez, quem vai ditar as regras sou eu.

— Ora, mas que surpresa receber a visita do meu filho assim tão cedo! — Meu pai me recebe com ironia, como não poderia ser diferente. Está com o rosto inchado, provavelmente de tanto beber. — A que devo a honra?

Ignoro o sarcasmo e pergunto se vai me deixar entrar. Não quero me envolver numa nova guerra de nervos, da qual eu sempre saio perdendo.

Ele abre espaço no vão da porta para que eu entre. Faço isso, mas paro antes de chegar à sala. Pretendo resolver tudo depressa.

— Tenho uma proposta para você — aviso, procurando imprimir o máximo de segurança em minha voz. Hoje não vou me intimidar. Nem nunca mais.

Marcus exibe seus dentes amarelados numa careta desconfiada.

— Uma proposta? E por que acha que eu estaria interessado em qualquer proposta? Já disse o que quero de você, Luka.

Passo as mãos pelos cabelos e espero uns segundos só para fazer suspense. Ele nem imagina o que vem pela frente.

— Tem certeza de que não está nem mesmo disposto a me escutar? Porque o que vou oferecer pode ajudar sua vida a dar uma guinada, pai.

Acabo de conquistar a atenção dele. Alguma coisa muda em sua expressão, e é a curiosidade que fica mais visível. Que beleza!

Mas, ainda assim, talvez para disfarçar a ansiedade, Marcus solta uma gargalhada forçada.

— Uma guinada? Como? Por acaso, vai me oferecer uma identidade falsa e me mandar para Las Vegas?

— Por aí. — Eu me impressiono com a rapidez com que ele deduziu meus planos. — Posso ajudá-lo a deixar o país, contanto que pare de me chantagear, de usar meu passado como barganha.

— Filho, estou impressionado. Quanta mudança em tão pouco tempo. O que fez você se transformar assim? — Marcus levanta a sobrancelha, perspicaz. — Ou melhor, *quem* deve levar os créditos por isso?

Não me preocupo em rebater seus questionamentos. Só penso em acabar logo com tudo e ir atrás dos sujeitos capazes de possibilitar a fuga do meu pai.

— Se não tem interesse em ir embora daqui, então, tudo bem — blefo, com o coração nas mãos. Ele tem que concordar.

— Ei, eu não disse isso, disse? Aliás, não falei nada ainda. Preciso escutar todos os detalhes primeiro, antes de me decidir.

Uma pequena sensação de vitória invade meu peito. É cedo para comemorar, mas já significa alguma coisa.

— Eu conheço uns caras que conseguem uma nova identidade para você com facilidade. Com ela, posso mandar você para onde quiser. Las Vegas, é isso? Tudo bem. — Reconheço que, ao ajudar meu pai a dar o fora da Krósvia, estarei sendo cúmplice de um crime, proporcionando o sumiço de um condenado em liberdade condicional. Mas é isso ou eu ter de sumir para sempre, porque não posso mais suportar a pressão que ele faz sobre mim.

— Só isso? Tudo bem e acabou? E como você imagina que vou conseguir me sustentar em outro país?

Eu já esperava por essa pergunta. E me preparei para ela.

— Você não vai de bolso vazio. Garanto que receberá o suficiente para começar uma vida nova. Mas será só. Não vou mais sustentá-lo. — Faço uma pausa e avalio a forma como Marcus recebe a proposta. Pelo menos não a descartou de cara. Se está analisando a possibilidade é porque se interessou.

— E se as coisas derem errado? Há sempre a possibilidade de eu ser descoberto.

— Então nós dois acabaremos na cadeia. — Fato!

Meu pai se arrasta até a cozinha conjugada, abre a geladeira, tira uma garrafa de água de dentro dela, toma um gole direto do gargalo, limpa a boca na manga da camisa, volta com a garrafa para a geladeira e bate a porta. Só então me diz sua resposta:

— Está certo. Eu aceito.

Tenho vontade de gritar para extravasar meu contentamento. Porém, me contenho. Melhor não provocar a fera.

— Ótimo. Vou atrás dos caras e volto quando tudo estiver acertado.

O acordo está selado, mas sem cumprimentos ou apertos de mãos. Antes de sair daquela casa, faço um último gesto que revela o quanto estou animado: deixo um cheque relativamente gordo sobre o móvel mais próximo.

— Para você.

Ainda é cedo para ir buscar Elena. Deveria fazer isso agora mesmo, afinal, no meu segundo dia como administrador da vinícola, eu precisaria me inteirar mais dos processos. Mas terei tempo suficiente de agora em diante.

Com a situação a respeito de Marcus relativamente sob controle, decido que é hora de dar um jeito na segunda parte da história. Nesse caso, não há planejamento nem estratégia. Vou atrás de Marieva no escuro, ainda indeciso sobre como começar a consertar as coisas entre nós.

Sei que com ela basta uma palavra, um pedido de desculpas ou apenas um abraço, que tudo ficará bem. No entanto, quero muito que minha mãe saiba como me arrependo por não ter sido um bom filho para ela, e que estou mais do que disposto a ser merecedor do carinho dela daqui para a frente.

Cada decisão que tomo visando meu futuro com Elena alivia um pouco da carga de mágoas que carrego sobre os ombros. Mas nem assim chego menos nervoso à fazenda onde Marieva mora.

Entro em casa sem bater, porque a porta está destrancada. Não estranho o fato, já que isso é normal ali. Nunca houve motivos para minha mãe se preocupar com sua segurança nas terras onde mora há anos. Além de cercada, os empregados transitam pelas redondezas o dia inteiro e muitos residem nas imediações.

Entro de cômodo em cômodo, mas não encontro ninguém, nem mesmo Ivana. Tudo está calmo e silencioso demais para o meu gosto.

— Mãe! Ivana! — chamo. Nada de retorno.

Elas podem ter saído. Apesar da paraplegia, Marieva nunca deixou seus trabalhos assistencialistas de lado. Penso em ir embora e voltar outro dia. Mas, antes, resolvo ligar para avisar que a procurei e que quero falar com ela.

Procuro o telefone na agenda do meu celular e toco no botão de ligar assim que o encontro. Começa a chamar. Ao mesmo tempo, um som parecido com o toque de um aparelho chega aos meus ouvidos. Desligo, e o barulho para. Ligo de novo. O som volta.

Óbvio que se trata do celular da minha mãe. Sigo o toque até o quarto dela, que é de onde ele vem. A porta está entreaberta. Primeiro eu bato, para o caso de Marieva estar lá dentro. Mas ninguém responde.

Muito incomodado, esqueço as questões que envolvem privacidade. Entro no dormitório sem esperar por permissão, porque tenho a sensação de que vou me deparar com algo bem desagradável.

A impressão só piora quando entro. Está tudo escuro. Não consigo enxergar nada.

Tateio a parede em busca do interruptor. Não me lembro onde fica. Então uso a lanterna do celular para facilitar a procura. No entanto, em vez de dirigir minha atenção primeiro à parede, meu olhar é atraído até a cama, onde alguém está deitado.

A cadeira de rodas de mamãe está ao lado dela. Significa que é Marieva quem está ali, ferrada no sono, já que não despertou com meus chamados nem com o toque do telefone.

Melhor deixá-la em paz. Volto depois.

Meio frustrado — e também aliviado por adiar uma conversa que será bem complicada —, tento enxergar os ponteiros do relógio a fim de descobrir que horas são. Difícil fazer isso no escuro. Uso o celular de novo. Jogo luz sobre o pulso esquerdo para me certificar se Elena já passou tempo suficiente com a mãe. Não quero sufocá-la.

Então eu vejo. No chão, caído perto da cadeira, há um frasco de comprimidos, sem tampa. As cápsulas estão espalhadas. Agacho para recolhê-las, embora minha principal motivação é descobrir que tipo de medicamento é aquele. Começo a catar as pílulas, uma a uma. Como algumas se enfiaram sob a cama, tento me posicionar de modo que as alcance. Mas me desequilibro e meu braço toca em algo frio. Giro o rosto depressa; o nervosismo me consome.

E aí tudo perde o foco. Porque, a poucos centímetros dos meus olhos, eu me deparo com uma mão. Uma mão feminina e gelada. A mão sem vida da minha mãe.

ELENA

Capítulo 32

— Oi, mãe!

— Elena! Como é bom ver a minha menina!

Mamãe está tomando sol no jardim. Está de camiseta e bermuda e usa um par de Havaianas. Parece uma menina em idade escolar, a não ser por algumas ruguinhas — quase imperceptíveis — no canto dos olhos e a barriga protuberante de uma gestação de gêmeos.

— O que está lendo? — Aponto para o livro em suas mãos. Ela me mostra a capa, o que me faz sorrir. — De novo? Nunca se cansa dessa história, dona Ana?

— Jamais. Sempre será meu livro de cabeceira favorito.

— O meu também. — Faço coro. Trata-se de *Senhora*, de José de Alencar, um autor brasileiro de quem aprendi a gostar de tanto escutar os elogios de mamãe a ele.

Ela deixa o livro de lado, sobre o banco onde está sentada, e faz um gesto indicando que quer que eu segure suas mãos.

— Que brilho maravilhoso é esse nos seus olhos, filha?

Sinto meu rosto corar de vergonha. Tenho liberdade para discutir qualquer assunto com minha mãe, mas é difícil lidar com o fato de que ela pode estar imaginando mil coisas a respeito de mim e de

Luka, coisas que não chegaram a acontecer, embora tenham chegado perto disso.

— Bem, acho que Luka e eu estamos começando algo. Pelo menos é o que estamos tentando fazer.

— Tentando, é? E por que não assumem logo? Um dos dois não tem certeza do que sente pelo outro? — Quantas perguntas! A princesa sempre procura obter explicação para tudo. E não se contenta com meias-verdades.

Exalo o ar devagar.

— Acredito que sabemos bem o que sentimos, mãe. A questão não é essa.

— E qual é então? Por acaso tem a ver com a birra que seu pai tem do Luka? Ou é porque são primos?

— Não, nada disso. Luka é um homem cheio de segredos. Você sabe. Ele quer resolver suas pendências antes de ficar comigo de vez. Pelo menos, foi essa a justificativa que ele me deu.

Minha mãe enruga a testa e passa um tempão olhando para o nada, avaliando as palavras que acabei de proferir. Fico aflita, na expectativa de um comentário.

— É verdade. Luka teve uma infância traumatizada e passou pela adolescência com a marca deixada por um pai sem caráter. Difícil crescer sem ser influenciado negativamente. Ele cometeu muitos erros, prejudicou algumas pessoas. Mas, ao contrário do que pensa seu pai, ele não é mau. — Solto um suspiro de felicidade ao escutar o parecer de mamãe. — E, se está disposto a ter um relacionamento com você, Elena, mesmo que antes precise colocar os pingos nos is, é porque realmente já não se ressente tanto do passado. E sabe o que me deixa mais satisfeita, filha?

Digo que não. Porque nem imagino o que possa ser.

— Tenho a sensação de que você é a única pessoa capaz de quebrar a maldição que ronda a vida de Luka desde que o pai dele fez o que fez.

— Maldição? Você sabe de algum fato específico? Porque ele me revelou algumas histórias, mas ocultou muitas partes.

Os dedos da princesa fazem um carinho em meus cabelos, e ela sorri com ternura. Adivinho o que vai responder.

— Elena, eu não posso fazer isso. Só o Luka. Quando for a hora certa, quando ele estiver preparado, vai lhe contar a história toda.

Pelo jeito, a única desinformada sou eu. Odeio ficar no escuro.

"O número para o qual você ligou está desligado ou fora da área de cobertura".

É a décima vez que ouço a voz mecanizada da mulher da operadora avisar que o celular de Luka não se encontra disponível no momento. E faz mais de três horas que estou à espera dele no castelo. Já me irritei com o seu atraso, mas agora o que sinto é preocupação. Por que está demorando tanto e por qual motivo não atende minhas ligações?

Almocei com mamãe, ou melhor, tentei almoçar, já que nada descia pela minha garganta. E ela passou o tempo inteiro me pedindo para ficar calma, pois certamente Luka teria uma boa justificativa para seu sumiço repentino. Depois nos esparramamos em sua cama para assistirmos a um filme, mas minha mãe dormiu antes da metade. Eu, em vez de prestar atenção na história para me distrair, não tirei os olhos do telefone, na esperança de receber alguma notícia de Luka, que jamais chegou.

Sem saber o que pensar disso tudo, saio do quarto, tentando me decidir se devo ou não voltar para a Colline sozinha. Infelizmente, porém, não preciso resolver coisa alguma. Encontro Irina no meio do corredor, transtornada, andando de um lado para o outro, como se tivesse acabado de ouvir uma história muito ruim e não soubesse como lidar com ela

— Ei, Irina, o que houve? — Eu a seguro pelos ombros, de modo que perceba minha presença, que até então parecia imperceptível aos olhos da rainha.

— Elena... — murmura ela; os olhos estão vermelhos e inchados. Algo horrível aconteceu. Meu coração afunda no peito. Tudo me leva a crer que foi com Luka. *Oh, por favor, não.*

— Diga, Irina! O que foi? — Dou uma sacudida nela. Que gastura!

A rainha me aperta de volta, envolvendo meus braços com seus dedos, não sei se para me confortar ou amparar a si mesma.

— Ah, Elena... É a Marieva. — Irina solta um soluço e não consegue segurar o choro que vem em seguida. Estou prestes a enfartar. É Luka. Agora tenho certeza. Tia Marieva deve ter ligado e relatado o que ocorreu com ele. — Ivana, a secretária dela, telefonou para avisar... — Ela não dá conta de continuar. Cai em prantos.

Fico louca.

— Pelo amor de Deus, Irina. Diga de uma vez. O que houve com o Luka? — imploro. Não aguento mais a angústia.

A rainha me encara. Seus olhos, embaçados pelas lágrimas, demonstram sua confusão.

— Com Luka? — repete, dando a entender que não entendeu direito. — Que eu saiba, nada aconteceu com ele. É Marieva. Ela... ela... morreu.

O quê?

Minha cabeça gira.

— Morreu? Como assim? — indago, simplesmente porque não dou conta de assimilar o que acabei de ouvir.

Irina leva um tempo para responder. Enquanto isso, fica repetindo umas frases sem parar:

— Oh, Deus! Que tragédia! Como vou contar ao Andrej? E à Ana? Ai, minha nossa, a Ana!

Sim, será muito difícil dar a notícia à mamãe. Ela é muito apegada à tia Marieva. E com a gravidez de risco, pode acabar passando mal, comprometendo a saúde dela e a dos bebês.

— Não acredito... — sussurro, perplexa demais. — Como foi que ela morreu, Irina? — Lágrimas descem copiosamente pelas minhas bochechas e respingam até o peito.

— Não sei, querida. Ivana disse que foi o Luka quem a encontrou.

— O Luka?!

— Sim. Parece que queria conversar com a mãe e foi procurá-la na fazenda. Ele achou Marieva desacordada no quarto dela. Ligou para a emergência na mesma hora, mas, quando os médicos chegaram, ela já estava morta.

Afasto-me de Irina, completamente transtornada. Encosto o corpo na parede atrás de mim e inspiro fundo, pois o ar me falta. Estou triste. Que nada! Arrasada é a melhor palavra para descrever meu estado emocional. E mais: temo também pelo modo como todos receberão a notícia, mas, principalmente, sofro por Luka, pelo fato de ter sido ele quem encontrou o corpo da mãe.

Deslizo até o chão e junto as pernas até encostar os joelhos no peito. Não sei quanto tempo fiquei assim. Muitas coisas aconteceram desde então, porém, sou incapaz de descrevê-las. Só me lembro de dois fatos: tentei entrar em contato com Luka mais uma porção de vezes, todas sem sucesso; papai me encontrou naquele estado de semicatatonia e me levou para meu quarto no castelo, onde permaneci por horas.

Depois, fui orientada a ocupar meu posto de princesa, a terceira pessoa na linha de sucessão do trono da Krósvia, ao lado de Andrej e Ana Markov, no funeral de Marieva Markov, a irmã do rei, sem sequer ter ideia do paradeiro de Luka.

Assim que me troquei e vesti a roupa adequada para a ocasião — não entendo como podem pensar em adequação num momento como esse —, tentei obter notícias dele. O certo é que ninguém sabe onde foi que ele se meteu, nem mesmo suas duas irmãs, personificações do desespero e da incredulidade.

E como eu não podia fazer nada a respeito, além de permanecer firme junto à família numa ocasião de tão profunda dor, desempenhei meu papel sem reclamar, procurando dar força principalmente à minha mãe, que, apesar de demonstrar resignação ante à tragédia, está sofrendo quase tanto quanto as próprias filhas de tia Marieva.

E tudo ficou ainda mais nítido ao longo do funeral, que aconteceu exatamente assim, nesta sequência:

O funeral de Marieva, Princesa da Krósvia, única irmã do rei Andrej Markov, teve início às dez horas da manhã do dia seguinte à morte, depois do repicar dos sinos do Palácio de Perla. O ataúde com o corpo de tia Marieva foi movido numa carruagem militar e acompanhado por guardas reais desde o Parque Real até o Palácio Sorvinski, onde ocorreu o velório de cinco dias. Durante esse período, as bandeiras krosvianas dos edifícios públicos permaneceram a meio mastro em sinal de respeito à família real.

Enquanto isso, nem sinal de Luka.

A cerimônia oficial teve início na Catedral do Sagrado Coração de Maria, no centro de Perla, e se encerrou com o sepultamento de tia Marieva no Cemitério Catarina Sorvinski, onde se encontram os restos mortais de todos os antepassados da família.

O funeral de tia Marieva não foi considerado funeral de Estado, uma cerimônia para os chefes das nações. Mesmo assim, incluiu alguns de seus elementos, dignos de grandes governantes. Após a divulgação da morte, milhares de buquês de flores foram deixados nos portões do Palácio de Perla e do Palácio Sorvinski. O ataúde de tia Marieva foi coberto com o Estandarte Real da Krósvia e acompanhado pela Guarda Real durante uma procissão que durou quase duas horas pelas ruas da capital. As meninas do Lar Irmã Celeste permaneceram à frente, em carruagens que escoltaram o corpo daquela que foi símbolo do altruísmo, da caridade e do amor ao próximo, mesmo quando as coisas ficaram difíceis para ela.

O cortejo foi seguido por milhares de pessoas, todas bastante emocionadas e incrédulas.

Assim que chegou ao Cemitério Catarina Sorvinski, o corpo de tia Marieva passou a ser acompanhado pelo rei Andrej Markov, meu pai, o genro dela e Hugo, como manda a tradição.

Lá dentro, ao lado do jazigo da família, só familiares e convidados puderam estar presentes durante a cerimônia formal. Meninas do coral do Lar Irmã Celeste fizeram uma homenagem especial à tia Marieva com a interpretação da música *Never let me go*, de Florence and The Machine. Uma chuva fina caía pacificamente, contribuindo com a pesada tristeza que oprimia cada um de nós.

> *And it's breaking over me*
> *A thousand miles onto the seabed*
> *Found the place to rest my head*
> *Never let me go, never let me go*
> *Never let me go, never let me go*

> *E está arrebentando sobre mim*
> *Mil milhas no fundo do mar*
> *Achei um lugar para descansar minha cabeça*
> *Nunca me deixe partir, nunca me deixe partir*
> *Nunca me deixe partir, nunca me deixe partir*

Choramos muito. Mamãe precisou de atendimento médico antes do final da cerimônia porque teve uma queda de pressão causada pelo excesso de emoções, mas não quis se retirar. Luce e Giovana, embora firmes, não contiveram as lágrimas em momento algum. Meu avô permaneceu impávido. Mas sua postura rígida não convenceu.

Acontece que ninguém estava preparado para o falecimento de tia Marieva, nem mesmo nós, da família. Segundo Luce e Giovana, a mãe não reclamava de nada e jamais mencionou que andava se sentindo mal.

Ivana, sua secretária particular, foi quem revelou que, a pedido da própria Marieva, nunca pôde falar a respeito do problema cardíaco com o qual minha tia-avó vinha convivendo havia alguns meses. A teimosia dela custou-lhe a vida. Tudo indica que, naquela manhã, cinco dias atrás, tia Marieva chegou a tentar tomar o medicamento prescrito por seu médico, que ajudava a manter a saúde razoavelmente controlada, mas sofreu o ataque fatal antes de conseguir ingeri-lo. A hipótese foi levantada por causa da embalagem do remédio caída ao chão e as pílulas espalhadas perto da cama.

Quanto a Luka, bom, desde então, está sumido. Não apareceu no funeral, o que pode não ter surpreendido a maioria dos familiares, mas a mim, sim. Tinha que haver uma explicação.

Então, depois de dias de luto e de um funeral que abalou o país inteiro — num período já bastante nebuloso para o governo krosviano —, tudo acabou quando o ataúde foi acondicionado dentro do jazigo imperial.

Estamos prontos para deixar o cemitério, os sobretudos úmidos devido à garoa, quando o vislumbre de uma pessoa com o corpo semiescondido atrás de um carvalho centenário chama minha atenção. É um homem, está de boné e óculos escuros, apesar do tempo nublado. Antes dos meus olhos terem certeza, meu coração dá o grito: é Luka!

Ele não está olhando para mim. Sua atenção se dirige ao jazigo onde o corpo da mãe acabou de ser depositado. Prendo a respiração, à espera de alguma reação por parte de Luka, mas ele apenas observa, sem tomar nenhuma atitude.

Fico dividida entre ir até lá ou ficar onde estou, sem interferir em seja qual for sua decisão. Acabo não fazendo nada, ainda que meu coração esteja a ponto de explodir dentro de mim.

Então, quando a inércia passa e meus medos evaporam, não tenho tempo de agir. Da mesma forma que Luka surgiu sem se manifestar, ele some. Giro a cabeça em todas as direções, em busca de uma pista do seu paradeiro. Noto um movimento no estacionamento do cemitério e, em seguida, escuto o barulho do motor de um carro sendo ligado.

Isso atiça a curiosidade de mamãe. Ela me olha de modo interrogativo.

Aponto o queixo para a estrada, onde o já velho conhecido jipe ignora os limites de velocidade. Sem deixar escapar um único som, capricho na mímica labial e coloco minha mãe a par da situação:

— Luka.

A princesa Ana não consegue esconder a surpresa.

Aproveito que tenho a atenção dela em mim para avisar sobre a decisão que acabei de tomar:

— Vou atrás dele. — É só o que digo. Não explico como nem mesmo para onde, porque só posso supor qual é o destino de Luka.

Minha mãe assente uma vez, dando-me seu apoio.

Abraço-a rapidamente e saio às pressas. Sei que devo ter deixado todo mundo imaginando coisas, especialmente o meu pai. Mas nem ligo. Cinco dias é tempo demais para uma pessoa profundamente machucada se colocar em isolamento.

Chegou a minha hora de mostrar a Luka que ele não está sozinho.

ELENA

Capítulo 33

Sem ter certeza de que estou no caminho certo, vou de táxi até a Colline. Sigo minha intuição, pois uma vozinha me soprou: é lá que encontrarei o fugitivo.

A viagem me custa os olhos da cara, afinal, mais de cem quilômetros separam Perla da região rural de Craiev, mas pago o motorista sem dor na consciência. O taxista vai embora, apesar de eu estar correndo sérios riscos de dar com a porta fechada.

Paro diante do portão de entrada do casarão e começo a duvidar de minha sanidade por me deslocar de tão longe sem a garantia de que serei recebida por alguém. Dou três pancadas na madeira pintada de branco, rezando para que Marta esteja do lado de dentro.

Espero um pouco antes de começar a planejar uma forma de voltar para casa que não seja a pé, de carona ou ligando para o meu pai vir me pegar. Porém, ao concluir que cometi um erro bem grande, o trinco da porta range e uma mulher de meia idade surge de trás dela.

— Marta, eu... — Eu me interrompo, torcendo as mãos de nervoso. Quero perguntar por Luka, saber se ela o viu, mas nada sai além da respiração entrecortada.

— Ele está nos fundos, lá na academia. — A mulher adivinha meus pensamentos, de certo modo aliviada por me ver diante dela.

Mal sabe que eu também estou, e muito, ainda que não tenha condições de prever como serei recebida por Luka.

Passo batido pelo interior da casa.

Vejo o centro de ginástica assim que alcanço a varanda nos fundos da mansão. Eu ainda não tinha ido até lá e, pra falar a verdade, nem sabia que o galpão do lado de fora, ligado à casa por uma passarela com cobertura natural, era uma academia.

Sigo determinada, andando a passos largos para não perder a coragem. Mas isso não significa que não estou apavorada, com medo de encontrar um Luka tão destruído que pode muito bem ser capaz de me enxotar dali, como se eu não passasse de uma intrusa qualquer.

Mesmo diante dessa possibilidade, não me intimido. Ao chegar à porta do centro de ginástica, giro a maçaneta sem parar para ponderar se estou agindo certo ou cometendo uma burrice gigantesca.

Então me deparo com três situações:

1. A temperatura lá dentro é congelante. O ar-condicionado deve ter sido programado para resfriar o ambiente perto da casa dos cinco, seis graus.
2. O lugar é imenso e muito bem equipado, mas esse detalhe meio que passa batido..
3. Porque Luka está mesmo lá, só de calça de ginástica preta, socando um saco de treinamento de lutadores, tão concentrado que nem me nota.

Seus pés descalços pulam à medida que ele distribui socos, mantendo um ritmo constante; os músculos do dorso e dos braços inflam com o esforço.

Neste instante, Luka mais parece uma arma de combate, prestes a passar por cima de quem quer que ouse atravessar seu caminho.

Quem disse que não posso ser ousada?

Ao som da música que retumba em alto volume, saindo dos amplificadores cuidadosamente espalhados pela sala, caminho até Luka. Ele ainda não me viu.

Bem na hora em que o cantor entra no refrão e introduz *Here comes a fighter*, paro a um passo de distância das costas de Luka. Nem me atrevo a ponderar o que estou prestes a fazer. Simplesmente sigo o que ordena meu coração. Antes que ele se dê conta, envolvo meus braços em torno de sua cintura e colo meu corpo ao dele, apoiando minha bochecha esquerda em suas costas.

Ele leva um tremendo susto e quase executa em mim um golpe de judô, caratê ou de outra luta idiota qualquer.

Porém, como sabia que isso poderia acontecer, entrelaço meus dedos uns nos outros e prendo Luka com mais força ainda. Em seguida, digo:

— Eu amo você. — Minha voz sai com uma confiança que nem eu mesma imaginava que sentia. Então repito: — Amo você, Luka.

Ele treme junto a mim. E, sem me dar qualquer sinal de que gostou do que declarei de supetão, enfia o rosto entre as mãos e cai no chão de joelhos. Eu vou junto, já que não me soltei dele.

A cena é dramática: acabamos de enterrar sua mãe cujo corpo foi Luka quem descobriu. Ele surtou, sumiu, não atendeu minhas chamadas. Mesmo assim fui atrás dele, digo na cara dura que o amo e, como resposta, sou levada ao chão, sem mais nem menos. Será que isso foi demais? Forcei a barra quando deveria respeitar o tumulto emocional pelo qual Luka está passando?

Sou muito burra.

— Elena, eu não tive a menor chance de sequer tentar me regenerar com minha mãe — lamenta ele, de repente, sem se virar para me olhar. Não reajo, por medo de Luka desistir de continuar falando. — Eu fui até a fazenda para isso, quero dizer, para ter uma conversa, tentar consertar as coisas. Mas aí, eu a encontrei... e tudo...

Luka não consegue terminar. Ele soluça e para por aí. Quero dizer alguma coisa, algo que o console, mas não sei o quê. Porém, nem chego a abrir a boca, pois logo ele emenda um novo assunto:

— Vivi mais da metade da minha vida tratando minha mãe muito mal. Ela se tornou o alvo número um da minha rebeldia, já que eu não podia descontar na pessoa certa. Meu pai...

Devagar, devido à má posição em que me encontro, solto os braços da cintura de Luka. No entanto, quando ele nota o que estou fazendo, agarra as minhas mãos e as mantém junto ao corpo dele.

— Não vá. Preciso que me escute.

Embora não seja a resposta que desejo ouvir — "também a amo, Elena" —, fico contente, de qualquer forma, porque ele não se fechou.

— A parte que diz respeito ao mau comportamento na minha infância e na adolescência, você já sabe. Talvez só não imagine que, para irritar ainda mais a família, especialmente seu pai e seu avô, eu comecei a visitar o Marcus na penitenciária.

Sim, eu já sabia disso. E ele tem razão. Irritou tanto as pessoas, que me pai não suporta nem mesmo pensar em Luka com um pouquinho de benevolência.

— Eu não gostava de fazer isso, mas ia lá mesmo assim. No fundo, o motivo ia além da necessidade de eu ser do contra. Minha cabeça andava tão pirada, Elena, que eu acreditava ser uma réplica mais nova do meu pai, com todos os desvios de caráter passados a mim por herança genética.

— Não... — começo a retrucar, mas Luka interrompe.

— Sim, exatamente isso. E Marcus reforçava essa ideia, afirmando, sempre que eu aparecia, que, pelo menos, um dos filhos havia saído a ele.

Muito triste isso. Um garoto traumatizado sendo levado a crer que seu futuro seria semelhante ao de um homem sem moral feito o pai dele.

Devo ter afrouxado meus dedos de novo, pois Luka intensifica a pressão que faz sobre eles.

— Foi mais ou menos nesse período que comecei a usar drogas. Primeiro, as leves; em seguida, algumas bem *hardcore*. Tinha dias em que eu ficava doidão quase o tempo inteiro. Quebrava tudo dentro de casa. Fui preso algumas vezes...

Acho que meus pais editaram boa parte da história da vida de Luka para mim. Tenho conhecimento de muitos fatos sobre ele, mas nada tão claro e específico. As informações que me passaram são genéricas, como sua rebeldia, sua falta de compromisso, além de um ou outro lance condizente com a fama que ele sempre fez questão de manter.

Ainda assim, diante de toda essa novidade, não me deixo abalar. Ouvir e apoiar: esse é o meu papel neste momento.

— Até que acabei passando dos limites, ou melhor, estourando de vez o resto de crédito que me sobrara com a família. — Luka se solta de mim e toma uma certa distância, mas não permite que eu veja seu rosto. — Passei a noite numa balada, bebendo tequila e cheirando cocaína sem dar intervalo. Voltei para casa de carona com uma menina. Nem sei se a gente chegou a ficar junto ou ela teve pena do meu estado e decidiu fazer uma caridade, não permitindo que eu dirigisse naquele estado. Meu carro ficou para trás. Estava tão chapado, Elena, que, em vez de me enfiar debaixo do chuveiro e dar minha noitada por encerrada, parei no armário de bebidas que Marieva tinha, escolhi uma garrafa de qualquer coisa e continuei tomando todas. Fiquei tão mal que saí derrubando os enfeites da casa, chutando móveis, o que chamou a atenção de todo mundo, claro. De repente, fui cercado pelo que pareciam ser todas as mulheres do planeta. Luce e Giovana, ainda de pijama porque era cedo demais, olhavam para mim com perplexidade e raiva. Ivana, a secretária, se pudesse, teria me batido, de um jeito que minha mãe já deveria ter feito há muito tempo.

Luka fraqueja ao mencionar a mãe.

— Marieva estava pronta para sair de casa, toda arrumada. Acho que ia para o Lar Irmã Celeste ou algum outro compromisso social. Ela me viu naquele estado e, em vez de pregar um sermão, me lançou um olhar exausto e me deu as costas sem dizer uma só palavra. Só que, antes de passar pela porta, se voltou para mim novamente, mas, dessa vez, avisou num tom áspero: "Não saia de casa até eu voltar. Vamos ter uma conversa séria". E sabe o que eu fiz, Elena?

Faço que não com a cabeça, mesmo sabendo que Luka não consegue me ver.

— Eu ri. Ri tanto que fiquei histérico. Porque era muito ridículo minha mãe pensar que podia ter algum poder sobre mim. Então ela saiu. Minhas irmãs começaram a gritar comigo, mas eu nem dei bola. Corri atrás de Marieva, porque minha única intenção era feri-la ainda mais.

Dói em meu coração tomar conhecimento de uma história tão deprimente. Luka visitou o fundo do poço. E não contente em afundar a si mesmo, quis empurrar a própria mãe com ele.

De repente, uma dúvida me ocorre:

— Tia Marieva foi embora... andando? Ela ainda não tinha ficado paraplégica?

Como se eu tivesse jogado água fervente em suas costas nuas, Luka se vira bruscamente e me encara com os olhos azuis flamejantes. É a primeira vez, em cinco dias, que eu o vejo de frente. Apesar de sua beleza inquestionável, é nítido o quanto está destroçado.

— Você ainda não percebeu aonde essa história toda vai dar, Elena? — indaga, de modo ríspido. — Não deduziu que tudo o que contei foi para chegar ao ponto em que minha mãe ficou paraplégica por *minha* causa?

Cubro a boca com as mãos para esconder meu choque.

— Co-como? — sussurro.

Luka esfrega os olhos. É impossível não notar o quanto essas lembranças o atingem. Isso mais a fatalidade que foi a morte de tia Marieva.

Ele me dá as costas de novo, bloqueando minha visão e me impedindo de interpretá-lo ainda mais.

— Está surpresa? Pois então ouça o resto. Não vou ficar espantado se resolver fugir depois. — Esta última frase é dita em voz tão baixa que por pouco não consigo escutar. — Tropeçando nos meus próprios pés, corri atrás de Marieva, mas não a alcancei tão rápido, já que mal conseguia andar. Quando encontrei minha mãe, ela estava sentada no carro, no banco do carona, secando o rosto com um lenço. Chorava por minha causa. Bati as mãos com força no capô para revelar minha presença. Se o diabo existe, Elena, com certeza era eu naquele momento. Porque o que fiz em seguida foi uma covardia e eu nunca fui capaz de me desculpar. Tive infinitas oportunidades, muita vontade e nenhuma coragem.

Luka faz uma pausa enquanto apoia as mãos num equipamento de ginástica muito usado nas apresentações dos fisiculturistas. As tatuagens intrincadas sobressaem na musculatura definida. É um homem de aparência muito poderosa, sem dúvida, que esconde bem uma profunda fragilidade.

— Assim que minha mãe me viu, lancei a ela um sorriso diabólico e, sem pensar duas vezes, contornei o carro e entrei no lugar do motorista. A chave já estava na ignição. Então foi fácil dar a partida e sair dirigindo que nem um maluco. Minha mãe gritava, pedindo para eu parar, mas eu nem ouvia. Ou melhor, escutava, sim, e usava o desespero dela como motivação para pisar ainda mais fundo. E foi assim que tudo aconteceu. De repente, eu perdi o controle do carro, que capotou um monte de vezes, até atingir o acostamento e despencar morro abaixo. Não me lembro de muita coisa depois desse fato. Estávamos muito machucados, principalmente Marieva. E machucamos outras pessoas também. Apesar disso, quando recobrei a consciência no hospital, me disseram que meu corpo estava fora do carro, quando o socorro chegou, e que minha mãe, antes de ir para o bloco cirúrgico, contou aos policiais que quem dirigia era ela. Eles não ficaram muito convencidos e pediram que eu confirmasse essa versão. Então, Elena, sem o menor remorso, eu confirmei. E depois, mais tarde, Marieva voltou a afirmar que a culpa de tudo era dela, embora já soubesse que não andaria pelo resto da vida.

— Por que ela fez isso? — Quero saber, perplexa. — E por que você deixou, Luka?

Ele solta um suspiro cansado.

— Marieva livrou minha cara, Elena, porque não queria que eu terminasse feito meu pai, preso por anos, julgado e condenado. Os exames que fiz no hospital deixaram claro que meu corpo estava tomado de substâncias químicas proibidas. Ser pego dirigindo desse jeito e ainda por cima causar um acidente que chegou a envolver outros carros... causando a morte de uma família inteira... significaria meu fim. Você consegue imaginar como eu reagi?

— Não — murmuro. *O que dizer, afinal de contas?*

— Minha mãe quis evitar meu fim, apesar de eu ter acabado de mergulhar fundo num buraco cheio de merda, Elena. E eu não a desmenti porque sou um covarde. Claro que houve muitas desconfianças, especialmente de Andrej, de Alex e das minhas irmãs. Mas, quando melhorou, minha mãe reuniu todo mundo, explicou o que havia ocorrido e pediu que ninguém jamais tocasse nesse assunto outra vez, nem fizesse julgamentos a respeito da decisão que tomou. Fizeram a vontade dela. Não ouvi uma só repreensão, mas podia vê-la na expressão de cada um. Depois disso não consegui mais viver sob o mesmo teto com Marieva. Eu fui embora sem nunca agradecê-la pelo que fez por mim. Talvez pela consciência de que aceitar sua ajuda tenha sido um ato muito errado. Eu matei uma família e deixei minha mãe inválida. E não recebi nenhum castigo em troca. Me safei, Elena. E nem assim minha mãe passou a me ver de outra forma, com menos amor.

A cabeça dele cai entre os braços, dando a impressão de não ter mais nada a declarar. Mas entendo errado. Ainda resta um último comentário:

— Duvido que você vá sustentar o que me falou mais cedo, antes de eu despejar toda essa sujeira. Se sair correndo agora, eu vou compreender.

É a minha deixa. Não fujo, como ele sugere. Ao contrário. Vou até ele e toco seus ombros, tão tensos que parecem esculpidos em madeira maciça.

— Não vou a lugar algum. — Fico na ponta dos pés e faço essa afirmação diretamente no ouvido dele. — Não vou porque você já sabe, Luka. Eu amo você. E ainda que não me ame de volta, não importa. É bem aqui que pretendo ficar.

LUKA

Capítulo 34

Eu não queria que Elena tivesse vindo atrás de mim. Não queria que me visse desse jeito nem que declarasse seu amor. Não mereço a consideração de ninguém, muito menos da mulher por quem... estou apaixonado.

Mas agora que está aqui, não quero que vá embora, nunca mais. Só não sei o que fazer para amenizar as coisas e me tornar o homem que Elena merece ter. Ainda mais neste momento, com a morte da única pessoa que poderia proporcionar minha redenção.

Estou cansado; fodido e cansado, para ser bem exato.

Como já percebi desde que a vi, Elena é muito determinada. E não espera que eu reaja. Força a passagem entre meu corpo e o aparelho de supino onde estou apoiado e se coloca de frente para mim. Em seguida, segura meu rosto, obrigando-me a encará-la.

Os olhos dela, aquelas bolas incríveis cor de jade, estão inchados de tanto chorar, acho. Mas não emitem nenhum sinal de fragilidade ou timidez. Eu vejo neles exatamente o que Elena acabou de declarar. E, ao mesmo tempo, isso me alegra e me assusta.

— Não pense que vou dizer "puxa, não fique assim, você vai ficar bem", porque seria só uma frase boba, falada da boca para fora, com o objetivo de consolá-lo sem ser verdadeira. — Elevo as sobrancelhas, grato por não ouvir de Elena palavras que expressem pena. — Seu sofrimento é a prova de que você se arrepende por todas as mancadas que cometeu, especialmente com sua mãe. Então, se tentar reprimi--lo, vai se sentir mais sufocado, até que a culpa o destrua de vez.

As unhas dela massageiam a pele sob a minha barba, enquanto sua dona, aquela garota tão mais jovem do que eu, exprime seu ponto de vista com muita segurança e maturidade.

— Tia Marieva já tinha perdoado você há anos, Luka. Mesmo impedindo que pagasse por seus erros, como arcar com a responsabilidade por ter dirigido drogado, ela fez você crescer. Sei que não conseguia conviver com sua mãe por causa da culpa e de todo o restante, mas você sofreu por não demonstrar o quanto gostava dela e se martirizava por não ter coragem de dar o braço a torcer. — Elena sorri com doçura e outra vez se ergue na ponta dos pés para ficar quase da minha altura. Seus lábios se projetam até encostarem levemente nos meus. Fecho os olhos para potencializar a sensação, por isso, não vejo, apenas sinto que o sorriso dela se alarga enquanto se justifica. — Notei isso desde aquele dia, quando você apareceu para o jantar da Luce. Você só quer parecer um sujeito mau, Luka. Mas nós dois sabemos que é pura fachada, não é mesmo? Sinto muito, muito mesmo, que sua mãe tenha morrido sem que pudesse ter ouvido seu pedido de perdão. Mas, se serve de consolo, pense que, assim como eu, tia Marieva já havia te sacado. E, de alguma forma, sabia o que se passava aqui. — Elena cobre meu peito esquerdo com a mão. Perco o fôlego com o gesto. Ninguém me entende melhor do que essa garota.

Volto a ficar de olhos abertos. Não quero perder a chance de ver a reação dela ao responder ao apelo que estou prestes a lhe fazer:

— Fale de novo, Elena.

Ela enruga a testa, mostrando-se confusa diante do meu pedido. Sim, não fui muito específico mesmo. Mas é que não estou acostumado a sair falando a palavra *amor* por aí.

— Diga mais uma vez o que sente por mim.

Mesmo que não seja capaz de repetir que me ama, só o súbito rubor que toma as bochechas de Elena faz com que eu me sinta menos infeliz. Entretanto, o rosto corado é apenas o prenúncio do que vem logo em seguida:

— Eu amo você — repete Elena, fazendo questão de pronunciar pausadamente cada palavra dessa frase tão curta e, ao mesmo tempo, a mais completa entre todas as outras faladas em krósvi, inglês, português ou em qualquer que seja o idioma.

— Ah, princesa, você não tem ideia do que acabou de fazer.

Sem pensar em mais nada além da bela mulher na minha frente, uso suas palavras como motivo para agir. Prendo Elena entre mim e a barra do supino, sem que ela tenha qualquer chance de escapar dali. Quero beijá-la, ou melhor, preciso fazer isso, mas prefiro torturá-la um pouco, raspando minha barba ao longo da linha de seu maxilar e mais abaixo, no pescoço.

Então ela geme, e uma necessidade animal de possuí-la aqui e agora me atinge em cheio. Eu tinha prometido esperar até que conseguisse amenizar minhas mancadas. Porém acabo de zerar meus segredos. Não há nada sobre mim que Elena não saiba, não deixei porcaria nenhuma encoberta — a não ser as chantagens do meu pai, que pretendo contar na próxima oportunidade. E, se ainda assim ela me considera digno de receber seu amor, não sou eu quem vai se esquivar. Não por ser um aproveitador cretino, mas porque a amo também.

— Elena... — Cravo meus dentes no lábio inferior dela, depois amenizo o puxão passando a língua de leve por ele.

Ela reage na hora, com a mesma intensidade. Contorna meu pescoço com as mãos e o força para baixo, de modo que eu não possa escapar do beijo que Elena inicia. Então eu esqueço essa história de tortura e a ataco, fazendo o que ela espera de mim. O encontro dos nossos lábios gera faíscas que me consomem de dentro para fora. Necessito de mais.

Aprofundo o beijo, usando minha língua para explorar o interior da boca de Elena, tão gostosa quanto um pêssego maduro. Nossos dentes se chocam, mas a gente nem pensa em parar. Por mais que estejamos grudados um no outro, ainda é muito pouco.

Desço minhas mãos até a cintura de Elena e acaricio a pele entre o cós da calça e a barra da camisa. Ela está toda de preto por ter acabado de sair do funeral da minha mãe. Não gosto desse visual. Ele evoca pensamentos deprimentes, e tudo o que eu quero é aproveitar esse momento com Elena, me entregando por inteiro a ela, sem que minha mente possa atrapalhar.

— Abra os olhos — peço, com meus lábios pairando a milímetros dos dela.

Sou recompensado com as esferas cor de jade, com as quais eu sonho há semanas, anuviadas de tesão. Acho que nunca vi nada mais maravilhoso e empolgante em toda a minha vida.

Deliberadamente lento, vou abrindo os botões da camisa escura de Elena, de baixo para cima. A cada vez que desabotoo um, resvalo meus dedos em sua barriga lisa e sedosa. Percebo o esforço que ela faz para conservar seus gemidos dentro da garganta, o que é totalmente em vão. Nossos corpos estão colados. Posso sentir a vibração.

Elena expira pesado quando libero o último botão, que fica bem acima do sutiã. Uso o dorso das mãos para afastar os dois lados da blusa, enquanto a admiração fica estampada em meu rosto. O tecido cai pelos ombros, deixando à mostra o torso feminino mais espetacular entre todos que já tive o prazer de ver. A pele de Elena é de um branco leitoso, que contrasta com o sutiã preto de renda.

— Linda demais — suspiro, doido para experimentar o sabor dessa parte do corpo de Elena. Como não posso mais esperar, distribuo beijos e lambidas pelos ombros, clavículas e sob as orelhas dela, que se arrepia por inteiro.

Confesso que esperava uma *lingerie* cor-de-rosa e bem angelical, apesar de já ter me deparado, várias vezes, com uma Elena muito mais selvagem do que aparenta ser. Prefiro assim. E também não há timidez alguma nessa garota, nem falta de empolgação, como sugeria o imbecil do ex-namorado dela. Com um ímpeto que me deixa ainda mais excitado, ela explora a frente do meu corpo com os dedos, dedicando mais tempo aos músculos abdominais e aos do tórax. E me surpreende completamente quando traça os contornos das minhas tatuagens com... a língua! Minha vez de gemer.

— Hum, linda... desse jeito você vai acabar apressando as coisas entre nós.

Mas Elena ignora meu argumento e intensifica a artilharia. Seus lábios se esticam para que os dentes também entrem em cena. Eles, em contato com minha pele, elevam meu prazer a um estado de alerta máximo. Se não tomar uma providência agora, corro o risco de dar vexame.

Então eu ajo. Puxo Elena para cima, segurando-a por baixo da bunda, e a encaixo no meu quadril. Ela dá um gritinho quando a pressiono contra a parede mais próxima e seguro seus braços acima da cabeça.

— Então é esta a sua posição preferida? — pergunta, com um sorriso safado e um brilho travesso nos olhos de jade.

— Não seria a sua? — devolvo a pergunta, com ar de inocente.

— Porque fiquei com essa impressão daquela vez, na despensa do castelo — baixo o tom de voz —, quando você me flagrou com aquela mulher.

Dou uma piscada para enfatizar a provocação. Ganho um tapa no ombro por isso.

Ela se prepara para retrucar, porém, eu a impeço cobrindo os lábios de Elena novamente. Era para ser um beijo sorrateiro, uma espécie de "cala a boca" só para deixá-la um pouco irritada. Mas nada com essa garota é simples. Tudo *com ela* ganha proporções gigantescas.

Num instante estamos de volta ao nível da paixão sem limites e de uma sensualidade incontrolável. A gente se beija com sofreguidão, beirando a violência, sem que nada nos faça parar.

— Sei que não é mais virgem — digo quase sem fôlego. — Mas duvido que você já tenha tido um orgasmo de verdade antes. Estou enganado, linda?

Por um instante, Elena se mostra chocada. Chega a encobrir os olhos com as pálpebras pesadas. Mas o momento dura pouco. Assim que o embaraço passa, ela volta a me encarar e assume sem vergonha:

— Acho que não.

— Se você acha, é porque não sabe o que é ter um orgasmo como o que vai ter comigo, princesa. — Aproximo minha boca do ouvido dela e sussurro: — Depois de hoje, você nunca mais vai se confundir e jamais se contentará com menos do que tudo.

Cubro os seios de Elena e resvalo o polegar sobre a renda, lentamente.

— Quero ser o homem que vai apagar cada declaração infeliz daquele seu ex-namorado de merda.

Ela suspira quando desço as alças do sutiã e o puxo para baixo. Continuo conectado com os olhos dela, cada vez mais redondos, embora esteja contando os segundos para contemplar a parte superior do seu corpo sem nada a cobrindo.

— Mas, acima de tudo, quero ser o único a lhe dar prazer agora... e para sempre.

Elena se derrete em meus braços, e eu, nos dela.

Olho ao redor, ciente de que não estamos num quarto nem temos uma cama à disposição.

— Não queria que nossa primeira vez fosse no chão de uma academia — confesso, ansioso. — Mas, se sairmos daqui, há o risco de sermos vistos pela Marta. Ou podemos adiar para mais tarde. — A última hipótese a ser levada em conta, no meu caso.

— Nada disso. — Elena escorrega até ficar de pé. Só de calça e sapatos, caminha até o centro do tatame e inspeciona o lugar. Finalmente tenho a chance de observá-la sem barreiras. Sua cintura é estreita, em contraste com os quadris redondos. E os seios... Meu Deus! São a visão do paraíso: redondos, firmes e arrebitados, do jeito que eu gosto.

Recosto na parede e ponho a mão sobre o coração. Essa garota está mesmo prestes a ser minha. Sou um filho da puta muito sortudo.

— Psiu!

Saio do transe provocado pela visão de Elena seminua e me deparo com suas mãos acabando de abrir o zíper da calça. Estreito o olhar, à espera de que ela termine o que começou. Então, bem devagar, Elena deixa a peça escorregar por suas pernas longas. O gesto é de pura provocação, mas o rubor em seu rosto prova que ela não está tão cheia de si assim.

Assovio, porque me faltam palavras.

A calcinha de renda combina com o sutiã já abandonado. Mas a beleza de tudo está no conjunto. Elena não é como aquelas modelos esqueléticas, com ossos aparentes e aparência pouco saudável. Ela é voluptuosa, redonda nos lugares certos. Tudo o que um homem como eu pode querer.

Movo a cabeça de um lado para o outro quando noto os dedos de Elena enganchados no elástico da calcinha. *Eu* quero fazer isso. Vou até ela a passos lentos, apreciando o que eu via. E ela retribui mantendo os olhos na ereção que se projeta debaixo da minha calça de ginástica.

Estamos ambos famintos e ansiosos.

É hora de acabar de vez com essa angústia.

Nossos olhares se conectam, e eu paro diante dela, a milímetros do seu corpo. Posso sentir o calor que emana sem que eu precise sequer tocá-la. Ela se esforça para demonstrar segurança, embora seja nítida a incerteza em seus olhos. Pecado o que o tal do ex fez com a minha garota.

Enterro meus dedos entre os cabelos de Elena, curtindo a doce tortura em cada canto do meu sistema nervoso. E declaro:

— Você é linda, princesa. Eu não consigo tirar os olhos ou pensar em qualquer outra coisa. Só em você.

Mesmo em desvantagem por estar praticamente nua, e eu ainda coberto, Elena consegue exibir o sorriso mais exuberante do mundo.

Então nada mais importa. Agarro-a pela cintura e faço que vou beijá-la. Porém, antes, eu me sinto impelido a dizer:

— Apesar da falta de uma cama e de lençóis e travesseiros macios, ainda que não haja velas nem flores, hoje eu pretendo fazer deste momento o mais memorável de todos os tempos, para nós dois.

Elena se entrega ao beijo que reivindico em seguida. Sem me distanciar de sua boca, selo nossos destinos com as quatro palavras que fazem pressão para que eu as liberte logo:

— Eu também amo você.

Percebo que a confissão surpreende Elena, mas não permito que ela reaja. Daqui para frente eu só quero sentir e fazê-la sentir também, tudo, até o fim.

ELENA

Capítulo 35

Estou com as duas mãos apoiadas no mármore da pia, encarando meu reflexo no espelho do banheiro da suíte de Luka. Acho que nunca pareci tão contraditória. Porque, apesar de minha aparência estar de lascar — duas olheiras imensas e arroxeadas, cabelos emaranhados formando um ninho em tons de cobre, lábios inchados/vermelhos —, meu olhar não consegue esconder o estado de felicidade em que me encontro.

Já se passaram horas desde que vim atrás de Luka, que está dormindo pesado, o oposto de mim. Embora esteja esgotada devido à tristeza dos últimos dias e ao recente gasto de energia, fui incapaz de pregar os olhos e relaxar. A sensação que tenho é de que estou ligada a uma corrente elétrica potente, enquanto consumo rios de energéticos, o que me mantém insone feito um zumbi.

No entanto, reconheço que o maior motivo de todos, aquele que me impediu de dormir até agora, foram as lembranças do modo como as coisas entre mim e Luka acabaram se desenrolando.

Sim, a gente fez amor na sala de ginástica, com a porta destrancada, correndo o maior risco de sermos flagrados. Mas admito que nem cogitamos a possibilidade disso acontecer, tamanho o nosso envolvimento. Quando Luka confessou que me amava, qualquer preocupação que ainda podia existir dentro de mim sumiu como fumaça. E os receios de que eu não o agradaria foram indo embora à medida que avançávamos nas preliminares que culminaram na transa mais fantástica que jamais cheguei a sonhar em ter.

Fui tratada com reverência, mas também com desespero. E, depois de ser acariciada, apalpada, bolinada, amada de todas as formas possíveis — com dedos, boca, língua, barba —, finalmente compreendi que realmente eu jamais havia tido um orgasmo.

Sentir as vibrações do êxtase — várias, várias, várias vezes — simbolizou minha transcendência para outro plano, outra dimensão desconhecidos até então — por mim, pelo menos. E ouvir Luka gemer incentivos (impublicáveis), além de elogios indecorosos sobre a minha performance, elevou meu nível de empolgação, facilitando ainda mais essa viagem.

Descobri que não há nada de frio em mim. Com Nico, o que me impedia de aproveitar era o fato de ele não se preocupar com o meu prazer. Já Luka, bem, preocupação não é o termo mais adequado para justificar seu nível de comprometimento comigo enquanto fazíamos amor. Reverência? Acredito que seja essa a palavra certa.

Suspiro satisfeita, realizada. Estou dolorida em tantas partes que talvez precise tomar um analgésico. Bem feito! Quem mandou ser tão esfomeada? Luka e eu não nos contentamos com apenas uma vez. Nem duas, nem três, sendo totalmente honesta.

Começamos na academia, depois, fomos para o chuveiro da sala de ginástica, em seguida, fizemos uma pausa na cozinha, onde repusemos um pouco de energia. Daí subimos para o quarto dele, de onde não saímos mais. Nunca me senti tão viva nem tão amada.

Abro a torneira de água quente e umedeço o rosto a fim de aliviar o inchaço embaixo dos olhos. Aproveito a sensação por alguns segundos, doida para voltar para a cama e passar o restante da noite agarrada a Luka, mesmo que o sono não venha.

Não sei o que vou dizer em casa, quando precisar enfrentar a família e assumir para todos que estamos juntos e pretendemos ficar assim até... bem, por tempo indeterminado. Óbvio que meu pai vai surtar, e vovô não entenderá nada. E serei bombardeada de perguntas, ouvirei milhares de conselhos preventivos. Enfim, não será fácil lidar com a situação. Mas não me preocupo. Estarei preparada. Além disso, teremos a mais poderosa das aliadas: minha mãe.

Rio comigo mesma ao imaginar as adversidades previstas para um futuro breve. Às cegas, apalpo a pia à procura de uma toalha. Sorte que a encontro a poucos centímetros de distância. Enxugo o rosto levando mais tempo que o necessário, já que o tecido está tomado do cheiro de Luka.

Gemo despudoradamente, enquanto meus nervos letárgicos despertam novamente, já ansiando por uma nova rodada de sexo maravilhoso com aquele homem deitado logo ali adiante e que é todo meu.

— Meu — digo em voz alta, saboreando a possessividade do pronome.

— Sim, todo seu.

Dou um pulo e jogo a toalha para longe. Meu coração metralha o peito, por dois motivos: não sabia que estava acompanhada e não imaginei que Luka me flagraria num momento de tamanha maluquice.

Ele me pega pela cintura, coberta apenas por uma de suas camisas — já que estou, de novo, sem uma única peça adicional de roupa — e enterra o rosto em meus cabelos, por trás, até alcançar meu pescoço, onde distribui carícias com o nariz. Nossos olhares se encontram através do espelho. Luka exibe uma expressão de predador. Nem parece que acabou de acordar. Por outro lado, eu, além da cara de zumbi, agora estou vermelha de vergonha.

Luka morde meu ombro, enquanto suas mãos deslizam até encontrarem a barra da blusa e entram sorrateiramente por baixo dela. Começo a estremecer só de imaginar onde elas vão parar.

— Por que está aqui, cheirando a minha toalha, se poderia estar aproveitando o dono dela lá na cama? — Ele adora uma frase de efeito porque sabe o quanto suas palavras mexem comigo.

Inspiro com força, mal tendo certeza de ter escutado a pergunta direito, já que dedos mágicos passeiam sobre minha pele, sem dó nem piedade. Mas, de repente, eles param de me provocar. Luka me ajeita de modo que eu fique de frente para ele. Porém, me mantém presa à pia.

— Você me assustou, linda. Achei que tivesse saído correndo quando despertei e não a senti do meu lado. — Quem é que soa carente agora? Mas agora eu sei muito bem que o estilo arrogante de Luka é só uma fachada. Até mesmo os seres humanos mais independentes têm seus momentos de incertezas.

— Não consegui dormir. Fiquei agitada, então achei melhor sair da cama para não incomodar seu sono.

Luka faz cara feia, embora esteja cobrindo minhas bochechas de carinho, desenhando círculos imaginários com os polegares.

— O que me incomoda é ficar longe de você, princesa.

Exibo um sorriso shakespeariano, pois ele se abre e fixa em meu rosto com a "intensidade de mil sóis". Luka ri também e me beija logo em seguida. O que começou como uma brincadeira logo se transforma em algo mais intenso. Num minuto estamos a ponto de engolir um ao outro, com mãos e bocas percorrendo todos os pontos alcançáveis.

Ofego de encontro à boca de Luka, que faz o mesmo sobre a minha.

E então, do nada, ele nos afasta e me encara com condescendência.

— Venha para o quarto comigo, Elena. — Eu me empolgo com o convite. — Para dormir —completa ele. — Você está cansada.

— Cansada e satisfeita — acrescento.

Luka se vangloria:

— Disponha, princesa.

Dou um soco no ombro dele enquanto sou puxada para fora do banheiro. Luka deixou a luz do quarto acesa, permitindo que eu veja o estado em que a cama ficou. Ele deve ter acompanhado a direção do meu olhar, pois justifica:

— Tivemos uma noite movimentada, ué.

Adoro a carinha envergonhada dele.

— Por que está me olhando desse jeito, linda?

— Porque você sabe ser fofo — declaro, com a maior das inocências.

— Fofo?! — Luka me joga no colchão e cai sobre mim, tomando cuidado para não me sufocar. — Fofo, Elena?! Você tem ideia do que um homem sente ao ser chamado de fofo depois de proporcionar uns cinco orgasmos à mulher dele, num curto intervalo de tempo?

A expressão *mulher dele* causa um frio na minha barriga. Mas caio na gargalhada, motivada pela indignação de Luka.

— Prefere que eu chame você de quê, então? Gostosão? Delícia? Bem-dotado?

— Acho que Luka está de bom tamanho.

Está mesmo. Eu não seria capaz de lhe dar apelidos tão bobos.

Ele se estica de costas sobre a cama e me ajeita de modo que eu fique encaixada sobre o seu lado esquerdo, com a cabeça apoiada no ombro dele, depois de Luka deixar o quarto na penumbra novamente. É um momento íntimo e confortável, sem a pressão de termos que preencher o silêncio com conversas arranjadas.

Durante várias horas, nosso objetivo principal era atender os anseios de nos conhecer intimamente. Agora só precisamos aproveitar a presença e o calor um do outro. Nada além disso.

Devido à massagem que Luka faz no meu couro cabeludo, começo a sentir o peso das minhas pálpebras. Comemoro, meio inconsciente, a chegada do sono, sumido há dias, desde a notícia da morte de tia Marieva.

— Já dormiu? — sussurra ele, após longos minutos sem conversa.

— Mais ou menos — respondo, faltando pouco para entrar em transe.

— Então durma, princesa.

Luka puxa o cobertor e nos cobre com ele. Depois beija o topo da minha cabeça. Daí em diante não sei de mais nada.

Estou sonhando. Embora meus olhos estejam fechados e minha consciência permaneça em *stand-by*, tenho certeza de que as imagens projetadas em meu cérebro são fruto de um sonho.

Fui parar num show a céu aberto, espremida na grade de frente para o palco onde a banda se apresenta. É noite e as luzes do concerto ofuscam minha visão. Por isso, não faço ideia de quem seja o dono da voz que canta uma música antiga, mas que já escutei algumas vezes. Acho até que ela está na *playlist* do meu celular.

Mesmo sem enxergar o rosto do cantor, sou atacada por uma sucessão de arrepios causada tanto pelo timbre vocálico — rouco, grave — bem como pela letra da canção.

We got the afternoon
You got this room for two
One thing I've left to do
Discover me
Discovering you

Temos a tarde toda
Você reservou este quarto para dois
Só tenho uma coisa a fazer
é me descobrir
Descobrindo você

Acho essa música tão sensual. E o mais impressionante é que meu corpo reage a ela, apesar de eu estar bastante ciente de que só está tocando dentro da minha cabeça.

Então desperto lentamente. O que antes soava como se eu estivesse submersa em águas profundas, pois o som não era muito nítido, agora me parece real.

Abro os olhos confusa. Pelo jeito, meu sonho foi influenciado por uma situação nem um pouco imaginária. O dia já amanheceu, permitindo que nesgas de raios solares iluminem o quarto. Sendo assim, não tive problema algum em compreender a situação: sentado só de cueca boxer na poltrona ao lado da porta que dá para a varanda, Luka dedilha as cordas de seu violão, que eu ainda não tinha visto em ação, enquanto encaixa sua voz à melodia.

Ele canta baixinho, debruçado de um modo tão sexy sobre o instrumento que me transforma num corpo sem ar. Eu me recosto na cabeceira da cama para vê-lo melhor. E Luka, por sua vez, me propicia um dos momentos mais doces — e, ao mesmo tempo, eróticos — de toda a minha vida. Sem se desconectar nem por um segundo do meu olhar, ele continua:

Your body is a wonderland
Your body is a wonder (I'll use my hands)
Your body is a wonderland

Seu corpo é um paraíso
Seu corpo é um paraíso (eu usarei minhas mãos)
Seu corpo é um paraíso

Meus olhos estão marejados quando Luka termina de cantar. Mais abaixo, meu coração ameaça explodir dentro do peito. Temo ainda estar sonhando. E, se for o caso, prefiro não ter que acordar nunca mais.

— Ei, não quis fazer você chorar. — Ele sai da poltrona e deixa o violão em cima dela.

— Não estou chorando. É que a música é tão linda e você tem uma voz tão incrível. — Fungo para tentar conter as lágrimas.

Luka vem até mim e se deita de lado para ficar com o rosto virado em minha direção. Estamos nessa cama há horas, mas nenhum dos dois faz menção de sair do quarto tão cedo.

— Elena, você que é linda e incrível. Ainda não descobri que tipo de feiticeira é, pois só pode ter jogado uma mandinga das boas para cima de mim. Estou completamente caído por você, garota. Logo eu, que nunca quis me amarrar a ninguém.

— E agora você quer?

— Agora eu já estou. Difícil alguém ter coragem de tentar me desamarrar de você.

Não digo nada em resposta, mas meu peito infla de satisfação. É tão estranho pensar que Luka e eu formamos um casal. Encolho-me diante da percepção de que causaremos um furor na família ao anunciarmos nosso... namoro?

— O que foi? — Luka massageia minha cintura.

— Teremos grandes desafios pela frente. Muitas pessoas vão torcer o nariz para nós.

— Por pouco tempo, linda. Quando perceberem que o que sentimos um pelo outro é verdadeiro, vão nos deixar em paz. — Ele promete. — A imprensa vai nos atormentar bastante, mas uma hora os repórteres se cansarão da gente.

Eu me deito numa posição idêntica à de Luka. Assim, ficamos cara a cara.

— Não é com os urubus que estou preocupada. Acho que o pior de tudo tem outro nome e endereço.

Contorno algumas tatuagens dele com a unha do indicador, mas não para provocá-lo. É que me distraio fácil com elas por o deixarem ainda mais gostoso. Talvez eu também faça uma, na base da coluna, ou no pulso, ou no quadril...

— Seu pai. — Luka adivinha, com a voz meio abalada por minhas carícias. — Será difícil domar a fera. Ele não vai nem um pouco com a minha cara. E o pior é que não é sem razão.

— Sim. Sorte que temos minha mãe para contrabalançar. Ela nos apoia.

Luka estreita o olhar.

— A Ana sabe sobre nós?

— Não consigo esconder nada dela, Luka. Mamãe sempre desconfiou dos meus sentimentos por você, mesmo quando nem eu tinha certeza. E, há alguns dias, eu acabei abrindo meu coração com ela.

— Ah, nem vem, princesa! Você a vida inteira foi caidinha por mim.

Armo uma expressão ultrajada e ameaço me levantar da cama. Porém, Luka agarra meu braço, me mantendo bem onde estou.

— Por acaso estou mentindo? — Ele me desafia. Seus olhos azuis brilham.

— Não passei a vida inteira a fim de você. Admito que tive uma paixonite de criança, divulgada aos sete ventos pelo meu próprio pai, mas esquece que namorei sério outro cara, a ponto de pensar que eu o amava?

Luka muda de posição, lançando-se sobre mim feito um tigre saltando em cima do gnu.

— Não me fale do idiota, por favor. Aquele traste não merece ser lembrado.

Caio na gargalhada.

— É sério, princesa. E já que estamos dispostos a levar esse relacionamento adiante, precisamos começar do jeito certo. — Luka fica sério de repente. — Quero ir ao castelo para conversar com seus pais, principalmente com o Alex. É importante começarmos sem pendências, não acha?

Volto a ficar emotiva. Luka está se comprometendo com algo que sei o quanto será difícil para ele.

— Também vou me abrir com meu tio e tentar, de certa forma, me regenerar aos olhos dele, já que não pude fazer isso com a minha mãe.

Uma sombra passa pelo olhar dele, nublando suas feições. Estico minha mão até seu rosto, transmitindo-lhe meu apoio.

— Teremos uma vida boa, Elena, eu juro. Combinado?

— Combinado.

Selamos nosso "acordo" com um beijo arrebatador, que logo nos leva para uma nova rodada de sexo maravilhoso, conduzido pela lembrança maliciosa do refrão:

Your body is a wonderland...

Sim, o corpo de Luka é mesmo o paraíso. *Meu* paraíso.

Capítulo 36

Mais um dia sem trabalhar, mas também será o último. Elena e eu saímos da cama quando nossos estômagos imploraram. Descemos até a cozinha trôpegos e cansados, mas também deslumbrados com nosso amor recém-descoberto.

Marta havia deixado uma mesa de café da manhã com tudo o que tínhamos direito, mas não ficou para nos dar as boas-vindas, o que foi ótimo. Assim pudemos brincar um pouco com a comida, de forma nada infantil, resultando, mais tarde, em nossa ida direto para o chuveiro.

Em seguida, propus a Elena que fôssemos encontrar os pais dela. Com uma cara de quem está prestes a surtar, ela apontou para as roupas jogadas no chão, como se eu lesse pensamentos e soubesse exatamente o que andava rondando sua mente.

— Luka, mais uma vez eu estou aqui com você sem nem ao menos uma peça de roupa limpa. E não vou aparecer lá no castelo com a de ontem, a que usei no...

Ela se interrompe antes de terminar a frase. Ameaça me pedir desculpas, mas eu não deixo que vá adiante.

— Linda, preste atenção: você não precisa pisar em ovos para tocar no nome da minha mãe. Não vou surtar de repente, está ouvindo? Entre nós dois não há motivos para melindres.

Elena concorda, mas não toca mais no assunto.

Isso aconteceu algumas horas atrás. Saímos da vinícola em direção à casa dos pais dela — de novo —, onde Elena pretende apanhar algumas roupas e vestir algo que não seja a calça preta usada no velório e uma blusa minha.

O problema é que, desde que entramos nos limites de Perla, estranhamente estamos presos no trânsito e sem nenhuma previsão de mudança para os próximos minutos.

Meu grau de impaciência já está acima do aceitável, mas, para Elena, é como se estivéssemos num carro de safari observando elefantes na savana africana. Os pés dela, apoiados descalços no painel, movimentam-se ao ritmo da música que ela ouvia, depois de zapear todos os canais de rádio do país. Dou uma olhada de canto de olho em sua direção e não consigo evitar um sorriso ao ver a correntinha prateada com um pingente em formato de meia-lua pendurada no tornozelo esquerdo de Elena.

— Como pode ficar tão animadinha? Esse trânsito está me deixando louco, princesa.

Ela balança os ombros, indiferente ao meu estresse.

Só para castigá-la pelo desdém, faço uma manobra digna de um ninja: pego os dois pés de Elena e puxo suas pernas até que ela inteira esteja montada em mim. O susto a deixa sem reação por alguns segundos. Mas a inércia dura pouco. Assim que ela percebe o que fiz, esperneia igual a uma criança pirracenta.

— Luka, me solta! As pessoas vão ver!

— Nem ligo. Um pouco de exibicionismo deixa a relação mais... excitante.

Recebo um tapa no ombro pela brincadeira.

— Eu sei o quanto você gosta de se mostrar. — Elena comenta, esforçando-se para manter a expressão emburrada.

Já que não posso acelerar o carro nem fugir do engarrafamento, acredito que dar uns amassos em Elena seja a melhor maneira de fazer o tempo passar mais rápido. Prendo o pescoço dela com força e trago sua boca até a minha. A gente se beija com tanta intensidade, que logo nossa respiração fica descontrolada. Ainda bem que os vidros são escuros e estão parcialmente fechados, senão correríamos um sério risco de nos depararmos com nossa performance entre os vídeos mais assistidos do YouTube.

Contorno as laterais do corpo de Elena com as mãos e só paro quando alcanço as coxas dela. Massageio o lugar, mas não permaneço lá por muito tempo. Logo já estou procurando uma passagem por dentro da barra da camisa, louco de vontade de sentir aquela pele deliciosa.

— Hum... Luka... — Ela geme, aumentando minha vontade ao pronunciar meu nome como se estivesse degustando uma sobremesa bem gostosa.

— Oi, linda. Diga-me o que você quer.

Eu torço para que Elena me peça para transar com ela aqui mesmo no carro, perigando sermos apanhados por qualquer um, inclusive a polícia.

— Eu quero...

Um estrondo do lado de fora, na rua, me faz pular. Instintivamente, giro o pescoço e olho pela janela. Há um tumulto mais adiante. As pessoas saem correndo em todas as direções, feito um bando de formigas.

Elena tomba a cabeça em meu peito. Deve estar com medo.

— Ei, não se preocupe. Está tudo bem. Parece que... — Não termino a frase. Tenho a sensação de que algo muito errado acabou de acontecer. Seguro o rosto de Elena, esperando enxergar aqueles dois olhos que eu tanto amo. Mas eles estão fechados. — Linda, olhe para mim.

Mas Elena não me atende. Começo a tremer, desesperado, enquanto procuro sinais que justifiquem minha apreensão. Então eu encontro. Embaixo do ombro direito dela uma mancha de sangue cresce, encharcando a malha preta da camisa.

— Elena! — grito e chacoalho seu corpo, torcendo para estar enganado. E nada acontece.

Estou prestes a entrar em pânico, porque não posso aceitar o que acabou de ocorrer. Minha garganta se fecha, meu peito se encolhe, é muita pancada no meu coração.

— Socorro! — Enfio a cabeça pela janela depois de abrir o vidro. — Socorro! Por favor, me ajudem!

Nem sei se as pessoas me ouvem, porque elas também estão em pânico do lado de fora.

Desesperado, aperto a buzina com força e mantenho a mão pressionada, até que chamo a atenção de um policial. Ele vem correndo, com cara de poucos amigos. Deve estar pensando que surtei.

E surtei mesmo. Minha garota está sangrando em cima de mim, e eu nem imagino o que preciso fazer para salvá-la.

— Temos que sair daqui! Minha namorada levou um tiro — explico de modo atropelado.

O policial arregala os olhos e fixa o olhar em Elena, desacordada sobre meu colo. Sinto os batimentos do coração dela, embora estejam fracos.

— Precisamos levá-la ao hospital!

— Manifestantes republicanos tomaram tudo lá na frente e criaram muito tumulto. Vai ser difícil sair daqui — informa o homem.

— Difícil porra nenhuma, caramba! — explodo. — Não podemos deixá-la morrer!

— Calma, rapaz. Vamos dar um jeito.

O policial tira um aparelho comunicador do bolso e dá instruções para alguém. Não presto atenção em nada. Ocupo-me com Elena, em ajeitá-la no banco de trás, de modo que fique numa posição mais confortável.

Faço isso enquanto lágrimas já turvam os meus olhos. Foda-se se estou parecendo um bundão, mas não existe a mínima chance de eu manter o sangue frio diante da possibilidade, mesmo que seja remota, de perder Elena. Encontrar minha mãe morta está no topo da lista dos piores momentos da minha vida. Achá-la daquele jeito sem que eu implorasse seu perdão acabou comigo. Fiquei cinco dias mergulhado num poço de merda, desejando não ser ninguém. Se fui capaz de voltar de lá devo isso a Elena, não apenas por ela ter vindo atrás de mim, mas também pela esperança de poder construir uma relação com ela.

E agora isso? Deus, qual é? Você está me testando? Que porra de recado quer me passar? Será que mereço ser castigado das piores formas possíveis pelas besteiras que fiz a vida inteira? Mas Elena não merece, está ouvindo? Por favor, ela não.

Outros dois policiais aparecem enquanto me esforço para garantir que Elena fique, na medida do possível, bem. Sem raciocinar se isso é bom ou prejudicial à saúde dela, tiro minha camisa e pressiono no ferimento, que sangra sem parar.

— Uma ambulância com paramédicos está chegando, rapaz — informa um dos policiais. — Estão vindo por uma rota alternativa. Fique calmo porque vai dar tudo certo.

Entendo que o cara quer me confortar, mas estou me lixando para ele. Beijo a testa de Elena e repito sem parar que ela vai ficar boa, que vamos levá-la ao hospital a tempo e que eu a amo demais e não sei se dou conta de viver sem ela.

Falo que nem louco, sem respirar, porque me sinto dominado por um medo fodido.

Até que minha atenção se desvia quando Elena começa a gemer. Parece estranho, mas isso me alegra um pouco. Significa que... sei lá! Ela está viva mesmo.

— Oi, linda.

— Luka... — Quase não ouço meu nome, pois ele mal foi pronunciado.

— Estou aqui. — Aperto os dedos dela, tentando lhe transmitir um pouco de calor. Assusto-me ao perceber como as mãos de Elena estão frias. — Vai ficar tudo bem.

Então passo a repetir essa frase sem parar, porque não sei confortar as pessoas. A vida inteira fui um filho da puta egoísta. Não quis aprender a ser bom.

Nesse meio-tempo, a ambulância chega. Fico aliviado ao ver os paramédicos entrando em ação, executando os procedimentos de primeiros-socorros antes de transferirem Elena para a maca.

— Qual é a identidade da garota? — Um deles pergunta. — E qual o seu parentesco com ela?

Respiro fundo e me preparo para o choque que vou causar ao dar as respostas.

— Ela é a Elena Markov. E eu sou o namorado dela.

Ninguém consegue esconder o espanto. Mas, para crédito de todos, eles abrem mão de fazer comentários a respeito da identidade da vítima.

Vítima. Essa palavra é péssima.

Elena é colocada na ambulância, e eu me ajeito atrás, com ela, sem nem me preocupar se meu carro vai ficar no meio da rua.

— Pode deixar que cuido dele para você, filho. — O policial que providenciou o resgate se oferece. Agradeço dando um meio sorriso.

— Princesa, vai dar tudo certo — sussurro, com a boca colada ao ouvido de Elena, depois que me sento num banco ao seu lado.

E espero estar com razão. Porque, se alguma coisa ruim acontecer com ela, acho que não serei capaz de conviver com mais uma culpa. Afinal, além da dor de perdê-la, como vou conseguir olhar nos olhos de Ana e dizer que, se eu não tivesse puxado a filha dela para cima de mim pelo simples prazer proporcionado pela luxúria, *eu* é que teria sido atingido pela bala perdida?

Muita coisa passou batido por mim desde que chegamos ao hospital. Os médicos levaram Elena para o centro cirúrgico e não me deixaram ir junto. Acabei sendo levado até uma sala privativa assim que souberam a qual família pertencemos, com a promessa de que me manteriam avisado de qualquer novidade a respeito do estado de saúde dela.

Até agora (sei lá quanto tempo se passou), estou completamente no escuro.

Já chutei as poltronas, soquei a parede e acabei sentado no chão, com a cabeça encostada nos joelhos, esgotado, sem forças para nada, além de implorar aos céus que salvem Elena. Nunca fui de rezar nem jamais segui qualquer tipo de ritual religioso, mas, no desespero, fiz um pacto mesquinho com Deus: se minha garota escapar ilesa, estarei sempre perambulando, agradecido, pela casa Dele.

Olho para o relógio e tento calcular quantos minutos se passaram desde que Ana e Alex foram avisados sobre o acidente. Não fui eu quem deu a notícia. Liguei desesperado para Giovana e pedi que ela fizesse isso por mim. Afinal, tive medo de prejudicar a princesa e seus bebês. Não conseguiria agir de outra forma a não ser demonstrando o quanto estou me borrando de ansiedade.

Eles devem estar chegando. E essa apreensão me deixa ainda pior. Estou sem ar.

Nem quero imaginar a reação de Alexander ao dar de cara comigo. Em compensação, se ele vier bancar o pai justiceiro para cima de mim, vai receber o troco na mesma moeda. Elena pode até ser a filha dele. Mas é o amor da minha vida. O babaca metido a herói não pode estar sofrendo mais do que eu.

Estico o pescoço e ergo a cabeça até encostá-la na parede atrás de mim. Está decidido: ou a porra de um enfermeiro ou médico aparece nos próximos três minutos com alguma informação ou juro que eu mesmo darei um jeito de conseguir arrancar isso de alguém.

— Inferno! — murmuro, com dificuldades de me manter parado, quando tudo o que quero é extravasar minha raiva de alguma forma.

Então ouço um barulho. Fico em estado de alerta, dividido entre querer saber se há alguma novidade e, ao mesmo tempo, com medo das notícias.

— Luka.

Não é um médico, nem tampouco uma enfermeira.

— Ana... — digo, envergonhado, sem conseguir olhar direito para ela. Por isso, permaneço largado no chão.

— Ah, Luka! — Escuto meu nome outra vez, seguido de um soluço. — Você pode ficar de pé, por favor?

Esse pedido me pega desprevenido. Não capto o desespero que pensei que toda mãe sentisse diante da iminência de perder um filho.

Eu levanto a cabeça e a encaro. Seus olhos estão vermelhos e inchados; o rosto abatido sugere que o sofrimento dela não é nem um pouco pequeno. Eu que menosprezei os sentimentos da princesa.

Faço o que Ana me pede.

Ela se aproxima de mim e depois segura meu braço.

— Desculpa... — balbucio, por não ter outra coisa a dizer.

Ana suspira e me leva até o sofá, onde nos sentamos lado a lado.

— Por favor, Luka, não repita isso de novo. Sabemos muito bem que você não teve culpa.

Nem me assusto demais com essa declaração. Conheço essa mulher o suficiente para saber que ela é generosa como poucas pessoas.

— É verdade — insiste ela, com a voz um pouco mais forte. — Aposto que não faz ideia do que realmente levou ao tiro que quase, *quase*, matou minha filha.

Franzo a testa. Estou mais interessado na segunda parte do que Ana acabou de falar.

— Quase? Você teve notícias de Elena? — Meu coração ameaça sair pela boca.

— O Alex está com ela agora, na unidade de tratamento intensivo. Elena vai ficar bem, Luka. Os médicos não me disseram, mas acabei sabendo de qualquer forma. Por sorte a bala não atingiu nenhum órgão.

Sinto um alívio imediato e também uma vontade absurda de distribuir porrada em todo mundo naquele hospital. Por que ninguém me disse nada, caramba?!

— Ela está em coma induzido para descansar. Precisa desse tempo para se reestabelecer, entende?

Afundo ainda mais no sofá, lutando para segurar uma nova enxurrada de lágrimas que ameaça despencar dos meus olhos. Seguro a cabeça com as mãos, mal acreditando no que acabei de escutar.

— Tem certeza? — questiono, como se duvidasse da sinceridade de Ana. E não é isso. Só estou me certificando, afinal, posso muito bem ter ouvido errado, induzido por meus sentimentos em relação a Elena.

Ana aperta meu ombro.

— Claro que sim. Não estaria aqui agora caso houvesse a mínima chance de minha filha não ficar bem, Luka. — Ela mostra certa dificuldade para respirar. Só por isso noto a barriga de grávida, já bem mais aparente do que da primeira vez que a vi. — E, graças a Deus, sei que tudo vai dar certo e logo, logo poderemos levar Elena de volta para casa.

Não discuto, mas o único lugar para onde Elena vai quando sair da porcaria desse hospital é a *minha* casa. Admito que pareço um homem das cavernas ao querê-la só para mim, e tão rápido. Mas não tem outro jeito de definir a situação entre nós. Eu preciso de Elena comigo. Ponto final.

— Eu cresci no Brasil, Luka, e sempre pensei que, apesar de amar meu país, há muitos problemas difíceis de administrar por lá. Um deles é a violência, a falta de segurança pública — comenta Ana.

Não compreendo a mudança repentina de assunto. Há poucos segundos falávamos da filha dela, e agora o tema é mesmo política externa?

Devo ter deixado transparecer alguma coisa, porque Ana logo dá um jeito de ser mais específica.

— Moro na Krósvia desde meus 20 anos e jamais pensei que um dia veria o país passar por uma crise tão grande como agora. Os republicanos não estão de brincadeira. Eles querem mesmo derrubar a monarquia e instaurar uma nova forma de governo, custe o que custar. Mesmo que, para isso, tenham de recorrer a métodos nada civilizados, como atirar na neta do rei.

Concordo com ela. O movimento antimonárquico já não tem mais nenhuma conotação pacífica. Para os membros da Nova Era, agora é tudo ou nada.

— Os líderes da organização declararam mais cedo que o tiro partiu de um manifestante não vinculado ao movimento, que estava na passeata só para causar tumulto.

Eu não sabia disso, mas já imaginava.

— Foi uma fatalidade estarmos presos no trânsito justo na hora da confusão — opino. Eu devia ter ficado na vinícola, mesmo que Elena se recusasse a passar mais um dia vestindo apenas minhas camisas.

— Sim — concorda Ana. — Mas o tiro não foi um evento aleatório, Luka.

Franzo a testa enquanto encaro minha prima abertamente pela primeira vez desde que ela entrou na sala.

— Como é?!

— Antes de Elena ser baleada, alguns manifestantes reconheceram vocês e armaram a emboscada. — Ana engasga. — Atiraram por atirar e depois entraram em contato com o Palácio de Perla e garantiram que vão fazer pior se Andrej não entregar o trono após um último ato: proclamar a república.

— Filhos da puta! — Dou um soco no braço do sofá e fico de pé. — Os filhos da puta fizeram isso de propósito!

— Sim. — Minha visão periférica capta o momento em que Ana tira um lenço não sei de onde e enxuga o rosto. — Por isso, o governo decidiu: vai abrir um plebiscito para a população escolher se mantém a monarquia ou instaura a república. Meu pai está reunido com as lideranças republicanas agora mesmo.

Bagunço os cabelos com ambas as mãos. É tudo muito louco. Como algo que sempre julguei ser tão sólido — a família Markov — está prestes a se despedaçar, a se transformar em história, tão de repente? E como a força acaba falando mais alto do que a diplomacia? Será que o rei cederia se a situação fosse diferente?

— Só para esclarecer, Luka, a ideia do plebiscito já estava sendo debatida pela equipe de governo. O atentado foi apenas a gota d'água.

Pergunta respondida.

Ando até a janela e empurro a persiana para baixo. Minha mãe teria ficado muito mal com tudo isso. Ela se sentia assim, mesmo antes. Vai ser duro para todo mundo caso o povo decida mudar. Não sei que espécie de vida meu tio Andrej terá se for deposto. Eu, que não sou nada ligado à família, posso sentir as implicações da extinção da monarquia na Krósvia.

Talvez, na melhor das hipóteses, possamos viver todos em paz, livres de títulos e obrigações.

— Só queria que tivesse a certeza de que nada disso é sua culpa, querido. — Ana se junta a mim diante da janela e reforça a afirmação feita no começo da conversa. — O que houve com sua mãe no passado não deve servir de parâmetro para o modo como você conduz sua vida. Você errou.

A princesa faz uma pausa enquanto observa o movimento do lado de fora. O hospital está cercado pela imprensa.

Sinto o peso de suas palavras. Sim, errei feio.

— Errou ao dirigir aquele carro estando tão transtornado. Errou ao se rebelar contra a família que nunca lhe quis mal. Mas seu pior erro, Luka, foi achar que jamais seria perdoado.

Não aguento mais engolir de volta o bolo que grudou em minha garganta. Então não faço mais isso. Soluço alto, como um menino machucado, necessitado de colo.

Ana faz isso por mim. Ela abre os braços e me embala enquanto conclui:

— O perdão não isenta nossas faltas, mas permite que a gente conviva melhor com as culpas. Você deveria ter aceitado, querido. Teria sido mais fácil. Mas agora é hora de deixar tudo para trás e começar de novo.

Sei que mais tarde vou me envergonhar das lágrimas que derramo no ombro de Ana. Mais tarde...

— E eu espero que envolva todos nós em seu recomeço, sua família. Especialmente Elena.

LUKA

Capítulo 37

Ainda não pude ver Elena. Essa espera está me corroendo por dentro, mas estou bem mais domável depois de saber, pela própria Ana, que minha garota não corre risco de morrer.

Tive de sair da sala de espera, agora tomada de familiares, que me encaravam com espanto ao constatarem que não sou mais apenas um primo distante de Elena. O pirralho do Hugo tentou fazer umas piadinhas a respeito, mas o que acabou me induzindo a dar o fora e escolher um canto isolado na cantina do hospital foi saber que Alexander estava a caminho, depois de deixar a unidade de tratamento intensivo para que Ana também tivesse um momento com a filha.

Ela pode depositar toda a fé do mundo em mim, porém, isso não significa que o marido partilhe de suas opiniões sobre a minha pessoa.

Luce e Giovana ameaçaram me acompanhar, mas preferi vir sozinho. Não estou com cabeça para conversas. E elas também não. Foram muitos golpes em tão pouco tempo.

Compro um chiclete e um café só para ter algo com que me distrair. Prefiro me sentar de costas para a televisão, porque não suporto mais sequer ouvir falar do atentado. E tem outra merda me incomodando: meu pai não para de tentar entrar em contato comigo pelo celular. Ainda existe essa pendência sobre as minhas costas, como um parasita ordinário, que é o que Marcus realmente é.

Abro a embalagem da goma de mascar e mando duas para dentro da boca. Desconto a tensão acumulada na maçaroca doce, mesmo que isso faça os ossos da minha cara estalarem. É boa a sensação.

Quando o sabor acaba, repito o procedimento outras três vezes.

Até que uma cadeira é arrastada atrás de mim e sou obrigado a conferir quem foi o confiado que ousou quebrar o meu sossego.

— Caralho, não convidei ninguém para... — A frase perde o efeito antes do fim. Assim que vejo quem é o "intruso", interrompo a bronca automaticamente.

— Posso me sentar?

Gostaria de dizer não, mas dou de ombros. Se ele quer, que seja.

Um analisa o outro, como dois lutadores prestes a caírem na porrada. Por ter sido eu o procurado, não darei a primeira palavra, nem fodendo.

— Preciso falar com você.

— Estou escutando — digo, indiferente, embora esteja curioso.

— Sei que você e Elena estão juntos, não oficialmente, mas, ainda assim, juntos.

— Só não é oficial porque não tivemos tempo de deixar nossa relação às claras. Não íamos... vamos — corrijo — esconder nada de ninguém.

Ele balança a cabeça.

— Ela é uma garota teimosa.

— Deve ter saído ao pai.

Alex arqueia as sobrancelhas. Acho que o peguei de jeito.

— *Touché!*

Minha vez de demonstrar espanto. Porque, se não ouvi mal, o cara acabou de concordar comigo. Fato inédito.

— Olha, Luka, vou direto ao ponto. Elena é a minha garotinha, meu sol, o bem mais precioso da minha vida, junto à mãe dela, claro.

Que novidade! Sei disso antes mesmo de fazer minha primeira tatuagem. Se o discurso for sobre o amor dele pela filha, corro o enorme risco de cair no sono.

— Nunca sonhei em vê-la casada, cheia de filhos. Sempre quis que ela se tornasse uma pessoa bem resolvida e feliz. Só isso. Quem a Elena namorava ou deixava de namorar não me interessava muito. Para mim, o que importava era a felicidade dela.

— Bacana — murmuro, sem o entusiasmo atrelado implicitamente à palavra.

Alex não aprova meu tom.

— É sério, rapaz. O que estou tentando dizer é que, desde que não apronte para cima da minha filha, prometo não me meter mais na vida de vocês dois.

Na boa, agora Alexander me surpreende de verdade.

— Eu... — Não sei o que dizer.

— Olho para essas manchas de sangue na sua camisa e só posso deduzir o que você tentou fazer para impedir que Elena morresse no meio da rua. — Alex dá uma olhada geral na cantina, como se procurasse a porta mais próxima para escapar logo dali. — Você agilizou o resgate, desacatou policiais e largou o carro para trás. Se isso não é amor, desconfio não ter ideia do que mais possa ser.

Não tenho tempo de argumentar, pois ele se levanta sem me dar atenção.

Bom, melhor que nada.

Então Alexander para mais à frente, antes de chegar à saída, e avisa:

— O médico disse que Elena só pode receber mais uma visita hoje. Pensei que talvez ela queira que seja você.

Inferno, estou me tornando um merdinha sentimental! Das lágrimas de pouco tempo atrás ao maior sorriso que já abri em toda a minha vida. Esse é o poder de Elena sobre mim.

Abro a porta da UTI todo melindrado, porque não quero incomodar Elena. Uma enfermeira me acompanhou até a entrada, mas permitiu que eu entrasse sozinho. Ainda bem. Preciso estar com minha princesa sem interferências.

Mas ela não deixou de avisar antes de dar meia-volta:

— Você tem quinze minutos, combinado?

Concordo, mesmo contrariado. Quinze minutos não serão suficientes para eu dizer tudo o que estou sentindo e tudo o que desejo daqui para a frente.

Nem vejo quando a mulher desaparece. Só tenho olhos para Elena, entubada em cima da cama, dormindo tranquilamente, como se estivesse apenas descansando e não se recuperando de um tiro quase mortal.

Vou até ela e a primeira coisa que faço ao chegar ao seu lado é segurar a mão dela e afundar meu rosto entre seus dedos, louco para sentir um pouco do cheiro no qual me viciei nos últimos dias.

Eu amo tanto essa garota que mal me reconheço. Perdi minha mãe e tenho consciência de que isso ainda vai ter um efeito devastador — se não eterno — dentro de mim. No entanto, se Elena não tivesse resistido, as consequências em minha vida seriam muito mais profundas e irreversíveis. Essa é a verdade.

Ergo um pouco a cabeça e encosto minha testa na dela. Fico nessa posição, esperando que ela consiga perceber minha presença.

— Oi, princesa, volte logo para mim — sussurro sobre seus lábios, enquanto torço para que os ponteiros do relógio deixem de dar voltas, e eu não seja obrigado a sair dali, deixando Elena sozinha. — Talvez eu tenha dado a entender que o que sinto por você é apenas físico, porque sou fascinado por seu corpo e por esses olhos fantásticos, com os quais fantasiei tantas vezes.

Sei que pareço um maluco, falando sem esperar retorno, mas não consigo evitar. Talvez Elena possa me escutar, de alguma forma, e isso faça com que ela acorde logo.

Ela precisa saber que seus pais aceitam nosso relacionamento, melhor, que Alexander não vai mais encrencar comigo. Enfrentaremos tempos difíceis com a possibilidade da extinção do regime monárquico no país, mas estaremos juntos, sem barreiras ou pessoas querendo atrapalhar nossa história.

— Vou levar você para conhecer minha boate em Estocolmo e até podemos ficar uns tempos por lá. — Fecho os olhos e beijo o topo da cabeça de Elena, suavemente.

— Bom.

Levo um tremendo susto com o comentário monossilábico. Dou um pulo para trás e confirmo, ao ver os olhos de Elena abertos, que não estou imaginando coisas.

— Oi — diz ela, com um sorriso fraco iluminando seu rosto pálido.

— Ei, princesa — falo com tranquilidade, embora meu coração esteja tão agitado que é difícil não tremer ou gaguejar.

— O que foi que aconteceu? — Ela está confusa, o que é natural nessa situação. Só não sei se é a hora de Elena saber a verdade, porque não quero assustá-la. Porém, se fosse eu deitado nessa cama, cercado de aparelhos, exigiria somente a verdade.

Então eu conto, mesmo que superficialmente:

— Linda, você levou um tiro quando estávamos presos no engarrafamento hoje de manhã.

Elena contorce o rosto, esforçando-se para lembrar. Faço um carinho nas bochechas dela, aproveitando para afastar alguns fios de cabelo grudados ali.

— Mas já está tudo bem. Você é dura na queda, princesa.

Ela esboça um sorriso, só que ainda está encucada. Sei disso pelas rugas na testa.

— Quem atirou em mim. E por quê?

É. Não vai dar para ser tão superficial assim.

Solto um suspiro de resignação.

— A polícia está investigando, mas há fortes suspeitas de que foi um atentado premeditado, Elena.

— Por quem? — pergunta baixinho. Não sei se é bom ela se esforçar e se preocupar desse jeito.

— Linda, não se incomode com isso agora. Você precisa se recuperar para que possamos voltar para casa logo. Deixe tudo isso para depois, por favor.

Vejo um novo tipo de emoção se destacando naquele rosto de anjo.

— Nós dois voltarmos para casa, é? — questiona Elena, com ar de atrevimento. — Então você não vai embora para a Colline. Que espécie de patrão mais relapso é você!

Dou uma gargalhada. Amo o humor de Elena. Como ela consegue ser sempre tão benevolente com a vida?

— Não saio daqui sem você, princesa.

— Então pretende ir morar comigo e com meus pais no castelo, até que os gêmeos nasçam?

Colo minha boca na dela, mas mantenho apenas uma leve pressão, provocando-a.

— Nem pensar! Seu pai meio que resolveu parar de implicar comigo, mas prefiro manter uma distância segura. Você é que vai comigo. Ficaremos na Colline. Entendeu agora?

Elena apenas balança a cabeça, mas não vejo alegria nem empolgação em seus olhos por estar concordando comigo. Pelo contrário, a expressão de antes — feliz, brincalhona — é substituída por lágrimas que escorrem silenciosamente pelo rosto dela.

— Ei, o que foi? Está com dor? — pergunto, todo preocupado. — Falei algo ruim?

— Não. Você não fez nada, Luka. E estou com um pouco de dor, sim. Mas não é por isso. — Ela funga, meio constrangida, e faz um gesto com o indicador, apontado para as lágrimas. — Tenho vergonha de admitir que me sinto feliz, que *você* me faz feliz, ainda mais depois de... tudo.

— Você não tem que se culpar, porque é assim que eu me sinto também, linda.

— Eu quero muito acreditar que ficaremos bem, Luka. Sempre sonhei em ter uma vida normal, sabe? Quero poder andar com você sem sermos reconhecidos em cada esquina, quero voltar para a faculdade e levar o curso adiante como qualquer outro universitário, quero trabalhar como voluntária em mais um monte de projetos sociais, quero ser comum.

Ela para de falar e toma fôlego.

— Calma, princesa. Tente não se cansar.

— Tudo bem, Luka. Eu só preciso que saiba onde está se metendo. Porque jamais farei o tipo sofisticada, mulher fatal, como as outras mulheres com quem vivia metido, nem sou a princesinha angelical da imagem que você fazia de mim antes. Entendeu o que quero dizer? Sou apenas eu, cheia de defeitos como todo mundo.

Ah, então é isso? Só isso?

— Minha linda, que bom! É esse o tipo de pessoa que quero do meu lado.

— Alguém com muitos defeitos?

Arqueio a sobrancelha e faço um pouco de mistério.

— Não. Você. Apenas você.

ELENA

Epílogo

Debruço-me no guarda-corpo da varanda do meu quarto e avisto todo o vinhedo. A cada dia fico mais fascinada pela Colline Viola, lugar onde passo a maior parte dos meus dias, embora esteja morando, teoricamente, num pequeno apartamento no centro de Perla.

Desde que o resultado do plebiscito saiu e Luka acertou suas contas com nossa família e com meu pai, decidi que também era hora de eu assumir minha vida por completo. Sair da casa dos meus pais fez ambos se questionarem o que haviam feito de errado para causar uma atitude tão extrema da minha parte. Foi um custo convencê-los de que não fizeram nada. Levei dias até finalmente deixar claro que eu só precisava de um canto meu porque já não tenho mais idade para viver nas costas deles, ainda mais agora, com a chegada dos gêmeos.

Faz cinco meses que eles nasceram, Antônio e Luiza. Minha mãe escolheu nomes bem brasileiros, ao contrário do meu, porque queria que eles crescessem sabendo bem de suas origens. Se alma tivesse cor, a dela seria verde e amarela, tamanho o seu amor pelo Brasil. Também sou louca por aquele país, tanto que, em nossa primeira viagem juntos, levei Luka a Minas Gerais, o estado onde moram minhas avós amadas (vó Olívia e bisa Nair). Ele adorou Ouro Preto e ficou impressionado com a qualidade dos bares e restaurantes de Belo Horizonte.

Meus pequenos irmãos são a alegria da minha vida. Não consigo ficar muitos dias sem vê-los e paparicá-los. Antônio é todo sério e comportado, ao contrário de Luiza, uma sapeca de olhos verdes como os meus e cabelos esvoaçantes cor de trigo. Ela herdou o título de *"slinko do papai"*. Coitada. Vai sofrer. Nem é só pela cabeleira rebelde. Meu pai não vai largar do pé da garota, como fez comigo, até que ela tenha que dar o grito de independência, que nem eu.

Ana continua a mesma, apesar de ainda mais atarefada agora, com os bebês. Mas não deixou de cumprir seus compromissos com o Lar Irmã Celeste, nem mesmo por causa dos gêmeos. Quando ela precisa sair, eu entro em ação. Confesso que adoro o trabalho que eles dão. E me sinto incrível no papel de mãe postiça. Não que eu já queira entrar nessa categoria tão cedo. Ainda sou muito nova.

Luka gosta de brincar sobre isso de vez em quando, dizendo que fica imaginando como serão nossos filhos. Nem dou ouvidos. Quem tem quase 30 anos é ele. Não fiz metade das coisas que gostaria de fazer antes de ser mãe.

Luka...

Quando eu iria imaginar que acabaríamos juntos? A peste do passado, o menino raivoso em quem dei meu primeiro beijo, transformou-se no cara mais incrível que conheço — depois do meu pai e do meu avô. Não que seu gênio tenha mudado muito. Ele continua enfezado, com a paciência sempre no limite, estourando por qualquer motivo e prestes a socar o primeiro corajoso que resolver cruzar seu caminho. Em compensação, tornou-se um administrador exemplar, tocando os negócios com afinco e competência, tanto que, em poucos meses, conseguiu melhorar as contas e a imagem da vinícola no mercado.

E no campo pessoal, bem, não tenho do que reclamar. Pelo contrário, Luka é um doce comigo. Sua irascibilidade some — ou se retrai, melhor dizendo — quando estamos juntos.

No começo, quando as pessoas descobriram sobre nós, acabaram nos julgando, especialmente devido ao nosso grau de parentesco. Os inimigos do governo chegaram a alegar que nosso relacionamento era uma jogada de marketing com o intuito de fortalecer os laços da família real e mostrar para a população o quanto os Markov são essenciais para a Krósvia. Assim que se deram conta de que essa campanha era ridícula, pararam de tocar no assunto e a imprensa nos deixou em paz.

Então temos vivido como eu sempre quis: feito pessoas comuns, sem sobrenome importante e sem pertencer à família mais poderosa do país. Porque, sim, o povo escolheu a permanência da monarquia no plebiscito. É inegável a influência positiva de Andrej Markov para a Krósvia. Portanto, a população reconheceu o valor de manter o trono e seu rei nos devidos lugares. Os republicanos não aceitaram a derrota com resignação e tentaram impugnar o resultado. Mas os líderes da organização Nova Era acabaram recuando, porque havia um acordo assinado entre as partes, cuja principal cláusula previa que o lado derrotado seria obrigado a ceder ao vencedor, caso não quisesse sofrer uma severa punição.

Nem preciso descrever como meu avô recebeu essa notícia. Foram dias de muita tensão e ansiedade, com momentos de descrença total. Se o rei Andrej tivesse sido obrigado a abrir mão do trono, não enfrentaria essa barra sem sofrimento. Nenhum de nós, aliás.

Mas agora as coisas estão bem mais tranquilas. Não vou dizer que as manifestações acabaram de vez, porque ainda existe um grupo disposto a extinguir a monarquia na Krósvia. Mas hoje a ação murchou a ponto de quase não haver nem mesmo espaço na mídia para eles.

Espero que passemos um longo e duradouro tempo de paz.

Outro fato bem resolvido diz respeito ao pai de Luka, o inescrupuloso Marcus. Depois de muito chantagear o filho, agora ele vive longe daqui, na Argentina, para ser bem precisa geograficamente. E Luka nem precisou utilizar artifícios ilegais para conseguir despachar o homem, porque eu o convenci a se abrir com meu avô, que concedeu ao ex-cunhado a oportunidade de deixar a Krósvia, desde que fosse para sempre. Ah, tenho pena dos argentinos. Ninguém merece abrigar um bandido como ele.

Um ventinho frio surge de repente, fazendo meu corpo, coberto apenas por uma das camisas de Luka, se arrepiar. Desvio os olhos do vinhedo e ergo para o céu, onde nuvens carregadas começam a se formar. Com certeza, teremos chuva mais tarde.

Envolvo meu corpo com os braços, segundos antes de sentir outros mais fortes que os meus fazerem o mesmo.

— Pode deixar que cuido disso, princesa.

Sorrio sem olhar para trás. Luka não ficou muito tempo na cama sem mim, o que não é de espantar. Ou ele acorda antes e vai para a cozinha preparar o café da manhã para nós (Marta morre de raiva dele por isso!) ou sai da cama assim que me levanto.

— Bom dia! — cumprimento, me aconchegando mais ao corpo dele.

— Hoje é domingo, linda. Não podemos passar o dia inteiro alternando sexo selvagem com banhos quentes e sono eventual?

Caio na risada.

— Eu incluiria algumas refeições no intervalo e uma ou outra taça de vinho Colline, fofo.

Luka ruge. Ele detesta que eu o chame desse jeito, pois considera o adjetivo muito fresco e nada viril.

— Você não disse isso.

— O quê? Sobre a comida e o vinho?

— Não brinque comigo, princesa, pois sabe que acaba levando a pior.

Bufo de um jeito nada elegante e me viro até ficar de frente para Luka. Para meu deleite, ele está só de cueca, exibindo, além de toda a sua gostosura, a nova tatuagem: o símbolo do infinito formado pelas letras do nome de tia Marieva e do meu, gravado no lado esquerdo do peito dele.

Pouso a mão sobre ela e traço seu contorno com a ponta do indicador. Fiquei bastante comovida quando Luka me mostrou a tatuagem nova. Comovida e feliz, por mim, por ele e por tia Marieva, que, não importa onde esteja, deve estar muito orgulhosa do filho que ele se tornou.

— Tudo o que eu quero é brincar, amor — sussurro sobre os lábios de Luka, sem permitir que eles toquem os meus. Somos campeões em jogos de sedução.

— Hum, é mesmo? Então que tal a gente começar agora mesmo?

Ele nem espera pela resposta. Mal acaba de fazer a sugestão e me ergue até que minhas pernas envolvam sua cintura. Em seguida, mergulha o rosto em meu pescoço e distribui beijos de cima a baixo.

— Delícia.

Adoro o tom da voz de Luka quando ele está excitado. O timbre rouco faz com que eu também entre no clima rapidamente.

Gemo de contentamento ao morder o queixo dele, áspero por causa da barba por fazer.

— Vamos entrar. Quero ver sua tatuagem também.

Ah! Quase me esqueci de contar. Há algumas semanas matei minha vontade de ter algo tatuado no corpo. Escolhi uma estrofe escrita por uma autora brasileira chamada Martha Medeiros, de quem minha mãe sempre foi fã:

Mesmo tendo juízo

não faço tudo certo

Todo paraíso

precisa um pouco de inferno

Luka acha que "o inferno são os outros". Eu não. Meu inferno é ele. E meu paraíso também. Que garota de sorte eu sou.

Agradecimentos

Este livro não existiria não fossem as longas discussões com a amiga gaúcha, Mirelle Candeloro, sobre Direito Familiar e questões relacionadas a herança. Uma pergunta levou à outra e, então, nascia a premissa de ELENA. À Mirelle, minha eterna gratidão e amizade.

Há outras pessoas igualmente responsáveis por esta história: minha amiga Glauciane Faria, sempre a primeira a ler tudo o que escrevo; a agente incrível com quem sempre sonhei trabalhar, Luciana Villas-Boas, e toda a equipe da VBM Literary Agency (um obrigada especial à querida Gabrielle Cunha. Gabi, você mora no meu coração.); Ana Lima, editora atenciosa, com olhar de lince, que sabe, como ninguém, deixar um texto perfeito. Sempre digo: aprendo muito com você.

Estendo meus agradecimentos a toda equipe do Grupo Editorial Record, que me recebeu tão bem. À Ana Resende, um beijo bem grande.

À Carina Rissi, autora que admiro e leio vorazmente, pelas boas-vindas entusiasmadas. Carina, suas palavras de apoio e incentivo fizeram toda a diferença para mim.

A escritora Laura Conrado, amiga do peito e de jornada, com quem divido conquistas, alegrias, angústias e projetos. Nós só não combinamos num ponto: os times de futebol do coração.

À Vitória Tavares e Tamar Cavalcante, pela leitura prévia e comentários essenciais.

Aos meus leitores, atuais e aqueles que estão me conhecendo agora, obrigada. Vocês me motivam com tanta energia boa.

A todos os colegas professores que indicam e adotam meus livros e aos alunos que se empolgam e divulgam as histórias entre os amigos: isso é que eu chamo de marketing eficaz!

Aos meus amados Rogério, Hugo e João, que dão sentido à minha vida e acompanham cada trecho incrível desta trajetória, bem como os demais familiares. Amo todos vocês!

Visite nossas páginas:

www.galerarecord.com.br
www.facebook.com/galerarecord
twitter.com/galerarecord

Este livro foi composto nas tipologias Adobe Jenson Pro, Adorn Ornaments, Arial, Bodoni Classic Chancery, Davys Dingbats, Kaufmann, Verdana, Wingdings, e impresso em papel offwhite, no Sistema Cameron da Divisão Gráfica da Distribuidora Record.